Juego
de damas

MAMEN SÁNCHEZ

Juego de damas

ESPASA

ESPASA © NARRATIVA

© María del Carmen Sánchez Pérez, 2011
© Espasa Libros, S. L. U., 2011

Diseño de cubierta: María Jesús Gutiérrez
Imagen de cubierta:
© Condé Nast Archive/Corbis – F. McLaughlin-Gil

Depósito legal: M. 39.252-2011
ISBN: 978-84-670-3717-3

Espasa, en su deseo de mejorar sus publicaciones, agradecerá cualquier sugerencia que los lectores hagan al departamento editorial por correo electrónico: sugerencias@espasa.es

Impreso en España/Printed in Spain
Impresión: Unigraf, S. L.

Espasa Libros, S. L. U.
Avda. Diagonal, 662-664
08034 Barcelona
www.espasa.com

El papel utilizado para la impresión de este libro es cien por cien libre de cloro y está calificado como **papel ecológico**

«We left Milan ten days back, and have since lived in a state of enchantment, and I really believe in fairy land».

(«Hace diez días que partimos de Milán, y desde entonces hemos vivido en un estado de encantamiento tal que realmente estoy dispuesta a creer en un mundo de hadas y duendes»).

LADY MORGAN'S MEMOIRS, 1819

Para Mónica, Willy y Javier,
«veinte años no es nada».

I

El día en que Francesca Ventura cumplió dieciocho años su padre le dijo al oído: «Ten cuidado, princesa, ya eres libre», y ella, recién estrenadas las alas, no comprendió que la libertad contra la que le prevenía aquel hombre de pasado turbio no era la de estar por fin legitimada para hacer aquello que le viniera en gana, sino la de acarrear para siempre las consecuencias de su santa voluntad sobre los hombros.

Así pues, equivocada en lo absoluto, Francesca se consagró en cuerpo y alma al oficio de cometer errores, lo cual no es ni más ni menos que lo propio de la edad, si bien los suyos, por tremendos, determinarían el desarrollo de los acontecimientos posteriores de su existencia hasta convertirla en la mujer solitaria que llegaría a ser.

Cuántas veces recordaría, muchos años después, aquella advertencia del padre con el silencio como único testigo de su lucha interna: lanzarse o no lanzarse al vacío desde la azotea de su lujoso ático de Madrid, el amor casi olvidado a fuerza de pasarse los días tratando de conservarlo en formol; la vida, una montaña rusa.

—No te confundas, Franchie —se repetía cruel, asomada a la terraza que daba al parque—, el amor no da la felicidad.

—Y la amargura tampoco, ni el abandono, ni el desamparo —respondía su hermana Claudia, aún más despiadada.

En aquel piso grande y vacío, la voz de Claudia había perdido la sonoridad de antes y sus facciones, tan bien dibujadas entonces, se estaban desvaneciendo poco a poco de su cabecita loca. Unos días la recordaba rubia y alegre, otros sombría como la luz amenazante de las tormentas y a veces el tono de su piel pasçaba del dorado deslumbrante al azul plomizo del agua, o se confundía con el verde de los castaños que poblaban las orillas del lago, o se sumergía en él lentamente, lentamente, lentamente.

Fue en ese mismo lago, y precisamente ese día, el de su mayoría de edad, cuando tomó forma la idea que llevaba tiempo rondándole la cabeza.

Terminado el almuerzo —los nísperos maduros, sus favoritos, la sandía helada, el trago dulce del *limoncello,* el café bebido a sorbos indolentes bajo el emparrado en el pequeño jardín frente a la casa, con el escenario asombroso de las montañas y unas nubes muy negras acercándose amenazantes desde Suiza—, Francesca arrastró a Claudia hasta el embarcadero mientras los otros dormitaban a la sombra y la colocó en la proa de su barca, como si fuera un mascarón bellísimo, porque quería contarle un secreto. Remó hasta el centro del lago, donde nadie podía oír lo que tenía que decir y habló en susurros, asustada hasta del color de sus pensamientos.

—Claudia —dijo en el mismo tono de voz con el que de niñas la despertaba por las mañanas para no espantar sus sueños de hadas y príncipes—: Voy a matar a Margherita.

—Sí —asintió su hermana con la misma naturalidad con la que hubiera reaccionado de haber sido suya la idea. Serena como el agua, sin aparentar extrañeza ni emoción alguna, sin despeinarse siquiera, sin aumentar el ritmo de su respiración pausada. Era impasible Claudia y eso a veces sacaba de quicio a Francesca, por el contraste con su

12

desazón permanente y sus nervios destrozados. Una tan dueña y otra tan esclava de sus propios actos—. ¿Has pensado cómo?

—Todavía no —confesó Francesca despés de un largo silencio—. Pero el caso es que la voy a matar. Este verano. Con estas manos.

Se miró las manos largas, las uñas cortas, los nudillos prominentes y el cruce de las venas azules bajo la piel transparente de las muñecas, las líneas del futuro bien marcadas en las palmas blancas. Temblaba.

—Probablemente ahogada —dijo al rato—. No sería la primera muerta que aparece flotando en la orilla, ¿verdad?

Claudia se encogió de hombros.

—No. Desde luego que no —se respondió a sí misma—. Habrá habido muchas. Los lagos tienen corrientes muy fuertes. Es muy peligroso nadar en un lago. —Francesca se inclinó hacia el agua y metió la mano hasta el codo. Salpicó a su hermana—. Pero que voy a matarla, eso seguro.

Sonó un trueno al otro lado de las montañas. A las siete, como cada tarde, se desencadenaría una tormenta fabulosa. Con rayos y truenos y un viento rabioso que agitaría las ramas de los castaños de lado a lado, organizando un estrépito de hojas y troncos y corteza troceada arremolinándose en el agua turbia. Hasta olas habría, hasta delfines; criaturas marinas transportadas por las nubes, medusas y ostras que caerían al lago en una lluvia increíble de la que nadie se extrañaría ni recordaría luego siquiera. Sólo Francesca y Claudia, desde la ventana de su habitación, anotarían los prodigios del atardecer: una ballena, tres mil gaviotas, más de cien galápagos extraviados, un barco atunero navegando sin rumbo, como aturdido por el ruido de los truenos.

—Tal vez debería investigar cuántas mujeres han muerto ahogadas en este lago en los últimos… ¿doscientos años?

—¿Para qué?

—Para entender cómo funciona esto —señaló con la cabeza la inmensidad del lago—. Procuraré que parezca un accidente. No quiero que acabemos en la cárcel, Claudia.

Su hermana ladeó la cabeza. Tenía una expresión inocente, de muñeca de trapo: los ojos redondos muy abiertos y las pestañas tiesas como alambres.

—Ni siquiera debería habértelo contado. Te estoy poniendo en peligro.

—Yo también quiero que se muera —confesó Claudia con esa seguridad rotunda con la que hacía todas las cosas.

Francesca sonrió. De un tiempo a esta parte estaban de acuerdo en todo. Dos hermanas que hubieran podido ser una sola. Hasta parecían hablar con la misma voz y decir las mismas cosas. Antes no era así. Pero algunas de sus diferencias dejaron de tener importancia cuando se les terminó la infancia.

La familia Ventura vivía en uno de los barrios más elegantes de Milán, la ciudad gris. Cerca del Duomo, del sonido de sus campanas y del colegio de monjas, de los de uniforme y disciplina burlada, a cuyo patio los chicos sólo tenían acceso a través de un agujero en la pared. Las alumnas tomaban el sol, para espanto de las religiosas, con el primer botón de la camisa blanca desabrochado hasta la indecencia.

—Aquí no nos ve nadie, madre —protestaban cuando les llamaban la atención, plenamente conscientes del revuelo que se formaba al otro lado de la tapia: el enjambre de muchachos alborotados que hacían turnos para asomarse al jardín del edén y que las esperaban después de clase, a la puerta del colegio, todavía con la visión del trozo de piel prohibido en el negro de los ojos.

En el otoño de 1977, quince años espléndidos, Francesca estaba viviendo un amor inconveniente con un chaval que fumaba y montaba en moto; dos elementos fundamentales para triunfar en el peliagudo mundo de los cortejos de entonces. La llevaba a casa en volandas, esquivando coches y sorteando los peligros de aquella ciudad disparatada, y la dejaba al otro lado de la calle, no fueran a descubrirles sus padres besándose contra la pared.

A veces daban una vuelta rápida por los callejones sombríos que rodeaban el centro, donde aún flotaba el aroma de las salsas y los hornos de las *trattorie,* o por los parques recién florecidos. Aparcaban la moto y se tumbaban sobre la hierba, se abrazaban y rodaban, las piernas enredadas, el uniforme arrugado, el pelo sobre la cara. Francesca se hizo ilusiones. Pensó que en esta vida, al contrario de lo que siempre había creído, aún era posible ser feliz.

Hasta que una tarde, caminando de la mano por una acera vacía, vieron salir de un hotel a una pareja tan clandestina como su propia sombra. Infieles. Adúlteros. Con canas él en las sienes y un vestido demasiado juvenil ella para sus treinta y tantos años incómodos.

—Y tú, ¿desde cuándo quieres matarla? —preguntó Francesca a Claudia la tarde de su mayoría de edad, balanceándose ambas de acuerdo en todo en la barca de remos.

—Desde el día en que la conocí —respondió con sus ojos de muñeca de trapo abiertos de par en par.

—Entonces, hagámoslo —dijo Francesca, animada por la seguridad de su hermana—. Ahoguémosla en este lago, que para eso lo ha creado Dios. Para Margherita, para que muera y papá se libre de sus brujerías.

Dijo: «¿Papá?» y el hombre de las canas en las sienes dio un respingo. La mujer del vestido estrecho se colocó el pelo detrás de las orejas y tragó saliva.

¡Cuánto había llegado a odiar Francesca este gesto de Margherita, su pelo y sus orejas, y su saliva, y su respiración! La odiaba en absoluto, como se odia al diablo, a la oscuridad, a los bichos, a las pesadillas. Lo único que le agradecía, en lo más profundo, era haber recuperado gracias a ese sentimiento de odio compartido la antigua unión con su hermana, su asimilación a ella; uña y carne, cara y cruz, cuerpo y alma.

—De acuerdo —dijo Claudia—. Este verano.

Y remaron de vuelta a casa con el viento en contra, y las tormentas, y las primeras gotas cayendo en la cumbre de las montañas del norte.

En el embarcadero las esperaba su padre, preocupado siempre, y Margherita, ajena a la conspiración de las niñas, con sus gafas de sol, su pamela, su Martini blanco, sus piernas largas y su melena negra.

Francesca pasó por su lado aguantando la respiración. No soportaba el perfume pegajoso que emanaba de su cuerpo. Cuando no tomaba la precaución de bloquear el olfato, aquel olor la invadía por dentro; trepaba por ella. La obligaba a lavarse las fosas nasales con un algodón mojado, los dientes con un brebaje de mentol. Era capaz de masticar el olor a Margherita durante horas.

—¿Dónde vas tan deprisa, Franchie? —la interrogó su padre, aunque hacía tiempo que había perdido la esperanza de que su hija le respondiera.

Francesca llevaba tres años sin dirigirle la palabra. Le había retirado el saludo, la conversación, la mirada, el respeto. Del espanto primero había pasado a la decepción; de la decepción al desprecio, de éste a la indiferencia y de la indiferencia al silencio.

Había tomado partido por su madre de una manera radical: con un fanatismo tan ciego que había convertido a la dulce y etérea pianista de las pestañas infinitas en la imagen venerable de una dolorosa. La pobre Paola, abandonada, traicionada y humillada, se había refugiado en el palacete que poseían los abuelos Pompeyo y Chiara Cossentino en Florencia, en lo alto de una colina desde la que se contemplaba la ciudad preciosa de los puentes y las casas colgantes, sola con su pena, con sus melodías y sus partituras a medio terminar.

Ignorando la voz del padre, Francesca entró en la casa por la puerta principal y subió por la escalera de madera hasta su dormitorio, en el segundo piso, pared con pared con el de la bruja. Era una estancia amplia, con un balcón sobre el lago y una ventana por la que entraba el viento que precedía a las tormentas. Su cama tenía un dosel de terciopelo azul con borlones dorados, a juego con las cortinas y con la tapicería del coqueto sofá del fondo. También había un escritorio, un espejo de pie enmarcado en oro, un jarrón con flores frescas, una cómoda antigua y una jofaina de porcelana como las que se usaban en las alcobas decimonónicas y que, a pesar de su falta de utilidad presente, Margherita conservaba en calidad de elemento decorativo imprescindible.

Todo rezumaba olor y sabor a ella: los muebles, las sábanas, las cortinas, las paredes...

Francesca detestaba la casa con la misma intensidad con la que odiaba a su dueña. Casa y bruja eran la misma tragedia: las dos bellas y elegantes, con el olfato para lo exquisito que sólo se adquiere tras varias generaciones de ricos de solemnidad.

Villa Margherita se levantaba soberbia en la orilla derecha del lago de Como, entre Moltrasio y Laglio. Estaba rodeada por un jardín muy verde en el que crecían los avellanos y las higueras sin más ayuda que la de la naturaleza misma con sus mañanas de sol y sus tardes de lluvia y esa humedad tan fértil, procedente del lago, que parecía un incendio y no era otra cosa que bruma suspendida en el aire de la madrugada. En la parte de atrás había también castaños y cipreses fronterizos con el bosque de acacias y pinos inmensos que subían escalando por la falda de la montaña.

El edificio era de piedra, de tres alturas, con ventanas que se abrían al verde de las aguas; balcones de hierro, persianas de madera y muros envueltos en hiedra. El interior era luminoso. Los techos estaban decorados con frescos, al igual que algunas paredes; las alfombras eran de colores vivos, las lámparas de cristales preciosos. Las esculturas de mármol blanco representaban ángeles, dioses o amantes voraces y los relojes contaban perezosos el tiempo, porque no existía la prisa. Lo poco que ocurría en Villa Margherita sucedía calladamente, como si siempre fuera la hora de la siesta.

Se servía té frío a media tarde, antes de la tormenta, en el cenador de madera blanca desde el que se contemplaba el ir y venir de las motoras, los pequeños transbordadores cargados de viajeros y las embarcaciones de vela que rebanaban las aguas tranquilas como el cuchillo la mantequilla. Se escuchaba música mientras caía la lluvia, se cenaba a la luz de las velas, se paseaba mucho, se leía en silencio, se tomaba el sol, se bebía limonada, se llegaba hasta el pueblo para saborear un helado artesano, se añoraba todo lo demás.

—Me aburro hasta el infinito —dijo Claudia en medio de un bostezo.

—Ven. No te quedes ahí tirada en la cama como una muerta. Asómate.

Francesca estaba apoyada en la baranda del balcón con la melena caoba al viento. Las nubes pesaban tanto que tenía la sensación de que le aplastarían la cabeza de un momento a otro. Se apartó para hacerle sitio a Claudia en el pequeño saliente.

—Mírala. ¿No crees que tiene pinta de bruja?

Margherita se había puesto en pie y abrazaba a su padre, de frente al lago. Llevaba un vestido de seda que jugueteaba con el aire describiendo formas caprichosas; ahora un ave del paraíso, ahora un velo misterioso, ahora la curiosidad de unos visillos abiertos.

—Vamos a matarla, ¿verdad?

—Claro que sí, Franchie. La vamos a matar tú y yo. Con estas manos. Este verano. En este lago. Esa muerte no la podemos evitar. Es como si ya hubiera sucedido.

II

Los engranajes del crimen se pusieron en funcionamiento en cuanto Francesca hubo comprobado que Claudia apoyaba el proyecto.

Lo primero, pensó, era documentarse. Un asesinato bien planeado tenía muchas más probabilidades de éxito. No bastaba con invitar a Margherita a navegar en la barquita de madera hasta Nesso, en la orilla opuesta del lago, empujarla al agua y golpearla con el remo en la cabeza. No bastaba. Tampoco con envenenarla de a poquito con algún medicamento que pudiera disolverse en el café. Ni con tirarla desde el balcón. Ni con atraparla en su propia jaula, Villa Margherita, amordazarla y colgarla de una viga, con una soga al cuello, para simular un suicidio. ¿Por qué razón absurda desearía la muerte un ser tan irritablemente feliz como Margherita?

Una ladrona de felicidades. Eso es lo que era. Se había quedado con la alegría de todas: con la de su madre, con la de su hermana y con la suya propia. Las había despojado de la risa, la paz y hasta de los buenos recuerdos. Los había sustituido por otros sentimientos menos reconfortantes y más intensos: el miedo, la soledad y el regusto amargo del odio cocinándose a fuego muy lento, como la salsa de tomate casera, cuatro horas en el perol, borboteando, chisporroteando y salpicando las paredes de la cocina, mientras ella, la bruja, daba vueltas y más vueltas a la ponzoña con la cuchara de palo.

Nadie se creería el cuento de un suicidio. No después de oírla cantar desde el balcón o de contemplar su arrebato cuando vestida de blanco había representado con tanto acierto el papel de novia virginal. No después de saborear la risa de sus labios, que hasta lágrimas arrastraba de lo caudalosa que era.

Había que buscar el modo de proporcionar al mundo una explicación verosímil para una muerte inevitable.

—Mañana, antes de que te despiertes, iré a Como. Si te pregunta papá por mí, le dices que salí a dar un paseo en bici y que regresaré a la hora de comer. Pero en realidad voy a ir a la Biblioteca Vecchia para consultar algunos libros sobre la historia del lago. Le pedí consejo a Fabrizio, el de la librería Cattaneo, y me hizo una lista. Aquí la tengo, mira. ¿No te recuerda a las instrucciones de nuestros juguetes, Claudia? ¿A la receta del médico? Ahora sólo tenemos que ir montando poquito a poco las piezas hasta que encajen. Al final, lo razonable será su muerte y lo absurdo su existencia. Dirán: «Falleció de muerte natural, como no podía ser de otro modo», o «fue un accidente terrible, pero afortunado. La pobre Margherita no sufrió lo más mínimo». Y nos consolarán a las dos. También a papá: una palmadita en la espalda, un apretón de manos, una oración, un entierro... los pasos habituales. Luego vendrá la paz, Claudia. Ya verás como todo vuelve a ser como antes.

—Ya que vas a Como, tráeme nísperos, Franchie. —Claudia había regresado a la cama y ojeaba distraída una revista—. Pero de los maduros. Ya sabes, de esos que empiezan a ponerse blandos. Que se pelan con la mano, sin necesidad de cuchillo, y que están muy dulces. Nunca me ha gustado el sabor ácido de la fruta verde.

—A mí tampoco.

A la mañana siguiente, temprano, antes de que los habitantes de la casa bajaran a desayunar, Francesca se subió a su bicicleta, con la cesta de mimbre enganchada en el manillar, y recorrió pedaleando los quince kilómetros que separaban Moltrasio de Como. A las nueve las calles del centro ya se habían vuelto bulliciosas como un mercado árabe y el olor a pan recién hecho se extendía por las callejuelas que desembocaban en la catedral. Sonaban unas campanadas alegres cuando Francesca cruzó la plaza pedaleando y se deslizó por los adoquines de las aceras, esquivando mujeres cargadas de cestos y comerciantes arremangados que, al pasar ella, con su pamela estrepitosa y sus gafas de sol, le lanzaron requiebros como pétalos. Pero Francesca, concentrada como estaba en la investigación que daba comienzo esa misma mañana, pasó de largo distraída y allí quedaron las flores, marchitándose.

El mercado lo instalaban a la sombra de los soportales cada mañana y lo recogían a mediodía, antes de que el calor arruinara la frescura de las frutas y las verduras. Era tan sencillo como agacharse a recoger los nísperos caídos, amontonarlos en una caja y colocarlos encima de una tabla. En aquella tierra agradecida, la naturaleza era la que trabajaba incansablemente y los seres humanos, perezosos, eran meros depredadores o parásitos. Siglos atrás, en tiempos de guerra, el hambre se había aliviado con castañas maduras; el frío, combatido con la corteza de los pinos salvajes; la sed era desconocida gracias a las aguas del lago, la pesca abundante, el ganado alimentado con los pastos verdes que nadie cultivaba; los festines de nectarinas, higos, naranjas, limones, uvas y aceitunas negras, regalos del cielo, igual que el aceite y el vino, la sombra de los castaños y de las parras. El país de jauja.

—Un kilo de nísperos maduros, por favor.

—Mil liras, *signorina*.

Los deseos de Claudia hechos realidad.

Francesca acomodó la bolsa de papel en la cesta de la bicicleta y continuó pedaleando, ahora cuesta arriba.

La biblioteca quedaba en lo alto, allí donde el casco antiguo se encontraba con la novedad de una carretera asfaltada de doble carril y un puñado de edificios modernos. Era más clásica que práctica, con una escalinata empinada y un par de columnas a ambos lados de la fachada.

La sala de lectura era espaciosa y tenía seis ventanales por los que entraba mucha luz. Parecía un mercado, los libros como la fruta: maduros y sabrosos.

—No está permitido introducir alimentos en la sala —advirtió la voz cansina de la bibliotecaria refiriéndose a la bolsa de papel.

—No voy a comer nada —protestó Francesca—. Son unos nísperos para mi hermana. Ni siquiera los sacaré de la bolsa.

—Las normas son las normas. Puede dejarlos en consigna.

—No. No me ha entendido. —Francesca notó que le palpitaba la nuca. Era molesta esa sensación. Solía venir acompañada de un hormigueo incómodo en las palmas de las manos y un temblor descontrolado en el resto del cuerpo—. Le he dicho que son para mi hermana.

—Me da igual para quién sean, señorita. No puede usted entrar con ningún tipo de alimento en la biblioteca. Así son las cosas.

—Muy bien —respondió Francesca—. Pues peor para usted.

Se giró sobre sus talones y empujó la puerta con rabia. El portazo sonó como una advertencia.

Salió a la fresca y se sentó en los escalones a esperar. Desde su observatorio vio pasar las horas como las nubes. Pesadas y lentas. Vio a los niños salir de sus casas, toalla en mano, calzados con sandalias de plástico y armados con todo lo necesario para pasar un día al sol: bicheros, cubos, flotadores y cañas. Vio a las viejas camino de la catedral —ida y vuelta, subir y bajar la cuesta— al son de las campanas que regían su rutina: misa, mercado, almuerzo y siesta. Vio a los hombres regresar bebidos del juego de petanca, a los jóvenes besarse al amparo de los portales, a las extranjeras de pantalón corto y a las lugareñas de falda y delantal. Cada cual en su cuadradito del tablero de ajedrez; caballo, torre y reina.

Se figuró la mano de Dios moviendo ficha, olvidado de ella y de su soledad. A veces pensaba que era prescindible. Que si un día faltara de este mundo, nadie notaría su ausencia.

—Yo te echaría de menos —le decía entonces Claudia en un susurro muy tierno.

Y con eso bastaba para apartar de su mente la angustia de creerse inútil del todo.

Cuando el reloj de la catedral dio las tres en punto, la bibliotecaria salió de la madriguera. Se demoró unos minutos en cerrar la puerta, guardó la llave en el bolso y, al pasar junto a Francesca, le dedicó una mirada de curiosidad y un «buenas tardes» tan cortés como insulso antes de continuar su camino sin esperar respuesta.

Aún aguardó unos minutos más Francesca en la escalera. Acompañó los pasos de la mujer con la vista hasta que desapareció por una de las callejuelas. Entonces se levantó, se sacudió la falda arrugada, se atusó el pelo y calculó mentalmente el tiempo que le quedaba para que estallara la tormenta. No quería que le pillara la lluvia en el camino de vuelta con la bicicleta. Ni que se le mojara la pamela nueva.

III

—«Ayer, pasadas las tres de la tarde, alguien rompió a pedradas el cristal de una de las ventanas de la Biblioteca Vecchia, entró en la sala de lectura y la emprendió a golpes con los estantes. Lanzó los libros contra las paredes y garabateó con lo que parece ser una llave el pupitre de la bibliotecaria. Abrió el directorio y desperdigó todas las fichas por el suelo. Sobre el desastre machacó unos nísperos maduros». —Francesca leía el periódico en voz alta. Claudia, asomada al balcón, la escuchaba con una sonrisa en la cara—. ¿Lo ves? —le dijo agitando el diario como si fuera un abanico—. Compré los nísperos, pero no pude traértelos. ¿Me crees ahora?

Claudia se giró consciente de la autoridad que ejercía sobre su hermana.

—Te perdono —le concedió clemente—. Pero no vuelvas a desobedecerme, Franchie. Sabes cuánto me molesta que me lleven la contraria. Te esperé durante horas y horas. Pacientemente. Y regresaste sin mi encargo.

—Al menos conseguí el libro —se consoló Francesca—. Lo malo es que es bastante difícil. No sé si tú, que eres tan inculta, vas a ser capaz de entenderlo.

Se trataba de un pequeño tomo encuadernado en cuero rojo. Las páginas estaban hechas de un material tan fino que parecía papel de fumar y el título, grabado en mayúsculas doradas sobre la cubierta, era el elemento disuasorio definitivo para los pocos valientes dispuestos a dejarse la vista en la letrilla diminuta y apretujada de sus más de seiscientas páginas sin ilustraciones: *Historia romántica de Lario, un estudio.*

—Relata la historia del lago y describe, no se lo digas a nadie, muchos episodios de muertes violentas. Ni te imaginas cuántos esqueletos hay en el fondo. Eso me ha hecho pensar que uno más ni se va a notar.

—Esqueleto más, esqueleto menos… —asintió Claudia.

Con las cabezas muy juntas, tumbadas ambas sobre la cama, fueron descifrando aquellas páginas ajadas por el tiempo y supieron que, en efecto, desde el siglo I antes de Cristo hasta la primera mitad del siglo XX, las muertes violentas, ya fuera por accidente, por catástrofe natural o por causa de la justicia humana, habían sido muy numerosas.

A través de la ventana abierta de su dormitorio vieron pasar los años caminando sobre las aguas. Primero cruzó Plinio el Joven, un muchacho de largos cabellos rizados, a lomos de una yegua castaña, vestido con una túnica blanca ceñida a la cintura y sandalias de cuero.

Al cabo de un rato irrumpió el inquisidor Caraffa, seguido de un numeroso grupo de congregantes del Santo Oficio escoltando a un reo de muerte. La ceremonia de ejecución resultó de una belleza sorprendente. Parecía una romería, aunque menos festiva y más solemne. Llevaron al condenado a remo hasta el centro del lago, donde lo ahogaron despacito, la cabeza bien sujeta por el verdugo, bajo el agua, hasta que sus pulmones se anegaron y la herejía se disolvió entre las algas del fondo. O se quedó allí enredada en los cabellos verdes de las aguane, las hadas de los estanques, para desesperación de los habitantes de las orillas, que luego tendrían que enfrentarse a ellas: a sus pies del revés y a sus maleficios.

Por último, cruzaron los novios Renzo Tramaglino y Lucia Mondella, perseguidos a escasos metros por el malvado don Rodrigo, camino de su escondite secreto en Pescarenico, entre las redes puestas a secar y las casitas humildes de los pescadores. Venían abrazados, las vestiduras rasgadas, huyendo de la guerra como de la peste, burlando de milagro a la parca hambrienta, que ya les daba alcance, ya los reclamaba para su reino bajo el mar.

Cuando llegó la hora de comer y el olor de la salsa boloñesa trepó por la pared, Francesca y Claudia, derrotadas, constataron que para cada muerte había una fecha y una explicación. Ningún misterio.

—Nos hemos equivocado de método —dijo Francesca—. No sé cómo hemos podido ser tan tontas, Claudia. Si lo piensas bien, es imposible que encontremos en un libro lo que estamos buscando: un crimen cuyo autor jamás haya sido descubierto y cuya víctima no haya sido vengada. Puesto que nunca se ha demostrado que su desgracia fuera otra cosa diferente a la voluntad de Dios, el destino infalible o la pura mala suerte, a la fuerza ha de haber pasado desapercibido para la historia o la literatura. —Cerró el volumen con rabia y miró a su hermana sin verla—. Los libros no sirven para nada.

Claudia parpadeó, divertida. Empezó a reírse y sus carcajadas fueron como aleteos de cuervo que se confundieron con las campanadas de las dos de la tarde.

—¡Ay, Francesca, estás loca!

—¡Y tú podrida!

Se abrazaron riendo, se revolcaron sobre la cama deshecha, cayeron al suelo y continuaron rodando sobre el entarimado, derribaron la lámpara de pie, la bombilla se rompió en pedazos y se les clavaron los cristales en la piel desnuda de los hombros y los brazos.

—Estas cosas no se escriben: se saben —afirmó Claudia—. Son como las criaturas del *piccolo popolo*: la *fata* Morgana, el *besadonna*, las ianaras y los *folletti*. Viven en secreto, en la oscuridad del bosque, en los murmullos de la gente, en el fuego de las chimeneas. A veces, con sólo mencionar su nombre en voz alta se las puede invocar, y por eso están malditas. No se habla de ellas; jamás aparecen en ningún libro. Pero llevan siglos paseándose por esta tierra, de boca en boca, como los pecados inconfesables o las almas en pena, eternamente errantes y condenadas. —Guardó silencio un instante. Silbó el viento—. Necesitamos un método científico, Franchie. Vayamos paso a paso.

—¿Y por dónde empezamos?

Claudia se puso en pie. Se acercó al balcón y cerró los visillos, que iniciaron un baile muy sensual con su cuerpo de niña mala. Y con su pelo negro, largo hasta la cintura, y con la sangre de sus brazos.

—Parece mentira que seas tan boba —dijo—. Lo primero es encontrar un muerto, ¿no crees? Sin cadáver no hay caso.

—Ni asesino.

—Pues vayamos de visita al cementerio de Laglio. Esta tarde. Vistámonos de negro de los pies a la cabeza. Recojamos flores, hagámonos pasar por plañideras, rebusquemos entre las tumbas a nuestra difunta. No hay mejor lugar para despertar fantasmas que el cementerio.

IV

Aún dormían la siesta Stefano y Margherita bajo el emparrado cuando Francesca, sigilosa, con un velo de funeral y las tijeras de podar escondidas entre los pliegues de la falda negra, salió al jardín por la puerta de atrás. Hacía un calor infernal, las abejas zumbaban somnolientas, el aire permanecía inmóvil, los árboles no daban sombra y los pájaros habían enmudecido —los picos abiertos y los ojos cerrados—, convencidos de estar exhalando el último aliento de sus vidas.

Por la mañana, cuando todos los habitantes de la casa excepto Claudia, y a veces Francesca, retozaban aún entre las sábanas, Margherita salía al jardín. Las niñas la contemplaban escondidas tras las cortinas.

Margherita podaba, regaba, plantaba, arrancaba, acariciaba, besaba y cantaba. Sus flores eran la envidia de todos. Las hortensias crecían inmensas junto al muro y los rosales, caprichosos de formas y colores —algunos rojos, otros blancos, otros amarillos de un tono muy intenso—, trepaban por las paredes de la casa disputándose con la hiedra los mejores puestos. Las azaleas se desbordaban de los tiestos y había pensamientos hasta en verano, y petunias, y margaritas. Miles de margaritas cubrían los parterres como una sábana multicolor, aterciopelada.

—Cuando me muera —solía decir Margherita apoyando la cabeza en el hombro de Stefano—, quiero que me entierres aquí, entre mis flores. Como una más de estas margaritas tan felices.

La veían agacharse, mancharse las manos de tierra. Parecía que estuviera ocultando un tesoro. Siempre había flores frescas en la mesa del desayuno, en los jarrones de cristal de las habitaciones y en la chimenea del salón. Sus flores. En el dormitorio de las niñas.

—¿Ves lo que hago con sus flores? —decía Francesca, pisoteándolas sobre la alfombra.

Pero al día siguiente aparecían de nuevo, más desafiantes y frescas que las del día anterior.

Empezó por las rosas, que tienen el tallo duro, y dejó las hortensias para el final, cuando ya no le quedaran fuerzas para abrir y cerrar las tijeras de podar —las hortensias se arrancaban muy bien sin grandes trabajos—. Salían de la tierra sin oponer resistencia, hartas ya de tanto calor. Las margaritas, por su parte, se troncharon nada más pisarlas. Era divertido dibujar caminillos entre sus pétalos. O tumbarse en el centro del parterre y agitar brazos y piernas de arriba abajo hasta dejar impresa la figura de un ángel precioso, como en la nieve.

Al cabo de media hora, Francesca había formado dos ramos tan grandes que los coches con los que se cruzaron Claudia y ella por la carretera de Laglio redujeron la velocidad para contemplar aquella barbaridad de flores tras las que aparentemente caminaban dos chicas vestidas de negro a las que sólo se les veían los pies.

Habían hecho bien en salir pronto, nada más terminar de comer, porque el cementerio cerraba a las siete. El vigilante las vio acercarse desde la garita y no pudo contener un «*Madonna!*» porque nunca en su vida había visto tantas flores juntas, ni tantas lágrimas, ni tanta tristeza como la que subía por la cuesta.

Saludó a Francesca con familiaridad. La conocía desde que era una niña traviesa a la que regañaba sin mucho convencimiento cada vez que la encontraba saltando de lápida en lápida. Sentía lástima por ella, tan fuera de lugar en ese cementerio árido, de la mano de Paola Cossentino, señora de Ventura, su madre.

—Mira, Franchie —le decía aquella dama que siempre vestía de negro—, aquí están tus abuelitos; allí, tu tía Lorenza; al fondo, tu bisabuela Tiziana; más allá, los tatarabuelos Gian Franco y Andrea...

Pero la niña atendía a medias, más pendiente de las abejas, o de las nubes, o de los veleros que enarbolaban la bandera tricolor camino de algún puerto imaginario donde sólo existía una posibilidad: la de ser feliz.

Los dos ramos inmensos de hortensias, margaritas, azaleas y rosas se internaron en el laberinto de piedra y mármol hasta alcanzar el pequeño mausoleo de la familia, a media ladera de la colina.

—Tú espérame aquí —pidió Francesca a su hermana Claudia—. Ve colocando las flores ahí y ahí. No levantemos sospechas. Yo me encargo del resto.

Se sentó un momento en el suelo, sacó una libreta del bolso y apuntó: «Muertos desde 1800 hasta 1980».

—Oye, Francesca —señaló Claudia, que, desobediente, curioseaba por encima del hombro—. No deberías escribir «muertos», sino «muertas». Te recuerdo que estamos buscando a una mujer. ¡Ah! Y que sea joven. Las viejas se mueren de viejas, no hay ningún misterio en eso. Cuanto más se parezca a Margherita, mejor.

—Tienes razón —rectificó Francesca—. Una mujer. De entre treinta y cuarenta años, rica, presuntuosa, con una vida fácil y una muerte horrible. Ahogada en el lago, a ser posible.

—Ojalá la encuentres rápido, Franchie, aquí hace mucho calor. No me gusta este sitio. Me hace sentir como uno de estos —miró a su alrededor— cadáveres... Huesos, gusanos... Se me pone la carne de gallina.

Francesca se alejó saltando de lápida en lápida; el vigilante se encogió de hombros. Estaban solos. Daba lo mismo.

La tarea no iba a resultar fácil. El cementerio de Laglio estaba construido en vertical, aprovechando la pendiente. Presidía el lugar la monumental pirámide de Joseph Frank erigida en 1842 al más puro estilo egipcio, en la que descansaban los restos mortales de tan ilustre personaje, médico, músico, intelectual, amigo entrañable de Volta, antagonista fiel de Byron, y de Scarpa. Bajo su sombra picuda pasaban la eternidad sus conocidos de entonces, gente elegante llegada de Austria, Suiza y Milán: ricos comerciantes de seda, familias poderosas, aristócratas, oficiales de ejércitos variopintos, damas envueltas en terciopelos y muselinas, con escote amplio y corte imperio, con sus esmeraldas colgándoles aún de las orejas, y sus abanicos, y con sus monóculos ellos, y sus sombreros de copa, dispuestos a levantarse de un brinco de sus agujeros para bailar mil valses al son del piano y del violín.

A cada cual su sitio. El honor para el rico y para el pobre el olvido.

Las diferencias sociales dividían también a los fantasmas de Laglio. De arriba abajo, en riguroso orden económico, la colina se poblaba de mausoleos, criptas, tumbas corrientes, pequeños nichos y, finalmente, en su base más rastrera, fosas comunes, anónimas, en las que los huesos de unos se mezclaban con los de los otros, hasta formar esqueletos de dos cabezas y seis brazos, absurdos y pobres; sobre todo pobres.

Francesca descartó todos los muertos desde la mitad para abajo. Claudia había sido muy estricta en eso: ni viejas, ni pobres, ni mujeres enterradas junto a sus hijos recién nacidos, ni víctimas de la peste, ni de la gripe, ni de la guerra. La cuestión era dar con un misterio, no con una desgracia previsible.

Después de una buena hora de búsqueda la libreta seguía en blanco. El sol calentaba cruel la ropa de luto —el velo, la falda estrecha, la blusa empapada de sudor y los zapatos tan duros, tan rígidos e incómodos—. Le estaban dando ganas de abandonar la investigación.

Se sentó sobre una lápida de mármol. Claudia se acercó sonriente y fresca.

—¡La he visto, Franchie! —dijo excitada—. Es una mujer bastante joven; no creo que pase de los treinta. Está ahí arriba. —Señaló con el dedo hacia un pequeño mausoleo de planta cuadrada y estilo neoclásico—. Recuerdo haber visitado su tumba alguna vez con mamá. Es esa tan bonita; la del angelote de las alas rotas. Se llamaba Sydney, fíjate qué nombre tan divertido.

Claudia arrastró a Francesca a empujones y tirones —«¿por qué te has puesto esos zapatos, tonta?»— hasta que alcanzaron la cima. Desde allí, la vista era fabulosa, el agua del lago cambiaba del verde al azul plomizo, según pasaran o se esfumaran las nubes grises.

—Tenemos que darnos prisa o nos alcanzará la tormenta —observó Francesca cuando ya era demasiado tarde.

Dieron las siete en el reloj de la iglesita gris. El vigilante asomó su cara colorada por detrás del muro de piedra.

—Es la hora. Tengo que cerrar —advirtió—. Además, está empezando a llover. Va a caer una buena con este calor.

Francesca se agachó a toda prisa. Apuntó: «SYDNEY MORGAN, 1812», y se santiguó, tal y como había aprendido a hacerlo de niña cuando acompañaba a su madre durante las interminables mañanas tristes en aquellas visitas al cementerio.

Descargó la tormenta, precedida por un viento furioso que retorció las ramas de los árboles, sobre el camino de vuelta a Villa Margherita.

Allí, tras la verja, se representaba un melodrama protagonizado por Stefano, los brazos en jarras, y su bella esposa, arrodillada junto a los parterres destruidos. En lugar de flores, el escenario desolado de los pétalos pisoteados, los tallos cortados, las raíces arrancadas.

—Es una desgracia —repetía Stefano bajo el paraguas, aún sin reparar en los ojos sonrientes de su hija Francesca a sus espaldas.

—Nuestra desgracia —decía Margherita entre sollozos.

Francesca cruzó solemne, empapada por la lluvia y de luto riguroso. Le dedicó un guiño de complicidad a Claudia —al fin y al cabo, la idea del ramo inmenso había sido suya— y atravesó con ella la puerta con la prisa de comenzar por fin la morbosa recreación del asesinato de Sydney Morgan. Una vez en la soledad de su cuarto regresaron a su manual de brujería práctica: aquel libro que recuperaba de repente todo su protagonismo.

—Porque la asesinaron, ¿verdad? —dudó Francesca un instante mientras pasaba las páginas de seda en busca de aquel nombre, Sydney Morgan, y de aquella fecha, 1812, los dos únicos datos de su investigación.

—Claro que sí —respondió Claudia con tanta rotundidad que parecía estar viendo la escena—. Sin alboroto, sin escándalo, sin motivo aparente. Sencillamente, una noche apareció su cuerpo flotando, envuelto en un vestido blanco de muselina, balanceándose con el ir y venir del agua, como un balandrito sin rumbo. Traía tanta paz en la cara que todos dieron por hecho que había muerto acunada por las olas. Aquella tarde había caído una tormenta histórica. Encontraron su bote encallado a la altura de la solitaria Villa Pliniana, convertido en una ruina más entre las ruinas, sin ningún signo de violencia. Del revés, eso sí, como si una ballena lo hubiera abatido mar adentro. Y dijeron que era tan aventada y aventurera, la dulce y alegre Sydney, que seguramente había perdido el equilibrio, vestida como iba, de dama, con esos botines altos de tacón, y se había ido de cabeza al agua, y el barco la abandonó, empujado por el viento de la tormenta, y ella, a pesar de sus dotes de nadadora intrépida, se enredó en una corriente que se la tragó de un bocado; la saboreó como a un bomboncito relleno de licor y la vomitó después de disfrutarla, para que alguien pudiera encontrarla sin vida. Con aquellos ojos de un verde intenso, aquella expresión de serenidad en el rostro, la media sonrisa y los labios amoratados, la piel arrugada como la de una viejita y el pelo negro todo enmarañado. Claro que la mataron, Franchie, sé razonable: ¿cómo podría ser semejante visión otra cosa distinta a un crimen?

Los visillos bailaban una danza agitada, a espaldas de Claudia, que se movía por la habitación como una ráfaga de aire helado. Acompañaba su discurso de un aleteo nervioso, valiéndose de sus manos, de sus ojos, de sus pestañas, de sus piernas firmes y de los gestos que ambas habían aprendido de niñas mirándose en los espejos de su casa de Milán.

Cuando Claudia hablaba, lo hacía con tal convicción que era imposible poner en duda sus palabras. Si decía que los ojos eran verdes, pues a la fuerza tenían que serlo, y si aquella Sydney Morgan había sido asesinada, pues lo había sido. Sin discusión.

—La he visto, Franchie —aseguró—. En el cementerio. Y era tal y como te digo. Delicada y coqueta, lista como una liebre. Venía de paso y se quedó para siempre. Es nuestra muerta. La he visto. Nos estaba esperando.

Se giró hacia la ventana y, con un movimiento de cabeza, le indicó a Francesca que la acompañara al balcón. Se asomaron al lago y recibieron la caricia del viento en sus melenas. Por la izquierda, sobre el agua, procedente de Laglio, apareció la berlina en la que viajaban los Morgan, camino de Villa Fontana, con sus baúles bien sujetos por cinchas de cuero y un cochero italiano muy cantarín azuzando a los caballos, consciente de la urgencia de los pasajeros por llegar a puerto. En su frenético galope iban provocando una estela de espuma y olas que hacía que los pequeños veleros y las barcas de pesca se balancearan peligrosamente. Los habitantes de Lario, acostumbrados como estaban a estas maravillas cotidianas, continuaban con sus quehaceres como si tal cosa, algo molestos por las salpicaduras y el oleaje, pero sin inmutarse en absoluto por la irrupción de una berlina desbocada en medio del siglo XX.

V

Historia romántica de Lario, un estudio
LADY MORGAN, SUCESOS Y CORRESPONDENCIA

Sir Charles Morgan y su recién convencida esposa Sydney llegaron a Como el 26 de junio de 1812, un mes y medio después de su boda, aún con las prevenciones propias de dos desconocidos que de pronto descubren un nuevo mundo en la geografía accidentada del otro.

Debajo de tanto tafetán, el doctor había encontrado una suavidad indescriptible, una voluptuosidad sorprendente y una sensualidad inesperada en un cuerpo que de tanto desearlo se estaba volviendo de barro cocido. Ella, por su parte, había experimentado el vértigo del terror y la necesidad juntos, al encontrarse de sopetón con el deseo salvaje de aquel hombre que hasta entonces se había comportado con una caballerosidad intachable.

No parecía posible que este Charles de ojos desorbitados por la urgencia fuera el mismo que atendía con tanta delicadeza los achaques de lord y lady Abercorn en su residencia de Baron's Court. Toda su ciencia, su preparación académica tan trabajosamente adquirida en Cambridge, su suavidad al piano, su voz aterciopelada, su prosa elegante, su amor por la poesía y la filosofía, su respeto por las convenciones, las tradiciones y hasta las buenas maneras a la mesa, siempre contenido y formal, toda su exquisita educación británica y, con ella, todos sus nobles propósitos se habían ido al traste en el momento mismo de destaparle los tobillos a su esposa. La transformación había sido como la de Jekyll y Hyde: a lo bestia. Había chupado, mordido, gruñido, gritado, embestido; había desgarrado y, finalmente, estallado. Y lo más asombroso de todo, lo que realmente había hecho enmudecer de vergüenza a la joven Sydney Owenson, era que a ella toda aquella batalla de sudores y jadeos le había gustado una barbaridad.

No lo había visto venir. El cortejo llevado a cabo por Morgan había sido tan aséptico que Sydney había albergado dudas razonables sobre las habilidades amorosas del caballero. En su Dublín natal los hombres se comportaban de un modo totalmente diferente: sin remilgos. En los asuntos del amor se dejaban guiar por el instinto, como los burros por las zanahorias. Había que adivinar las intenciones de sus manos impertinentes, esquivar sus envites y procurar no quedarse a solas con ninguno de ellos. O atenerse a las consecuencias.

Además, en el caso de la señorita Owenson, la tentación era inevitable. Sydney, con su cintura estrecha, su melena oscura, su piel pálida y esos ojos verdes con los que coloreaba todo cuanto acontecía a su alrededor, era lo más parecido a la mágica Deirdre de la que hablaban las viejas leyendas celtas. La lista de caballeros que solicitaban permiso para visitarla a ella y a su hermana Olivia, también muy guapa aunque más frágil, era extensísima. Sydney, coqueta por naturaleza, recibía a todos en su salón por orden estricto de insistencia y siempre los dejaba con la miel en los labios, insatisfechos aunque felices por haber tenido al menos la suerte de contemplarla de cerca.

Olivia, divertida con las idas y venidas de tantos hombres despechados, a todos los despedía con un palmadita en la espalda y luego escribía su nombre en una lista que ella misma confeccionaba bajo el epígrafe: «EJÉRCITO DE MÁRTIRES DE SYDNEY».

—Rompe eso —protestaba su hermana, haciéndose la ofendida.

—Ni hablar. El día de mañana, cuando seas una viejita arrugada y solitaria, esta lista será la única prueba de tus conquistas. Recordarás con nostalgia a estos caballeros y te arrepentirás de haber sido tan cruel y despiadada con ellos. —Y luego la leía en voz alta, acompañando cada nombre con una reverencia exagerada—: White Benson, Francis Crossley, John Wilson Crocker, Richard Everard ¡padre e hijo!, Charles Montague Ormsby, el señor Wallace, el joven Parkhurst, el archidiácono Rupert King...

—A ése bórralo, Olivia —le suplicaba Sydney entre risas—. Es demasiado viejo para mí y, además, ni en sueños sería la esposa de un clérigo.

Desde que era una niña traviesa que irrumpía sin permiso en las veladas organizadas por Robert Owenson, el barbudo dramaturgo que le había tocado en suerte como padre, Sydney poseía el don de convertirse en la protagonista de toda reunión social a la que asistía. Había escrito su primer poema a la tierna edad de seis años y antes de los treinta se había ganado una bien merecida fama de mujer de letras. Su tercera novela, *The Wild Irish Girl*, había sido discutida con ardiente interés en los círculos literarios católicos y liberales del país y su álter ego en la ficción, la princesa de Innismore, se había apoderado de su identidad real hasta el punto de que, para muchos, Sydney Owenson se había transformado en Glorvina y encarnaba en su naturaleza indómita las virtudes y defectos del personaje.

La salvaje Glorvina frecuentaba las bibliotecas y los salones de lectura, pero también los palcos de los teatros, las fiestas, los conciertos y las excursiones al campo, y se rumoreaba que frente a su puerta la esperaba permanentemente un cochero con los caballos engalanados y listos para echarse a galopar, porque siempre había un motivo para salir de casa: un galán con aspiraciones dispuesto a cortejarla o una aventura esperándola a la vuelta de la esquina. Y Glorvina no estaba dispuesta a perdérselo.

Por esta razón había sido tan comentada su decisión de abandonar Dublín para establecerse en Baron's Court bajo la protección de los marqueses de Abercorn. Se dijo que la ruinosa situación económica que arrastraba su padre, Robert Owenson, había sido determinante para que Sydney tomara la decisión de irse, ya que no hubiera sido plato de gusto para un espíritu libre como el suyo verse en la necesidad de acabar dependiendo de la generosidad de sus vecinos o, peor aún, de protagonizar una boda de conveniencia.

La joven, muy brava, alegó que se marchaba «para conocer nuevos horizontes», pero, una vez allí, constató que de todas las sorpresas que le deparaba Baron's Court el paisaje era lo de menos. Los días eran tan cortos, húmedos y desapacibles que muy pronto la asedió la melancolía. Sin embargo, en medio del aislamiento más absoluto y la nostalgia más profunda, hizo su aparición el joven médico de la familia, el señor Charles Morgan, y le puso el mundo patas arriba.

Cómo se arrepentiría años más tarde, una vez descubiertas las posibilidades que el doctor Morgan podía ofrecerle, de todos los desplantes que había hecho y que a punto estuvieron de arruinar el negocio. De no haber sido por la insistencia de lady Abercorn, que se tomó como cosa propia la celebración de aquel matrimonio, habría perdido al mejor hombre que jamás puso Dios sobre la faz de la Tierra.

Había sido una chica muy mala, o al menos eso era lo que le repetía Charles al oído antes y después de besarla cuando se ponían a recordar, los dos ya unidos para siempre, los primeros tiempos de su noviazgo. Cómo Sydney, inmediatamente después de recibir su torpe pero apasionada declaración de amor y haciendo gala de una cruel-dad inhumana, lo había condenado al peor de los marti-rios abandonándolo en Baron's Court durante los tres meses más desesperantes de su vida.

—Mala no, Charles, tonta —respondía ella devolvién-dole sus besos para hacerse perdonar aquella espantada inexcusable con la que lo había castigado nada más acep-tar su propuesta de matrimonio.

Le dijo: «Sí, Charles, ya que insistes de ese modo, me casaré contigo. Pero antes debo acudir urgentemente a Dublín para atender a mi padre, que está enfermo. Será cuestión de un par de semanas, ya lo verás. En cuanto re-grese a Baron's Court celebraremos la boda y me conver-tiré para siempre en tu esposa».

Pero las semanas se transformaron en meses y la año-ranza de Charles en desesperación.

Qué encendidas eran las cartas que la cruel Sydney re-cibía a diario en su casa de Dublín. Olivia sospechaba que su hermana, en el fondo, disfrutaba haciendo sufrir al hombre con el que acababa de comprometerse, porque la excusa de su separación temporal —esa supuesta enfer-medad gravísima que amenazaba con llevarse a su padre al otro mundo— no era ni tan grave ni tan irreversible, y su presencia en Dublín no era necesaria en absoluto.

Durante aquellos días, mientras el pobre novio contaba angustiado las horas que le quedaban para volver a verla, Sydney se dedicaba a disfrutar de las distracciones que le ofrecía su ciudad natal y retomaba la amistad con los miembros de su lista de mártires.

A solas con su hermana se debatía en un mar de dudas sobre la conveniencia o no de su inminente matrimonio.

—Hagamos una lista con las ventajas de la boda y otra con los inconvenientes —proponía Olivia. Y acto seguido tomaba papel y pluma y comenzaba a escribir—. Entre las virtudes de tu querido Charles está el don de la paciencia, de eso no hay duda. Además, según tú misma lo describiste en tus cartas, es culto, inteligente, romántico, guapo...

—Yo no he dicho que sea guapo —aclaraba Sydney—. He dicho que todos lo consideran un hombre atractivo, pero el doctor Morgan, para tu información, no es lo que se dice un icono de belleza. Sus ojos son demasiado grandes para mi gusto y su mandíbula excesivamente recta.

Olivia sonreía al constatar que la mirada de Sydney se perdía en los recuerdos y que, sin darse cuenta, al hablar de su prometido se le ponía la carne de gallina.

—Continúo —decía, sacándola de sus ensoñaciones—. Joven, más que tú, con una renta de quinientas libras anuales, lo cual no es ni mucho ni poco, un doctorado en Cambridge y numerosas amistades ilustres.

—Todo eso es cierto, Livy. Charles es el súmmum de la perfección —concedía Sydney—. Pero casarme con él significaría renunciar a mi libertad y a mi independencia; a Irlanda, a papá, a ti, a todo.

—O, por el contrario, poseerlo todo y no echar nada en falta —sentenciaba Olivia con picardía.

La menor de las Owenson había conocido al más grande de los hombres escondido dentro de un cuerpo tan insignificante que no le llegaba a ella ni a la altura de los hombros. Arthur Clarke, médico de la armada, metro y medio de estatura, ingenioso, divertido y de carácter afable, se topó una mañana con la mirada de Olivia Owenson y no paró hasta conseguir que la deliciosa institutriz de las hijas del general Brownrigg se fijara en él. La perseguía por la calle y la asaltaba en el parque armado con flores y poemas, se arrodillaba ante su hermosura, le juraba amor eterno y amenazaba con quitarse la vida, bisturí en mano, si ella se negaba a consentir sus atenciones. Finalmente, en la balanza de Olivia pesó más la perspectiva de una señorial mansión en Great George Street, un coche de caballos y una confortable propiedad en el campo donde podría residir su padre el resto de sus días y la inconveniencia de la estatura de Clarke pasó a convertirse en un detalle sin importancia.

Tras la noche de bodas Olivia envió una carta a Baron's Court en la que por vez primera firmó como lady Clarke y donde sólo escribió una frase: «Arthur dio la talla», y así Sydney pudo dormir tranquila, conocedora de la felicidad conyugal de su querida hermana.

El viaje de novios de los Morgan había dado comienzo al día siguiente de su improvisada boda. Sydney aún llevaba puesta la sencilla ropa de diario con la que se había casado —un vestido blanco sin más adorno que una flor silvestre prendida en el pecho— y todavía no terminaba de creerse que a ojos de Dios y de los hombres acabara de renunciar a la libertad de su apellido para entregarse de por vida al doctor Morgan, quien, por obra y gracia de John James Hamilton, noveno marqués de Abercorn, y por intercesión del duque de Richmond, había sido nombrado lord de la noche a la mañana.

—¡Alcemos las copas y brindemos a la salud de lord y lady Morgan! —había exclamado Abercorn ante la sorpresa de todos los presentes, testigos accidentales de la feliz noticia, que pasaron por alto el pequeño detalle de que el nuevo lord no había llevado a cabo ninguna hazaña que lo hiciera merecedor de semejante título.

Todavía se le adivinaba el susto a la pequeña Glorvina, algo más pálida de lo habitual y un poco temblorosa, consciente de haber sido empujada al abismo por la oronda marquesa y sus artes de persuasión.

La idea del noviazgo había sido de ella, de lady Abercorn. En cuanto se encariñó con Sydney, empezó a temer que un día la abandonara para regresar a Dublín. Las veladas frente a la chimenea ya no tendrían sentido sin sus fábulas de duendes y hadas, ni las sobremesas sin el sonido de su arpa, ni las noches sin su voz de niña melancólica, y no se le ocurrió otra cosa que encontrarle un motivo que la anclara con fuerza a su nueva tierra. Se figuró el placer de matar dos pájaros de un tiro si lograba el objetivo increíble de unir a sus dos consentidos bajo el mismo techo —el de su mansión desangelada de Baron's Court— y se propuso un objetivo tan difícil como tentador: que la señorita Sydney Owenson accediera a casarse con el señor Charles Morgan.

El doctor Morgan llevaba varios años a su servicio. No sólo había logrado mantener bajo control la desgracia del reúma de su esposo, sino que además la había curado a ella del peor de los males —el aburrimiento mortal— gracias a su paciente escucha y a su encantadora charla. Lo mismo sabía de aves que de plantas, de poetas viejos que de jóvenes transgresores, de filósofos clásicos, de políticos modernos, de científicos locos que de teólogos impíos, y para todo tenía remedio. Para cada dolor, una raíz milagrosa; para cada duda, un buen consejo; para cada ruina, una solución honrosa. Charles Morgan se había convertido en una persona tan imprescindible para lady Abercorn que la sola idea de perderle le provocaba unas terribles crisis de ansiedad.

Su campaña, de lo más napoleónica, comenzó con la maniobra envolvente de despertarles la curiosidad y picarles el ego: «El doctor Morgan es perfecto. La señorita Owenson es bellísima. Él no soporta a las mujeres inteligentes. Ella tiene centenares de pretendientes. Él no se casará jamás con una irlandesa. Ella no aceptaría nunca el cortejo de alguien como usted, doctor Morgan, tan inglés».

Y tanto se esforzó la dama que a punto estuvo de echarlo todo a perder. Según contaba años después con mucha gracia, abanicándose para evitar un sofoco fingido, les inoculó tanto veneno en el cuerpo que cuando el ayuda de cámara anunció a la joven irlandesa una mañana en la que el doctor Morgan le estaba tomando el pulso a su paciente en el gabinete, al pobre muchacho le entró tal ataque de pánico que saltó por la ventana, ya que no encontró otro modo de escapar al temido encuentro y, al caer desde semejante altura, se rompió el dedo gordo del pie derecho.

—Anduvo cojeando durante semanas —relataba la marquesa entre hipos y carcajadas.

Por su parte, la brava Glorvina se ofendió tanto con la huida del médico ventana abajo que se juró solemnemente no dirigirle jamás la palabra a tamaño patán inglés.

Es que era altanera y orgullosa la hija de Robert Owenson, como buena irlandesa, todo lo contrario que el doctor Morgan —discreto, sereno, paciente y conciliador—. En realidad, eran tal para cual, pero sólo el paso del tiempo y la insistencia de lady Abercorn llegarían a demostrarlo.

Después de más de un mes de desencuentros, de miradas furtivas, de esconderse el uno del otro tras los arbustos del jardín, al fin una tarde de lluvia se encontraron frente a frente sin escapatoria. El doctor Morgan le ofreció cobijo bajo su capa de lana y a Sydney aquel refugio le pareció el más confortable de los palacios. Se prometieron amor eterno bajo los rayos y los truenos, pero luego escampó y a ella se le quedaron los pies fríos.

Y entonces fue cuando, con la excusa de la mala salud de su padre, puso tierra de por medio. Regresó a Dublín, a las fiestas, a los bailes, a las tarjetas de visita, a los coches de caballos, a la libertad de su soltería peligrosa, a las listas de los pros y los contras de su hermana Olivia, a los consejos bienintencionados del señor Owenson, a las sopillas de la dulce y servicial Molly, a las verdes colinas y las viejas canciones.

No era frecuente en la sociedad de entonces que una mujer demostrara su valía con tanta desfachatez como la joven Owenson. La independencia no era un valor en alza, pero sí el matrimonio, y cuanto más provechoso, mejor. A Sydney le fastidiaba comprobar lo rápido que se habían acomodado sus amigas a la vida de casadas. Hasta la más ingeniosa de sus compañeras de juegos se había transformado de la noche a la mañana en la más insulsa ama de casa. Sus conversaciones, antes sobre héroes y villanos, hazañas, intrigas, poemas y amores prohibidos, versaban ahora sobre telas y suflés, pañales y papillas. Si eso era el matrimonio, no había sido inventado para ella.

Estuvo a punto de no volver.

Tuvo que recorrerse Morgan medio mundo —o eso le pareció a él— para lograr arrancarla de sus raíces y llevársela de regreso a Baron's Court.

Los Abercorn los recibieron con los brazos abiertos; con el capellán vestido de ceremonia, la licencia de matrimonio en regla, los anillos comprados, el título de lord concedido, la casa engalanada, el mejor vino, la mejor orquesta de cámara y Sydney no supo negarse.

—Hubiera querido que mi padre y mi hermana estuvieran hoy conmigo —dijo tímidamente.

—Pues no están —respondió lord Morgan, haciendo uso por fin de su nueva autoridad.

Lo que vino a continuación, esa especie de pozo de sensaciones en el que se sumergieron ambos tras la bendición eclesiástica, dejó una huella tan confusa en la mente de Sydney que todas las escenas que se sucedieron bajo las sábanas le parecían formar parte de un solo pecado. Uno solo, sí, pero muy gordo.

—Yo creo que debería confesarme de esto, Charles —le dijo a su marido en cierto momento de la noche de bodas.

—Ni se te ocurra, Glorvina. Donde hay amor no hay culpa —le respondió él con tanta seguridad que Sydney volvió a pecar al instante siguiente.

Partieron rumbo a Italia el 11 de mayo de 1812, veinticuatro horas después de su boda, en un carruaje dispuesto por los marqueses de Abercorn. Emprendieron el viaje escoltados durante varios kilómetros por cuatro jóvenes caballeros de la casa que los acompañaron a galope tendido hasta más allá de sus extensas propiedades. Durmieron en Londres, tomaron un barco, cruzaron el canal, hicieron noche en Chambéry, atravesaron los Alpes cubiertos de nieve, llegaron a Turín y desde allí viajaron a Milán, escala anterior a su destino final en la romántica Venecia.

Repartieron sus cartas de presentación rubricadas por los Abercorn y de este modo encontraron abiertas de par en par las puertas de los más selectos palacios de la ciudad.

Sydney parecía estar viviendo un sueño. Se movía por los salones milaneses como una pluma ligera a la que el viento mece en lugar de empujar. Trababa amistad con todos aquellos condes y marqueses con una naturalidad asombrosa; igual que si hubiera nacido sólo para ser lady. Reía, bailaba, conversaba y cantaba, y todos le hacían corro porque no había nadie tan divertido como la joven y alocada irlandesa.

Qué diferente de su marido, el pacífico doctor Morgan de los ojos sombríos, que prefería los rincones apartados y las charlas pausadas. Cómo eran el uno el contrapunto del otro: ella ardiendo, él templando; ella imponiendo, él matizando; ella trasnochando, él quedándose dormido en cualquier butaca, aguardando paciente a que su mujer tomara por fin la decisión de volver a casa.

—Deja usted las riendas muy sueltas —le reprochó una noche el conde de Pallavicini, que llevaba un par de copas más de la cuenta.

—Para domar a un potro salvaje primero hay que lograr ponérselas —respondió Charles sin inmutarse.

Era listo lord Morgan y había comprendido que a Sydney había que ganársela poquito a poco. Hoy una miga de pan en el balcón, mañana en la ventana, pasado mañana en el alféizar, hasta conseguir encerrarla dentro de la jaula.

Fue precisamente en Milán, en una de aquellas reuniones de alta alcurnia, donde trabaron amistad con el marqués de Confalonieri, y su comadrilla de conspiradores: Visconti y Porro.

Federico Confalonieri era un hombre de mediana edad y medianas hechuras; vestía de rojo y dorado y se tocaba con una peluca blanca algo pasada de moda. Visconti era hablador, gesticulador y bebedor; tres elementos infalibles para ganarse la simpatía de Sydney y el recelo de Charles. Porro, el más encorsetado de los tres, alto, flaco y de nariz aguileña, era también el más poderoso y el más regio.

Estos nobles milaneses les hablaron con tanta pasión del lago de Como que el brillo del sol en las crestas de sus olitas se le metió a Sydney entre ceja y ceja y el pobre Charles, que había soñado toda su vida con visitar Venecia, se quedó sin conocer una de las más alabadas maravillas del mundo, tales fueron las dotes de persuasión de su mujer.

—Vayan a Como —les convenció Confalonieri entre copa y copa de un vino tinto de la comarca—. ¿Qué se le ha perdido a usted en la decadente Venecia, lord Charles?

He de decirle, muy a mi pesar, que tras el saqueo al que la han sometido los franceses ya no queda nada de interés en toda la ciudad aparte de las famosas góndolas, y créame, amigo mío, que vista una góndola, vistas todas —afirmaba—. Y usted, lady Morgan, ¿qué otro motivo si no es el de agradar a su esposo, y compruebo que su sola presencia es más que suficiente para eso, no hay más que ver el arrobo con el que la mira, la habría de llevar hasta una tierra que no es tierra sino agua, sobre la que tanto se ha publicado ya y tan diverso, desde Petrarca y Marco Polo, Shakespeare y Goethe, hasta la dudosa aportación de nuestros Da Ponte y Casanova, o el inquietante Byron, su compatriota, que de continuar por el camino que ha emprendido en la literatura del espanto terminará por convertir nuestra cloaca del vicio en su más querido hogar? No es ya nuestra Venecia más que el reflejo de aquellas Sodoma y Gomorra y, como tales, ha caído en deshonra. Meretrices, borrachos, vampiros y brujas deambulan por sus canales; no es lugar para una dama. En cambio, el lago, con sus nobles villas y sus gentes de bien, parece hecho a su medida y, además, esconde grandes secretos y viejas historias que nadie ha escrito todavía.

La irlandesa era una liberal convencida y así se lo hizo saber en la corta charla que mantuvieron sobre la identidad de los pueblos sometidos. Sydney había estudiado en profundidad los mitos y leyendas celtas de tradición oral, con sus hadas y trasgos, sus duendes y brujas. Se sabía de memoria un montón de poemas y canciones antiguas que hablaban de mujeres esqueleto o de mujeres con piel de foca. Le interesaba lo esotérico y lo fantástico. Le preguntó a Confalonieri por las supersticiones italianas y éste le habló de las aguane, las ianaras, la *fata* Morgana y el *besadonna*. También le contó que, en cierta aldea cercana a Como, sucedía cada noche que una mujer vestida de blanco se lanzaba al lago desde una ventana de Villa Pizzo, las manos y los pies atados con cuerdas, para vengar la muerte de su esposo.

De este modo a Sydney se le fue llenando la cabeza con imágenes brumosas de fantasmas y aparecidos y Confalonieri, sin pretenderlo, decidió el destino de su luna de miel.

Lady Morgan sucumbió al hechizo de sus palabras y aquella noche, bajo las sábanas de una cama con dosel, sedujo a su esposo con malas artes para que en lugar de Venecia la llevara a Como, y él, pobre hombre, a punto de estallar de amor, sus sentidos aturdidos y su voluntad cegada por el deseo, comprendió que a partir de entonces tomaría sólo aquellas decisiones que Sydney le permitiera.

CARTA DE LADY MORGAN A LADY CLARKE

Milán, 25 de junio de 1812

Querida Olivia:

Después de nuestra agotadora estancia en Milán, atosigados por la hospitalidad de los Confalonieri, que no nos han dejado a solas ni un instante, Charles ha cambiado de idea con respecto a ir a Venecia. Personalmente, celebro su decisión ya que, al parecer, la vieja capital del Véneto no es ya la ciudad romántica de la que hablaba lady M. W. Montague en sus cartas, sino una especie de ciénaga por la que se pasean todos los vicios.

En su lugar hemos aceptado la amable invitación del conde de Sommariva, propietario de dos de las más hermosas villas que existen a las orillas del lago de Como.

Tiene este conde fama de político sin escrúpulos, corrupto y ambicioso, si bien dicha información procede de las fauces lenguaraces de Confalonieri, a las que hay que dar el justo crédito. En cuanto nos vio hablando con Sommariva, nos llevó a un rincón del salón para advertirnos con grandes aspavientos. Nos dijo que sabía de muy buena tinta que el conde andaba buscando el modo de vender su alma al diablo a cambio de arrebatarle al duque de Melzi el cargo de vicepresidente de la República, pero que, de momento, en Italia, la francmasonería es cosa de pocos y cobardes y que se esconden muy bien.

Mientras confabulábamos en su contra, Gian Battista Sommariva se paseaba por el salón con la peluca impoluta y una chaqueta de seda azul celeste confeccionada en sus propios talleres de Milán. Unos pasos por detrás lo seguía su esposa, Giuseppina Verga, con cara de susto. Acaban de perder a su hijo mayor combatiendo en España del lado de las tropas napoleónicas y esa muerte prematura ha hecho mella en el ánimo de la madre y la ha convencido de la insensatez de una lucha que, tal y como piensan muchos italianos, no debería ser cosa suya.

Según Confalonieri, Sommariva se compró Villa Clerici sólo para irritar a Melzi, su archienemigo. Ahora la situación es pintoresca. Cada uno tiene su mansión a un lado del lago y es tal su lucha de poder que si uno adquiere un retrato, el otro se compra tres, y si uno se construye un mirador, el otro levanta uno más grande. Y si uno planta azaleas, el otro rododendros, y si uno invita al ministro de la Guerra, el otro manda llamar al virrey Beauharnais con cualquier pretexto sólo para proclamarse vencedor en esta batalla de egos.

Sin embargo, esa noche estaban ambos convidados a la misma cena y puedo asegurarte que se comportaron con la mayor cordialidad, como si en vez de odiarse fueran enemigos del alma.

De cualquier modo, las advertencias llegaron demasiado tarde. Charles ya había aceptado el ofrecimiento de Sommariva, que incluía el transporte hasta Como en una berlina de su propiedad y el traslado en barco hasta la villa, que queda a unas veinticinco millas de la ciudad, en la orilla izquierda del lago.

Mañana saldremos temprano hacia allí. No me escribas hasta que no pueda proporcionarte una dirección a la que enviar tus cartas.

Te quiere,
Sydney

CARTA DE LADY MORGAN A LADY CLARKE

Lago de Como, Villa Tempi, 27 de junio de 1812

Querida Olivia:

Cuando leas lo que tengo que contarte sobre mis primeros pasos en este paraíso que ha resultado ser Como comprenderás que ya no albergue ninguna duda sobre la conveniencia de nuestra visita. Si buscaba leyendas y supersticiones, aquí las he encontrado todas de golpe. ¡Anoche me topé con una reunión de fantasmas!

Pero déjame que te explique desde el principio cómo ocurrió todo.

En primer lugar, has de saber que Confalonieri no exageraba. Las palabras se quedan cortas para describirte una belleza como la que ocultan las montañas de Lario. Cuando abrimos las ventanas de nuestra habitación en la hospedería de Villa Tempi, apareció ante nuestros ojos un horizonte de colores en escalera desde el suelo a la cumbre, una alfombra de limoneros y naranjos, castaños, acacias, nísperos, cerezos, higueras preñadas de frutos y parras, todos sedientos de las aguas verdes de este inmenso embalse natural que se extiende hacia el norte formando una yunta, con dos ramales idénticos, como serpientes unidas en el vientre.

Pespuntan sus orillas las más grandiosas villas de Italia y, dado que no existen más caminos que los abiertos a la fuerza por los campesinos y sus animales, no hay modo de viajar de una a otra a no ser a bordo de unos barquitos muy pintorescos que parecen pescados dados la vuelta, con las espinas al aire y el lomo surcando el agua.

Existe una clase especial de hombres, los barcaiuoli, *el equivalente autóctono del* gondoliere *veneciano, sólo que más robusto y fornido que aquél y con unos modales menos delicados. Estos barqueros recorren las orillas cantando a pleno pulmón, riéndose a carcajadas o burlándose a gritos de los* paesi, *que son los po-*

bres de solemnidad de estas tierras; sucios, hambrientos y desharrapados; el contrapunto perfecto a la opulencia con la que viven los nobles en el secreto de sus villas.

Pues bien, tal y como había dispuesto nuestro anfitrión, embarcamos desde Como después del desayuno en una nave con un timonel y dos braceros rumbo a la lejana orilla de Tremezzina, donde, protegida del norte por un altísimo pico, se levanta Villa Sommariva. Con las últimas luces de la tarde llegamos por fin a nuestro destino y, no sé qué opinarás tú, siempre tan razonable, tan poco amiga de lo insólito, sobre lo que voy a relatarte a continuación.

Has de saber que Villa Sommariva es un edificio palaciego que se levanta en lo alto de una escalera de piedra interminable. El interior es de mármol; los techos son tan altos que los frescos y las lámparas parecen colgar del cielo; las paredes están pintadas de estuco y decoradas con las más ricas obras de arte. Retratos al óleo, esculturas, tapices, relojes de oro y bustos de bronce se disputan el espacio entre los muebles de madera y pan de oro, las cortinas de terciopelo y las alfombras de mil nudos.

En el comedor nos esperaba una mesa abastecida como para alimentar a un regimiento, aunque únicamente servida para dos, con nuestras copas rebosantes de un vino helado, muy dulce, que en cuanto lo probé me condujo por galerías oscuras. Charles también debió de notar algo extraño, pero él, mucho más experto que yo en asuntos mundanos, apartó la copa de mi boca. Me dijo: «No bebas, Sydney. No escuches, no hables, no creas nada de lo que vean tus ojos a partir de ahora». Y menos mal que me avisó, porque desde el mismo instante en que tomé aquel brebaje, se me echó encima un batallón de fantasmas.

Has leído bien, Livy: fantasmas, espectros, aparecidos, muertos vivientes... todos ellos de noble linaje, muy hermosos pero muy siniestros, con los que me topé en cada esquina. Llevaban los rostros ocultos por máscaras muy vistosas y vestían ropas elegantes.

Charles y yo recorrimos aquellos salones cegados por una belleza espantosa. Él me agarró muy fuerte del brazo, como si temiera perderme en alguno de los pasillos de la casa, secuestrada por aquellas sombras.

Entonces me susurró al oído: «Confalonieri tenía razón. Una casa como ésta no puede pertenecer sino a un demonio». Y fue como si me leyera el pensamiento. Yo también me sentía presa de algún hechizo. Le respondí: «Salgamos de aquí cuanto antes».

Regresamos a la carrera hasta nuestra pequeña embarcación y puedo jurarte, hermana, que escuché risas procedentes de las ventanas abiertas de la villa. Cuando miré hacia la casa, los vi asomados a los balcones, a los fantasmas, de dos en dos o de tres en tres, diciéndonos adiós con sus pañuelos de puntillas y por primera vez dudé si eran reales o imaginados. Le pregunté a Charles, pero él no había visto nada. Sólo las estancias vacías de una casa demasiado grande, demasiado solitaria y demasiado fría.

No se qué habrá sido del criado, del timonel y de los braceros. Los abandonamos allí porque se nos antojaron parte del decorado. Pero ¿y si no lo eran? ¿Y si alguna mujer y unos niños los esperan por los siglos de los siglos?

Tuvo que ser algo que nos pusieron en la bebida, Livy, porque nos detuvimos en una pequeña posada a unas cinco o seis millas de allí y enseguida recobré el juicio. Volví a ser yo y Charles recuperó la calma.

Pasamos la noche en una habitación muy humilde, sin más ornamentos que un crucifijo sobre el cabecero de la cama. Por la ventana abierta nos llegaban los cánticos de los pescadores que regresaban a sus casas y las notas de una guitarra española que acompañaba sus voces.

Hoy, muy de mañana, Charles contrató a un barcaiuole que fumaba en pipa y que tenía dos brazos fuertes como troncos de roble. Nos ha depositado de vuelta en Villa Tempi antes de media tarde y, una vez allí, nuestro querido Confalonieri nos ha dado indicaciones para visitar un par de villas con alquileres razonables.

«*Se lo advertí —me dijo el marqués en un aparte—. Es mejor mantenerse lejos de personas como Sommariva*».

Hemos tomado la decisión de rechazar amablemente cualquier ofrecimiento proveniente de nuestros amigos milaneses con respecto al uso de sus propiedades en el lago. No porque creamos que todos ellos se puedan parecer a Sommariva, sino porque no hay bien más preciado que la libertad y ésta sólo puede disfrutarse lejos de toda deuda y de toda dependencia. ¿No es preferible alojarse en una hospedería o en una casa alquilada, donde la única obligación hacia sus propietarios es la de pagarles una renta a fin de mes, a pasarse la vida tratando de corresponder a la hospitalidad de quien nos ha desbordado con sus atenciones y no saber cómo?

Seguro que sabes a lo que me refiero, Olivia. Pobrecito papá, que no puede valerse ya por sí mismo. Te ruego le hagas creer que su estancia en la casa de Arthur queda compensada con los derechos de autor de sus obras. Dile que yo misma te hago llegar el importe todos los meses y que supera con creces vuestras expectativas de ingresos. Haz que parezca que os hace un favor quedándose allí. ¿Podrás?

Que Dios te bendiga,
Sydney

CARTA DE LADY MORGAN A LADY CLARKE

Lago de Como, Villa Fontana, 30 de junio de 1812

Queridísima:
Por fin te escribo desde mi propio despacho, aunque no sé si esta habitación tan coqueta merece tal apelativo o debería llamarla más bien gabinete o camarín o algún otro nombre más acorde con sus paredes de seda y sus visillos de encaje.

Puedes imaginarme vestida aún con el camisón, el pelo sin cepillar y los pies descalzos. Es casi mediodía. El calor es tan agobiante que Charles y yo hemos decidido retirarnos cada uno a su rincón en la penumbra, él a continuar con la lectura de los estudios sobre la viruela del doctor Jenner y yo a comenzar mi investigación sobre supersticiones, mitos y leyendas italianas.

Ésta es una tierra de prodigios.

Algunos, como las visiones que tuve en Villa Sommariva, son incomprensibles o, al menos, carecen de una explicación razonable. Es posible que fenómenos como los fantasmas y las apariciones no tengan un origen natural, sino tal vez paranormal, o divino, o que incluso sean producto de la imaginación humana, que es por lo que se inclina mi buen doctor. Él me aconseja que no le cuente a nadie lo que creí ver en esa casa para que no me tomen por loca y yo le respondo que acabarán dándose cuenta de todas formas de mi chifladura congénita, síndrome del que te libraste tú y yo no, por un capricho del destino.

Charles ha enviado una nota muy amable al conde de Sommariva agradeciéndole su ofrecimiento y rechazándolo en los mismos términos de gentileza con la excusa de que yo soy demasiado miedosa para un lugar tan remoto. Es una vil mentira que me hace quedar como una tonta, pero verosímil, eso sí, que es de lo que se trataba.

El caso es que nos hemos instalado con todos nuestros bártulos en esta villa, de nombre Fontana, que es el apellido de nuestros arrendadores, y hemos tomado posesión solemne de ella —Charles alzándome en brazos para cruzar el umbral—, puesto que esta casa será nuestra primera residencia estable de casados. A partir de ahora puedes remitirme las cartas aquí y dirigirlas a la «Signora Morgan», que, te lo creas o no, soy yo, tu hermana, Sydney.

Villa Fontana se compone de dos pabellones unidos por una balaustrada y separados por un jardín muy verde. Nosotros ocupamos el que queda a la derecha; el más cercano a Villa Olmo, de la que ya te hablaré otro día. Cuenta con siete habitaciones en la planta superior y cuatro en la inferior, todas ellas decoradas con muy buen gusto, bien iluminadas y ventiladas. En la fachada llama la atención el pórtico con bajorrelieves de mármol y, a pie de tierra, el embarcadero circular de piedra con incrustaciones de verdín donde tenemos amarrado un bote de remos por si algún día nos apetece emprender alguna aventura acuática.

Asomada al balcón que hay en mi dormitorio veo a la derecha el duomo de la catedral de Como, que, imponente, precede a la ristra de villas que jalonan la orilla hasta mi puerta. De frente, el agua brillante del lago, en la que se reflejan las montañas altísimas y detrás, una especie de huerto en forma de pirámide donde crecen la hierbabuena, la lavanda, el orégano y la pimienta. También hay tomates, cebollas, apios, lechugas, patatas, zanahorias y todas las verduras que se te puedan ocurrir, las cuales, bien picaditas, llegan algunas noches a nuestra mesa flotando en una rica sopa, de nombre minestrone.

Desde la ventana de este gabinete en el que me encuentro ahora mismo, oculta por los visillos de encaje, puedo espiar sin ser vista a la familia Fontana. Son siete en total: padre, madre, un chico rubio y espigado, de nombre Domenico, que viste el uniforme militar de la armada de Italia, dos jovencitas muy lindas, donna *Giovanna y* donna *Rosina, otro muchachito de unos diez años que responde al nombre de León y una niña pequeña que es una copia idéntica a su madre en miniatura. Con ellos hay una mujer mayor llamada Abbondia que siempre lleva ropa negra. Probablemente sea una sirvienta, o tal vez la abuela, quién sabe, aún no estoy muy familiarizada con las costumbres de estas gentes ni con su manera de vestir.*

No entiendo una palabra de lo que dicen. Entre ellos hablan un dialecto endiablado parecido al milanés, pero más cerrado todavía. Para mí que se entienden más bien a base de gestos. Se comunican con las manos, los ojos, las muecas de la cara, el tono de voz... y cantan. Se pasan el día cantando a coro y tienen un oído estupendo.

Por cierto, Charles está aprendiendo a tocar la guitarra. El signore *Fontana guardaba una muy vieja en el desván y se la ha regalado. Ahora la está puliendo y afinando en su laboratorio* con el mismo cuidado con el que trata a sus pacientes. ¡Me ha contado que las cuerdas las fabrican con tripas de gato! Le faltan dos. Espero que no tengamos que sacrificar a ningún inocente minino para poder dar rienda suelta a su nueva afición musical.

Por si acaso, tengo localizado uno muy gordo que se pasea por la tapia de atrás.

Haz el favor de escribirme pronto. Echo de menos tus cartas.

Besos a papá, a los niños y a mi querido Arthur.

Que Dios os bendiga a todos,

Sydney

P. D. No sufras, Livy, estoy bromeando. Sé cuánto te gustan los gatos.

CARTA DE LADY CLARKE A LADY MORGAN

Londres, Great George Street, 10 de julio de 1812

Querida Glorvina:

Creo que Italia está teniendo un efecto preocupante en tu salud. ¿O será tal vez el resultado de la felicidad matrimonial? En cualquier caso, hermana, descansa mucho y protégete del sol.

Cuídate también de fantasmas y demás aparecidos por muy nobles que sean.

Sydney, tengo la impresión de que las visiones de las que me hablas en tu carta no tuvieron su origen en ningún brebaje de bruja, sino que fueron la consecuencia lógica del alcohol. No sé si eres consciente de que el vino, más aún si es dulce y fresco, se sube a la cabeza sin que nos demos cuenta, sobre todo cuando tenemos el estómago vacío, por ejemplo, después de una larga travesía de veinticinco millas a remo, a pleno sol.

Lo que quiero decirte, pequeña Glo, es que tú, tan elegante y delicada, tan lady Morgan, te emborrachaste como una vulgar estibadora de algún puerto pirata, lo cual me está haciendo retor-

cerme de risa y patalear. No me hace ninguna gracia, en cambio,
la historia de las tripas de gato.

Eres lo peor, pero te adoro.
Tu hermana del alma,
Olivia Clarke

VI

Se le estaban empezando a cerrar los ojos, cansados de tanto leer. Francesca apartó el libro y constató dos hechos: uno, que Claudia dormía vestida sobre la cama deshecha; y dos, que su padre y Margherita no las habían avisado para la cena.

Lo segundo era previsible: el justo castigo por haber destrozado las flores; pero lo otro —lo de Claudia—, eso sí que era imperdonable. Que su hermana roncara como una bendita mientras ella se esforzaba por resucitar a la muerta lady Morgan y conocer, capítulo a capítulo de aquel libro, la fórmula para cometer un crimen romántico no tenía excusa posible. Qué caprichosa era Claudia; qué egoísta; qué flema, señor, qué flema.

Le palpitó la nuca.

Se acercó de puntillas a la cama de su hermana con el libro en la mano. Lo levantó lentamente sobre su cabeza, tomó aire y lo lanzó con fuerza contra el rostro de cristal de Claudia, que se resquebrajó igual que el lago helado en invierno. Brotó la sangre y se derramó por la frente, los ojos, la boca y el cuello.

Se despertó.

—¡Estás loca! —gritó. Se miró al espejo y, detrás de su cara rota, se encontró con la expresión de espanto de su hermana.

—Perdóname, Claudia —se arrepintió Francesca, que se tiró al suelo de rodillas—. Lo he hecho sin querer.

—No digas sandeces —respondió la chica, la sangre todavía húmeda—. Lo has hecho queriendo, imbécil, pero sin pensar. Eso sí. No lo has pensado.

—No. No lo he pensado. Ha sido de repente. Un impulso. Tienes razón.

—Pues así no funciona la mente de un asesino. —Claudia la miraba desde el espejo, de arriba abajo, mientras la ropa negra se teñía de rojo—. Debes mantener la calma, la sangre fría. No puedes dejarte llevar por los nervios. Tienes los nervios de porcelana, Franchie, el gatillo flojo, la lengua muy suelta. Dices muchas tonterías, ¿sabes? Casi todo lo que dices son estupideces.

—Lo sé.

Se sentaron las dos. Era muy tarde. La noche había caído sobre las aguas. La ventana continuaba abierta y el aire estaba quieto.

—Sobre todo, estás muy equivocada con respecto a mí. Yo no duermo nunca. Siempre estoy velando por ti. No me hace falta tener los ojos abiertos para verte ni los oídos atentos para escucharte. Soy como tu sombra; te protejo, te vigilo, sé en cada momento lo que estás pensando. ¡Qué sería de ti si yo no estuviera contigo!

Francesca asintió sin atreverse todavía a levantar la vista del suelo. Tenía los ojos clavados en las uñas de los pies de Claudia. Amarilleaban un poco.

—En fin —dijo después de un largo suspiro—, si quieres que comencemos, comenzamos. Se levantó, se secó la cara con un pañuelo blanco y con los dedos de la mano derecha enumeró—. En primer lugar, como te dije, tenemos una muerta fabulosa, Sydney Morgan, que encarna todas las cualidades de la víctima perfecta. Es lista, divertida, interesante, temeraria. Ya verás de qué modo sus pasos la encaminan lenta pero inexorablemente hasta una muerte segura. —Levantó el índice—. En segundo lugar, conocemos también el escenario del crimen: este lago, que lo mismo puede ser un paraíso que un infierno, y más concretamente Villa Fontana, la casa en la que se alojó con su esposo durante su viaje de novios.

—Vamos bien —se atrevió a interrumpirle Francesca.

—Avanzamos, Franchie —reconoció Claudia algo molesta por la interrupción—, pero aún nos queda mucho camino que recorrer. Por lo pronto, tenemos que encontrar el móvil y el asesino, son dos piezas fundamentales. Luego, los hechos: por qué acabó flotando envuelta en muselina, los botines altos de tacón, los labios morados. Cómo la asfixiaron, si se valieron únicamente de las manos o utilizaron algún instrumento específico. De qué modo le sumergieron la cabeza en el agua, durante cuántos minutos. Si pataleó, si opuso resistencia o no...

—Adónde iba, de dónde venía... —añadió Francesca.

—Exacto. Seguir las pistas.

—Entonces, deberíamos visitar la casa, Villa Fontana.

—Muy bien —asintió Claudia dándole unas palmaditas a su hermana en la cabeza—. Buena chica. Ya sabes por dónde empezar.

Regresó a la cama y se tumbó boca arriba, las manos sobre el pecho. Cerró los ojos, se durmió. «No olvides que te vigilo», le había advertido a Francesca, pero ésta, incrédula, se acercó a Claudia y le pasó la mano frente a los ojos, dos, tres veces, para ver si se daba cuenta.

—¿Claudia? —susurró muy suavemente, muy cerca de sus oídos.

Claudia no se inmutó.

«Qué mentirosa es», pensó Francesca para sus adentros. Claro que la dejaba sola. En los peores momentos desaparecía sin dejar rastro y era ella quien tenía que cargar con todas las culpas. Desde niñas.

Recordó, por ejemplo, el día en que su hermana la convenció para robarle unos pendientes a su madre. Daba igual que no tuvieran los lóbulos de las orejas perforados, lo emocionante era entrar en el dormitorio grande sin permiso, sin llamar a la puerta, una vigilando en el pasillo, la otra de puntillas sobre la alfombra, abrir el primer cajón de la cómoda, rebuscar entre los pañuelos de seda, sacar la cajita de las joyas, llevarse los pendientes escondidos en el bajo del vestido, correr de vuelta a su cuarto, revolcarse de risa, abrazarse, saltar en la cama.

Pero luego, cuando su madre lloraba y su padre gritaba, y su querida asistenta, Beatrice, la de los ojillos tristes y las ricas tartas, juraba por todos los santos del cielo que ella no era una ladrona, Claudia seguía riéndose con la boca contra la almohada y, en cambio, ella sufría horrores de pensar en todo el dolor que estaban causando. Y cuando pusieron a Beatrice de patitas en la calle, quiso confesar el robo y fue su hermana la que la convenció para que se callara como una muerta. «¿Quieres quedarte sin postre, tonta?». No. No quería quedarse sin postre, pero se dijo: «¿Quién cocinará las tartas ahora?».

Claro que la dejó sola. Y aparecieron los pendientes el día de la colada. Era su vestido, su delito, su castigo. Claudia la señaló con el mismo dedo con el que se sacaba los mocos.

Por eso, y porque cuando en una casa hay sólo dos niñas a la fuerza una ha de ser la buena y otra la mala, se había pasado media infancia pagando por los crímenes de su hermana. Francesca la fama, Claudia la lana.

Habría que tener en cuenta estas cosas ahora que pensaban matar a Margherita, no fuera a acabar ella en alguna cárcel maloliente mientras Claudia disfrutaba de su doble libertad: la de vivir sin la bruja y sin antecedentes penales. De hecho, pensó preocupada, a su hermana todavía le faltaba bastante para alcanzar la mayoría de edad.

Si no fuera porque la idea del asesinato se le había ocurrido a ella solita, sin ayuda de nadie, pensaría que la ocasión era sospechosamente propicia para Claudia.

La muñeca de trapo de las pestañas largas disfrutaba de un sueño apacible, las manos cruzadas sobre el pecho. ¿No decía que no dormía nunca?

Francesca se desnudó y se metió en la cama. Sería una noche larga plagada de recuerdos: la casa de Milán, el colegio de monjas, la vespa dorada, la esquina oscura y las dos sombras clandestinas. Papá y Margherita saliendo de un hotel para amantes en una calle vacía.

Amaneció nublado. Buen augurio, según dijo Claudia, para ponerse en marcha.

—No hay nada en el mundo que llame más la atención que tu pamela nueva, Franchie.

Caminaban las dos a buen paso porque el recorrido era fácil, apenas un par de kilómetros por una carretera estrecha y poco transitada, hasta una casa llamada Villa Fontanelle, donde esperaban hallar la primera pista. Mientras Claudia dormía, Francesca había consultado un mapa del lago y había encontrado aquel nombre, «Fontanelle», que era lo más parecido al de «Fontana» que andaban buscando. Era cierto que la palabra no era estrictamente igual, pero Fontana y Fontanelle eran términos tan similares que Claudia se convenció enseguida de que aquélla era, sin duda, la misma casa.

—Es como Isabel e Isabela o dama y damisela —sentenció rotunda.

Así que se pusieron en marcha en cuanto desayunaron, las dos vestidas de rojo, como tontas, dijo Claudia, siempre del mismo color, porque Francesca esperaba detrás de la puerta del cuarto de baño y no escogía la ropa hasta que no veía qué se había puesto su hermana.

—No te copio —protestaba cuando Claudia la acusaba de imitarla en todo—, es una casualidad, te lo prometo, o a lo mejor es que pensamos lo mismo, o que tenemos el gusto idéntico. Si estoy contenta, me visto de amarillo; si estoy enfadada, de azul; si voy al cementerio, de negro; si voy a cometer un asesinato, pues de rojo. Funciona así.

Francesca llevaba también unos zapatos de tacón, unas enormes gafas de sol, un cinturón negro muy ancho y unos aretes dorados que le colgaban casi hasta los hombros. Con su melena ondulada y sus piernas firmes, parecía una joven aristócrata recién llegada de Ascot. Nadie se quedaba indiferente cuando se cruzaba con ella por la carretera; todos volvían la cabeza para mirarla: los hombres con picardía, las mujeres con curiosidad. A Claudia se la llevaban los demonios.

—Explícame cómo piensas entrar en Villa Fontanelle sin que te vean. Todo el mundo te está mirando, Francesca. El plan consistía en colarnos discretamente en el jardín y esperar escondidas entre los arbustos hasta que llegara el momento de meternos dentro de la casa, echar un vistazo rápido, hacernos con lo que fuera que sirviera para nuestra investigación y regresar corriendo sin que nadie se diera cuenta. ¿Te parece apropiado el modelo que te has puesto?

—Eres una envidiosa —respondió la mujer de rojo sin dignarse dirigirle la vista, la cabeza bien alta bajo la pamela—. Lo que pasa es que te fastidia que no te miren a ti. Siempre ha sido así. Yo la guapa y tú la fea. Y lo seguirá siendo por mucho que te esfuerces en impedírmelo. Algún día me casaré con un millonario, ya lo verás.

Discutiendo en voz alta cruzaron Moltrasio y continuaron por una senda que se dirigía al lago a través de un frondoso bosque.

No era fácil acceder a aquella villa desde que tres años antes, el rico y famoso emperador de la moda italiana Gianni Versace había rescatado de la ruina el antiguo palacio de los Cambiaghi para convertirlo en su residencia de verano. La propiedad estaba rodeada por una verja de hierro con la que el nuevo dueño pretendía evitar, precisamente, que alguien como Francesca o Claudia irrumpiera por sorpresa en su piscina y lo encontrara tomando el sol en traje de baño junto a sus invitados. Directores de cine, estrellas de Hollywood, espectaculares modelos, millonarios, cantantes y hasta alguna que otra princesa destronada formaban parte del numeroso elenco de huéspedes habituales de la casa.

En aquel preciso instante, Gianni estaba desayunando en el magnífico comedor neoclásico junto a dos bellezas indiscutibles, una rubia y otra morena, norteamericanas las dos, muy altas y esbeltas, de labios carnosos y piernas muy largas. Sus nombres eran Patty Hansen y Janice Dickinson.

—¿Nos vas a decir ya cuál es la sorpresa? —preguntó Patty, la de los ojos de gato.

—La sorpresa es un juego —respondió él, misterioso.

Y arrastrando su butaca hacia atrás se levantó de un brinco. Cogió dos servilletas y las anudó sobre los ojos de las chicas como si fueran antifaces.

—El juego se parece un poco a la búsqueda del tesoro, pero a ciegas. No habrá pistas, sólo un maravilloso perfume del que vais a disfrutar de un momento a otro. La que demuestre tener mejor olfato será la ganadora.

—¿Y cuál es el premio? —quiso saber Janice levantando un extremo de su servilleta para poder ver.

—¡No está permitido destaparse los ojos! —gritó Versace con una voz muy aguda—. ¡Eso es trampa! A la que pille mirando la elimino… Y la castigo toda la mañana encerrada en su cuarto —añadió entre risas—. Ahora, escuchad con atención. Es muy simple. Voy a dejar caer unas gotitas de un perfume muy especial hasta el lugar en el que está escondido el tesoro. Vosotras tendréis que seguir el rastro guiándoos únicamente por vuestras preciosas narices. ¿Lo habéis entendido?

Las chicas respondieron entre risas que sí, que las reglas del juego estaban muy claras.

Sacó del bolsillo del albornoz un frasquito de perfume y fue derramando unas gotas aquí y allá: sobre los sofás de terciopelo azul del salón, las esculturas de mármol, los tibores, las alfombras y las cortinas. Abrió después la puerta del jardín y dejó caer un poco más en cada uno de los escalones que descendían desde el porche hasta alcanzar una vasija de barro de gran tamaño que adornaba un rincón sombrío. Sobre la cántara dejó un pequeño paquete envuelto en papel dorado que sacó del otro bolsillo: el tesoro.

Lo había recibido esa misma mañana, recién salido del laboratorio de Milán. Era el primer perfume que llevaría su nombre.

—Muy bien —dijo regresando sin aliento al comedor, donde lo esperaban las chicas—. ¡Comienza la búsqueda!

Las jóvenes olisquearon primero el aire, después la mesa, se pusieron a cuatro patas, gatearon, se levantaron de nuevo, se chocaron la una con la otra, se enredaron en los visillos. Gritaron: «¡Por aquí, por aquí!». Y Versace disfrutaba como un niño.

Mientras tanto, Francesca había logrado colarse por un diminuto hueco entre la verja del jardín y la baranda de la terraza que se asomaba al lago. No medía más de medio metro aquella abertura peligrosamente inclinada sobre las aguas, pero ella, delgadísima como era, había conseguido introducir un pie, después una pierna y la cadera, luego la otra pierna y, finalmente, la cabeza. La pamela se la pasó Claudia desde el otro lado.

—Tú quédate ahí y vigila —había ordenado Francesca—. Las dos sabemos lo torpe que eres. Eres capaz de engancharte con la verja y caerte al agua, Claudia. Eres muy poco hábil para nadar. Así vestida, con esa ropa tan pesada, podrías ahogarte.

—No me ahogaría, me salvarías tú.

—O nos hundiríamos las dos —había replicado Francesca con brusquedad—. Mejor comprueba que no viene nadie.

—¿Qué crees que encontraremos aquí, Francesca? Han pasado más de ciento cincuenta años desde que murió Sydney Morgan.

—A lo mejor basta con echar un vistazo dentro de la casa para comprender mejor las cosas. Qué era lo que veía por la mañana, desde qué ángulo espiaba a sus vecinos, si desde su habitación observaba los movimientos de alguien que pudiera desear su muerte, o si tal vez presenció algo que nunca debería haber visto.

—¿Un asesinato? ¿Un adulterio? ¿Un robo?

—¡Quién sabe! Por lo pronto, me asomaré a su balcón. Te haré señales desde arriba con la pamela, Claudia. Tú respóndeme agitando tu pañuelo si todo va bien. Si no te veo, sabré que hay algún peligro a la vista.

Francesca había dado un saltito sobre los tacones, que se le clavaron en la tierra húmeda del césped. Desde allí, parapetándose entre el seto y el enorme magnolio de la esquina, se había aproximado a la casa.

Frente a la escalinata de piedra observó que el jardín estaba muy bien cuidado. Los dos parterres dibujaban una medusa de margaritas amarillas sobre la alfombra verde y en cada esquina había una estatua griega de mármol blanco. Se preguntó si esas obras de arte estarían allí desde hacía mucho tiempo o si, por el contrario, se debían al gusto artístico del nuevo propietario.

Conocía muy bien el nombre y la obra de Gianni Versace. Su magnífica *boutique* había abierto sus puertas hacía tres años en la Via della Spiga de Milán, tan sólo un par de meses antes del *desastre*. A Paola Cossentino, su madre, solían invitarla a ese tipo de fiestas. Tenía fama de ser una dama elegante, aunque algo melancólica, y su presencia etérea, casi vaporosa, convertía en oro todo lo que tocaba. Aquella noche, la de la inauguración de la tienda en Milán, Paola regresó a casa con una bolsa de regalo que contenía una vela de olor.

—Esta vela es para Claudia —le dijo a Francesca golpeándola con suavidad en la mano al darse cuenta del ansia con la que rebuscaba en el paquete.

Había cosas que Francesca jamás había podido perdonar a su madre, y una de ellas era esa clara predilección por Claudia. Le daba la sensación de que todo lo mejor era siempre para su hermana: las flores más bonitas, las palabras más cariñosas e incluso los regalos que le correspondían a ella. Durante un tiempo su madre había tenido en su mesilla un marco de plata en el que había colocado un retrato de Claudia cuando era niña. Preciosa, eso sí, con pecas en la cara y dos trenzas muy largas. A Francesca también le gustaba mucho aquella foto. Pero no le parecía bien que no hubiera a su lado un marco igual para ella. Por eso un día lo tiró a la basura, camino del colegio, y su madre se pasó meses intentando averiguar qué había sucedido. «No era muy caro —se lamentaba—, el valor era sentimental. Me encantaba esa fotografía».

Francesca avanzó de puntillas por el jardín. De vez en cuando se asomaba para ver si Claudia le hacía alguna advertencia con el pañuelo. Entonces llegó hasta el rincón de la cántara y vio la cajita dorada.

Ahí estaba. El regalo. La vela de olor. Sonrió para sus adentros decidida a llevársela. Alargó la mano y, entonces, para su sorpresa, se encontró frente a frente con una chica muy guapa y muy risueña que se abalanzó sobre ella con una servilleta tapándole los ojos.

—¡Por aquí, por aquí! —chillaba la joven—. ¡Creo que lo he encontrado!

Sin tiempo para apartarse del camino de aquella exhalación, Francesca sintió el abrazo repentino de la escuálida muñeca.

—¡Es una persona! —gritó—. ¡La sorpresa es una persona!

Otras voces y otros pasos se acercaron corriendo hacia ellas.

—¿Quién es, Gianni? —preguntaron sin dejar de mirarla.

—No tengo ni la más remota idea —respondió el calabrés llevándose la mano derecha a la descuidada barba.

VII

El salón principal de Villa Fontanelle estaba presidido por dos esculturas clásicas de más de tres metros de altura. Representaban dos luchadores griegos, o dos titanes, desnudos y fornidos. Estaban colocados sobre unos pilares de piedra y separaban la zona de estudio de la de descanso. Al fondo de la estancia colgaba un óleo en forma de rosetón flanqueado por varias pinturas con reproducciones de escenas de la *Odisea* y la *Ilíada*. Una librería de madera atesoraba cientos de volúmenes sobre historia del arte.

—¿Quién eres? —le preguntó Versace a la intrusa mirándola de arriba abajo.

—Francesca Ventura —respondió ella sin tiempo de inventar una personalidad distinta ni una explicación razonable para su presencia allí.

—Francesca —repitió él—. Igual que mi madre. Y su tono se suavizó—. ¿Sabes, Francesca, que lo que has hecho se llama allanamiento de morada?

Francesca asintió. Los techos eran altísimos, las ventanas alargadas y las lámparas colgaban como arañas de elegantes telas. Tintineaban las piedrecillas.

—En realidad, mi presencia en esta casa no tiene nada que ver con usted —explicó ella, dispuesta a todo—. Estoy aquí para resolver un crimen. Eso es.

—¡Un crimen! —El modisto se alarmó—. Pero ¿qué dices?

En ese momento se abrió de golpe la puerta del salón y entró un hombre de aspecto desaliñado. Tenía pinta de sonámbulo, con el pelo entrecano muy revuelto y los ojos entornados por culpa de la luz deslumbrante que entraba por la ventana.

—Buenos días, Richard —dijo Versace—. ¡No te vas a creer lo que tenemos para desayunar!

Richard Avedon, fotógrafo profesional, creía haber presenciado ya suficientes locuras en su vida como para poder sorprenderse con alguna nueva.

—Esta chica es una belleza —dijo mirando a Francesca y enmarcándola con sus dedos—. Creí que bastaba con dos modelos. ¿Necesitas tres?

—¡Ah, no! —respondió Versace—. Francesca no es modelo, sino detective. Eso me estaba contando ahora. Ven, siéntate con nosotros.

Avedon se acomodó en un butacón. Estaba descalzo. Puso los pies sobre la mesa de cristal.

—El asesinato que estoy investigando ocurrió hace mucho tiempo —comenzó Francesca—. Exactamente, ciento sesenta y nueve años.

—¡Menos mal! —exclamó Avedon—. Eso puede salvarte de la silla eléctrica, Gianni.

Francesca continuó muy seria a pesar de las carcajadas de los dos hombres.

—La víctima era una mujer joven y bonita; una escritora irlandesa que se alojó en esta casa y se ahogó en el lago en el año 1812. Se dijo que había sido un accidente, pero yo estoy absolutamente segura de que se trató de un crimen. Su nombre de soltera era Sydney Owenson, pero al casarse se convirtió en lady Morgan. Tuvo bastante fama en su época.

—¿Por qué te interesa esa historia? —preguntó Versace.

Francesca se sofocó. Pensó en Claudia; en la cara que pondría cuando le contara esa escena. Le diría que era la peor asesina de la historia. Que había descubierto sus intenciones nada más comenzar. Rápidamente ideó una coartada.

—Estoy escribiendo un trabajo para la universidad —explicó con una seguridad asombrosa.

Avedon soltó un grito de admiración. No acostumbraba a tratar con mujeres que, además de bellas, fueran cultas. Se puso en pie, se acercó a Francesca y, muy en serio, le propuso fotografiarla para su colección de retratos. Le dijo que lo haría en blanco y negro; que ella sostendría un tomo de la *Enciclopedia británica* y que estaría completamente desnuda de cintura para arriba, aunque no aparecería nada indecente en la imagen, pues el libro estaría estratégicamente colocado delante del pecho.

Aquello era de lo más inesperado. Francesca aceptó, claro está. No hay nada más halagador para una joven que ser considerada bonita por un fotógrafo de moda.

Mientras Avedon iba en busca de su equipo, Versace se tomó la molestia de relatarle a Francesca la historia de Villa Fontanelle. Pronto llegaron a la conclusión de que, dado que el nombre se lo habían puesto los Cambiaghi de Milán, no podía ser ésta la misma villa en la que se había alojado lady Morgan. Tras consultar varios tratados de historia, constataron que en 1812 Villa Fontanelle pertenecía a los marqueses de Trotti y, además, una lámina de época que encontraron en uno de aquellos antiguos volúmenes confirmó su teoría. Ni balaustrada, ni jardín, ni embarcadero circular. Aquélla no era la casa que describía con tanto detalle Sydney a Olivia en sus cartas.

—Villa Trotti, ¿lo ves? —dijo Versace, señalando la escritura a pie de página—. Definitivamente, ésta no es la villa de la que habla tu lady Morgan en sus cartas. Me temo que no voy a poder serte de mucha más ayuda. Sin embargo, tal vez te interese colaborar conmigo en alguna de mis campañas publicitarias. Tienes una cara y un pelo muy especiales, Francesca.

Regresó Avedon con su cámara, tres ayudantes vestidos de negro, varios maletines de lona, un maquillador cargado con un auténtico laboratorio químico, una pantalla blanca extensible, varios focos, un espejo de pie y un potente ventilador.

Como si se tratara de un desfile circense salieron todos al jardín en busca de la mejor orientación para realizar el retrato. Se encaminaron hacia la baranda que se asomaba al lago y comenzaron a montar aquel escenario de luces y sombras.

Francesca miró con disimulo en dirección al rincón en el que había dejado a Claudia hacía un rato. De entre las ramas verdes de un magnolio, horrorizada, vio salir una mano muy pálida que agitaba un pañuelo de seda rojo. Era la señal.

Había veces que Claudia se comportaba como una idiota, pensó Francesca. Se suponía que nadie debía verla y, sin embargo, ahí estaba, pañuelo arriba pañuelo abajo, llamando la atención sobre su escondite. Si la encontraban allí, tan fea, era posible que Richard Avedon sufriera un bajón anímico; que se deslizara por la intrincada pendiente de la depresión artística y que su retrato se fuera al traste. O peor aún: que, al verla Gianni Versace, con su pelo enmarañado y esas telarañas entre los dedos, abandonara la idea de contratarla a ella para esa campaña de la que le había hablado.

—Quitad la pantalla —dijo Avedon—. Creo que prefiero el fondo vegetal.

Francesca, sin camisa, sosteniendo a la altura del pecho el tomo decimosexto de la *Enciclopedia británica,* la melena caoba sobre las páginas amarillentas, tembló un poco cuando alguien exclamó:

—¡Espera, Richard! Hay algo rojo enganchado de un árbol.

Y, despacio, se encaminó hacia el magnolio de Claudia.

—Es un pañuelito —oyó gritar poco después a sus espaldas—. ¡Qué raro! Estaba atado con un nudo a la rama. No puede haber sido el viento.

Avedon disparó su cámara por sorpresa. Dijo que la expresión de Francesca en ese preciso momento había sido perfecta. Que nunca había logrado explicar con palabras la esencia de ese gesto. Que probablemente no existía un modo de transmitirlo a través del lenguaje y que era una cuestión de sentimientos. Que llevaba mucho tiempo tratando de fotografiar las emociones femeninas, pero jamás había dado con la tecla que accionara la psicología de las mujeres.

—Es terror, pudor, ingenuidad, odio, locura —dijo.

Francesca se vistió a toda prisa. Comprendía perfectamente a qué se refería el fotógrafo: a esa melaza espesa de sensaciones que se derramaba por su piel. Por una parte, la vanidad satisfecha; por otra, la vergüenza de la desnudez; por otra, el veneno de la envidia que se le había clavado en la espalda con el escozor de una mordedura de serpiente, procedente de la mandíbula abierta de su hermana Claudia.

VIII

—Ábrelo, Claudia, no seas rencorosa —le rogó arrodillada a los pies de la cama, las lágrimas ya secas convertidas en sal y las uñas en carne viva—. Lo he traído para ti. Lo he robado. Me he arriesgado a perder la confianza de esa gente y mira cómo me lo agradeces. ¿Qué culpa tengo yo de ser tan guapa? Eso no se elige. Se nace así porque Dios lo quiere. A mí me dio el pelo de mamá, los labios de papá, las manos de pianista, las piernas largas. Tú heredaste todo lo malo, ¡qué injusticia! Si yo pudiera, te cambiaría al menos los ojos. Así tendrías algo bonito en esa cara tan fea.

Claudia estaba acostada en la cama con la cara escondida en la almohada. Esta vez sí que se había enfadado de veras. Ni siquiera la perspectiva del paquete dorado, la lazada grande, la curiosidad que siempre demostraba por todos los misterios estaban consiguiendo apaciguarla.

Francesca había salido corriendo de Villa Fontanelle sin despedirse de su propietario. No importaba. Gianni Versace encontraría el modo de dar con ella en cuanto viera la fotografía que acababa de sacarle Richard Avedon y la convertiría en una supermodelo como Twiggy o Inès de La Fressange. Y ella recorrería las pasarelas del mundo entero: de París a Nueva York y, con un poco de suerte, Tokio, Singapur y Arabia Saudí. Pobre Claudia, que jamás saldría de Italia. De esta comarca perdida entre montañas.

Aquí acabaría pudriéndose de asco y de envidia mientras ella conquistaba la fama.

Había traído el paquete escondido dentro de la pamela. No era muy grande; tenía el tamaño perfecto para un robo insignificante.

—Pero ¿no te intriga saber lo que hay dentro de la cajita? Es para ti. Yo no lo quiero.

—¡No! —respondió su hermana sin levantar la cabeza, un poco ahogada por el relleno de plumas.

—Bueno, pues lo abro yo un poquito —comenzó Francesca—. Levanto esta esquinita, miro dentro… ¿De verdad no lo quieres?

Finalmente, Francesca levantó la tapa de la cajita y sacó un frasco de cristal en forma de diamante con base de prisma. Lo abrió y el aroma se extendió por la habitación con la misma intensidad que el olor a tierra mojada en el instante mismo en el que estallaba la tormenta de las siete. «Chipre Floral», leyó en voz alta y seguidamente lo vació por completo sobre su hermana. Roció a Claudia de la cabeza a los pies con el perfume, que se derramó por su cuerpo seco y triste.

—¡Para! —gritó Claudia, incorporándose al fin.

—¡Era para ti! ¡Te lo dije y no me hiciste caso! —bramó Francesca fuera de sí. Luego salió de la habitación dando un portazo y bajó por las escaleras a saltos.

Margherita, que pasaba en ese momento por el pasillo, camino de su dormitorio, se detuvo ante la puerta cerrada. La empujó con cautela y un asfixiante olor a flores la sacudió de arriba abajo.

Se encogió de hombros sin entender por qué Francesca había decidido perfumar de aquel modo la habitación. Pero eran tantas las cosas que no comprendía de su hijastra; tantas y tan inquietantes que, francamente, lo que hiciera o dejara de hacer le traía sin cuidado. Entornó la puerta para que se ventilara un poco aquella atmósfera sobrecargada y siguió su camino sin reparar en la estremecedora presencia de Claudia sobre la cama.

Era una noche especial. Eso pensaba Margherita mientras se cambiaba de ropa; de los cómodos pantalones cortos al vestido vaporoso que había reservado para la ocasión. Entre sus dedos algo crispados le pareció que se escurrían unos visillos: los que utilizaría para cubrir los ojos a Stefano e impedirle recordar a Paola al menos durante unas horas. El fantasma de la primera esposa —pobrecilla, abandonada, humillada, cautiva en su palacio florentino, lejos del mundanal ruido, de los comentarios crueles, de las compasiones fingidas—, Paola, la de los ojos tristes, rondaba por aquella casa igual que por la de Milán; igual que por cualquier recóndito rincón del mundo en el que pretendieran buscar refugio Stefano y Margherita.

No tenían escapatoria.

En un primer momento, cuando su amor infiel era todavía un secreto y aún Francesca no les había descubierto saliendo a escondidas del hotel, Margherita había creído que la presencia incómoda de Paola en todas partes y su consecuente vigilancia —que ni apagando la luz ni cerrando la puerta con llave se libraba de aquellos ojos acusadores— eran gajes del amor clandestino. Se equivocaba. Después de la boda comprobó que el estado civil era lo de menos. No habían cambiado nada el anillo, el velo blanco, el vals y el pastel de merengue. Los dedos de Paola se le seguían clavando en la espalda cada vez que hacía el amor con su marido. El suyo. ¿El de quién?

Tal vez era cuestión de tiempo. Tal vez era culpa de Francesca y su negativa a dirigirle la palabra a Stefano, o que las niñas, las dos, se parecían tantísimo a su madre que el hombre se quedaba extasiado al contemplar sus viejas fotografías —las sonrisas desdentadas, las trenzas deshechas— sobre el piano.

De ahí el vestido vaporoso y la melena al viento.

Margherita planeó que esperaría a que estuvieran los dos solos frente al lago, de espaldas a la luna, a salvo del susurro del viento que transportaba hasta allí las voces y las melodías desde la fortaleza florentina y lo envolvería con aquellos visillos de seda y le taparía los oídos con sus manos, la boca con su lengua. Lo miraría de frente, se lanzaría de cabeza al pozo negro de sus ojos y, desde dentro de su cuerpo, le agarraría el corazón; se lo detendría. Para que dejara de latir al compás del corazón de Paola y comenzara una nueva andadura al ritmo fresco y joven y salvaje del suyo propio.

«Tengo algo que contarte, *amore*», le diría sin palabras. Y él la abrazaría a su vez, libre por fin de las cadenas que lo secuestraban: las gruesas y largas cadenas que lo ataban a su culpable pasado.

A Stefano, Margherita lo había conocido de lejos a los quince años. Por aquel entonces él era ya un hombre casado, su esposa una belleza alegre y despreocupada, y sus hijas, Francesca y Claudia, dos bebés de capotita y piqué. Fue en una comida al aire libre que habían organizado los Trivulzio en su casa de Blevio el 31 de agosto, festividad de San Abbondio, y que no se deshizo hasta eso de las siete, cuando ya Tivano y Breva, los vientos que preceden a las tormentas, comenzaban a bajar por la cuesta.

La edad era mala para casi todo. Margherita tenía cuerpo de niña y sueños de pájaro libre: unas ganas locas de echar a volar en cuanto se despistara su madre, que no le quitaba el ojo de encima —«qué edad más mala»— y un diario donde no apuntaba nada porque los días pasaban vacíos y el papel se quedaba en blanco. Cómo se aburría —«qué edad más mala»— en ese lago sin diversiones. Demasiado pronto para salir de casa. Demasiado tarde para jugar con sus viejas muñecas de trapo y porcelana, que si las inclinaba cerraban los ojos, si las empinaba los abrían y se quedaban así, mirando sin expresión desde los cristales azules de sus pupilas. Qué edad más malísima.

—Margherita, *cara*, ¿verdad que no te importa cuidar de estas niñas tan preciosas un rato? Se llaman Francesca y Claudia. Sólo será mientras comemos. Han venido sin la niñera…

En aquel jardín sobre el lago, los Borghetti habían coincidido por casualidad con los Ventura Cossentino, vecinos en Como y en Milán. No eran amigos porque pesaban más los intereses que los separaban que las coincidencias que los unían, pero se soportaban educadamente cuando no tenían más remedio que encontrarse en alguna reunión social a la que estaban invitadas ambas familias. El mayor escollo era la enemistad entre los patriarcas: Tomasso Borghetti, padre de Margherita, y Pompeyo Cossentino, suegro de Stefano, competidores acérrimos en el negocio de las telas. Por fortuna, esa tarde el viejo Pompeyo había decidido quedarse en casa, conocedor de la probable presencia de Tomasso en Villa Trivulzio y la fiesta, de momento, transcurría en paz.

—Es que se me dan fatal los niños —había protestado Margherita inútilmente mientras su madre la cargaba con un bebé regordete que la miró con susto antes de romper a llorar con una rabieta descomunal y con una niña pequeña, que no habría cumplido todavía los tres años y que también lloraba a mares.

Margherita intentó apaciguar el escándalo de los chillidos y las patadas y las lágrimas de las dos criaturas, pero no hubo modo. Tuvo que levantarse el padre de aquellas niñas obedeciendo las órdenes silenciosas de una madre entretenida en otros menesteres —«ve tú, Stefano, que yo estoy hablando con mis amigas»— y relevar a Margherita de una misión desproporcionada para su corta edad y su falta de experiencia.

—Tú eres Margherita Borghetti, ¿verdad? —le preguntó su salvador, un hombre muy guapo al que descubrió un montón de noches sin dormir bajo los párpados.

—Sí.

—Has crecido muchísimo.

—Gracias.

—Pero estás un poco triste. Te lo noto en la cara.

—No estoy triste —protestó Margherita.

—Pues entonces es que te aburres. A mí, algunas veces, no se lo digas a nadie —miró a su alrededor—, me pasa lo mismo.

—Es que no hay nadie interesante en este lago —dijo Margherita con ojos soñadores, aunque se arrepintió de inmediato. A ella le hubiera gustado pasar las vacaciones en la Liguria, en Portofino o en Santa Margarita, con su amiga Rosetta, que tenía unos primos divertidísimos, pero sus padres habían decidido que aún era pronto para separarse de ella —una niña tan tierna e inocente— y se la habían llevado a rastras al lago, como cada verano desde que tenía uso de razón.

—¿Y yo? ¿No te parezco interesante? —respondió Stefano con picardía, haciéndose el ofendido.

Margherita sonrió, el sol la deslumbraba un poco. Tenía todavía la cara redondeada y sierras en los dientes. Le devolvió a las niñas, se disculpó por no haber sabido calmarlas, le acompañó con la vista en su retorno a la mesa, notó que se balanceaba un poco al caminar —tal vez por el arco abierto de sus piernas— y esa noche, desvelada, repitió su nombre, «Stefano, Stefano», como una runa mágica capaz de transportarla a su lado y de escurrirse entre sus brazos. Sueños de niña mala.

Luego lo olvidó durante los años largos del fin de la infancia. Se licenció en Empresariales para poder tomar las riendas algún día del negocio familiar —cosas de ser hija única—, se enamoró de un gamberro, luego de un pirata, luego de un *play-boy* y más tarde de un don nadie, porque ninguna de sus conquistas era suficiente a los ojos de sus padres.

—Margherita, hija, mira que eres buena —le advertían—. Te dejas engatusar por el primero que pasa. Debes aprender a desconfiar de las amistades inconvenientes y de los espabilados que sólo quieren aprovecharse de tu fortuna.

Así que pasó media vida de amor secreto en amor prohibido, sin atreverse jamás a presentar como Dios manda, en sociedad, a los hombres de su vida. Bien cierto es que al final ninguno de aquellos príncipes azules resultó ser más que un sapo más o menos verrugoso y que todos, uno detrás de otro, acabaron saltando fuera de escena con una patada entre las ancas.

Entonces regresó Stefano.

Habían pasado catorce años desde el encuentro fortuito en Villa Trivulzio. Venía arrastrando una pena muy honda, caminaba encorvado. Había perdido el brillo en la mirada. Se había olvidado de reír.

Entró en el despacho con una cartera de piel, traje de chaqueta, corbata formal. Se hundió en el Chester de cuero, de frente a Margherita, y al levantar la vista de sus papeles ella le contó mil noches más en vela.

—¿Stefano Ventura?

Él asintió, la vida arruinada.

—¿Qué puedo hacer por ti?

Stefano traía un negocio mal envuelto que dejó caer sobre la mesa con la sensación de estar entregando un regalo a sabiendas de que quien lo recibe no lo apreciará. Un triste negocio. Un traje gris.

—Pero ¿qué te ha pasado, hombre? ¿Qué te ha hecho la vida?

Margherita supo entonces que su mujer, Paola Cossen-tino, había abandonado la casa de Milán y se había ence-rrado en el palacete de Florencia, sola con sus partituras, vestida de negro. Que ya no hablaba, ni comía, ni cantaba, ni reía. Que él, intentando sacarla a flote, había estado a punto de ahogarse con ella. Que el aire se había detenido tras las cortinas de su casa, que se había vuelto pesado y pegajoso. Macizo. Irrespirable. Que no hubo discusiones porque a Paola se le borraron las palabras de la memoria. Que su despedida fue en silencio. «Tú te quedas, yo me voy». Y que la promesa ante Dios —«todos los días de mi vida»— empezaba a pesarle tanto, tanto, que no sabía cuánto tiempo más iba a ser capaz de aguantar su vela.

Margherita, acostumbrada a la clandestinidad im-puesta por las exigencias paternas, se lanzó al vacío sin pensárselo demasiado. Le dijo: «¿Sabes que ahora sí te en-cuentro interesante?». Y comenzó a lamerle las heridas a ratos robados, ajena a los peligros del amor infiel. Hasta que una tarde, recién cicatrizado el corazón del hombre, se topó de frente con su hija Francesca.

Y fue tan violento el golpe, tan profundo el odio que ni el tiempo ni la necesidad lograron arrancarle a esa niña de pelo caoba y ojos entornados una sola palabra. Ni siquiera de desprecio.

La relación que se estableció entre ellas desde esa calle oscura en adelante fue lo más parecido a la nada, enten-dida ésta como ladrarle a la luna o pedirle deseos a las es-trellas fugaces. Por más que Margherita se esforzó en agra-dar a Francesca con buenas palabras, detalles amables, regalos bonitos y hasta la eligió dama de honor de su boda y le compró un vestido precioso para que estuviera más guapa que ella misma, no logró más que una cara larga y un silencio sólido.

Algunas veces se permitía pensar que la chica no estaba del todo en sus cabales. Lo pensaba para sus adentros, asustada hasta del eco de esas sospechas en su cabeza, no lo fuera a escuchar Stefano, que dormía plácidamente a su lado, ajeno a estos miedos bien fundados que comenzaron el día en que encontró a su hijastra despierta a medianoche con unas tijeras de cocina entre los dedos destrozando los visillos.

—¿Qué ocurre, Francesca? Dime, ¿qué te pasa?

Pero ella no respondió, entretenida como estaba luchando contra un enemigo invisible que se escondía más allá de la ventana.

Salió del dormitorio y regresó a su cama. Ordenó instalar cerrojos en su puerta, le dijo a Stefano que necesitaba más intimidad, dormir tranquila, saber que sus horas de amor estaban a salvo de ojos y oídos indiscretos, y Stefano creyó que se refería a Paola.

—Margherita, *amore*. —Siempre la llamaba así, «*amore*»—. Mi mujer vive en Florencia. Muy lejos de aquí. Estamos a salvo de sus tentáculos, no temas.

—No la llames «mi mujer». Ahora y para siempre tu mujer soy yo.

Y echó el tranco haciendo un ruido de mil demonios.

Luego soñó que Francesca, armada con una guadaña, entraba por la ventana y le cortaba la cabeza.

Ya se había rendido. Sólo le quedaba esperar a que la niña se hiciera mayor. Entonces la echaría de casa, la enviaría bien envueltita, con un lacito de seda y un billete de ida a Florencia, a alegrarle las tardes tristes a Paola.

Ya estaba, ya había cumplido los dieciocho. «Tengo algo que contarte, *amore*», le diría a Stefano. Y después la vida daría comienzo, por fin, lejos de toda la carga que arrastraba el hombre. Olvidados de Francesca, de Paola y de Claudia, tres recuerdos nada más, desdibujados por el abandono. Solos Stefano y Margherita y lo que quisiera añadir Dios en la isla desierta del futuro en blanco.

IX

—Mírala, Claudia —dijo Francesca espiando tras los visillos—. Te digo que se trae algo entre manos. Me da la sensación de que sospecha algo.

—¿Que vamos a matarla?

—Puede ser. Desde luego, sabe de sobra que la odiamos. ¿Por qué no íbamos a querer matarla?

Claudia se acercó a la ventana. Todavía desprendía un fuerte olor a flores porque el perfume se le había quedado impregnado en el pelo, pero el enfado era ya agua pasada. Nunca les duraban los disgustos más que unos minutos de silencio. Enseguida retomaban el hilo de las conversaciones interrumpidas como si no hubiera pasado nada. Jamás se pedían perdón. No era necesario.

—Tal vez también ella esté pensando en la manera de deshacerse de nosotras —temió Claudia—. Por eso se compra esos vestidos tan bonitos: para engatusar a papá con sus mentiras. Le dirá que estamos locas, que lé damos miedo.

—Siempre ha intentado separarnos de él. Desde el primer día.

En el jardín, ajena a la conspiración de las niñas, Margherita hablaba con Stefano en susurros. Habían cenado en silencio, como de costumbre, y luego se habían quedado a solas disfrutando de la noche fresca en la terraza frente al lago. Desde el balcón de su habitación, Francesca y Claudia no podían escuchar lo que la bruja le estaba diciendo a su padre, pero sí observar que, mientras le arrullaba con su discurso secreto, intencionadamente le recorría la espalda. Su mano subía y bajaba por aquella camisa, se escurría por dentro, le arañaba la piel.

Stefano la besaba. ¿Qué otra cosa podía hacer si, al fin y al cabo, era un hombre? La abrazaba, jugaba con su pelo, la levantaba en volandas, como si pesara lo mismo que una pluma y temiera que se la pudiera llevar el viento.

—Me están dando arcadas —dijo Francesca cerrando el visillo con rabia—. Voy a acabar con ella esta misma noche. Con las tijeras de la cocina. Bajo, las cojo, me meto debajo de la cama, espero a que se duerma y se las clavo en un ojo. He leído que los cortes en los ojos son mortales porque van directamente al cerebro.

—Ni se te ocurra, Franchie —la advirtió Claudia—. Si haces eso, nos meterán a las dos en la cárcel. Mantén la sangre fría, ten un poco de paciencia. Ya estamos cerca. Consultemos el libro.

Entonces volvió a abrir el libro donde residían todas las pistas de aquella investigación morbosa y después de un rato en silencio señaló con su dedo flaco uno de los dibujos que ilustraban sus páginas.

—Nuestra Sydney hablaba de una villa con dos cuerpos, una balaustrada acristalada y un jardín, ¿verdad? Pues mira.

Francesca se fijó en la casa que le indicaba su hermana. En efecto, cumplía con todos los requisitos.

—Pero aquí pone Villa Mondolfo —leyó un poco decepcionada, escudriñando el dibujo.

—El nombre es lo de menos, tonta —respondió su hermana—. Han pasado muchos años. Lo habrán cambiado. Lo importante es que la casa sigue en pie y nos espera.

Siguiendo aquellas indicaciones, como impulsada por un resorte mecánico, sin encomendarse a Dios ni al demonio, Claudia se puso en marcha. Las zapatillas de felpa y el camisón largo. El libro bajo el brazo y un candil. Francesca la siguió de la misma guisa, sin protestar. Parecían dos sonámbulas por las escaleras oscuras y luego dos fantasmas en pie sobre el embarcadero cuando cogieron los remos de la barquita y se deslizaron sigilosas sobre las aguas negras rumbo a Villa Mondolfo, la casa que, al parecer, guardaba entre sus muros el secreto de aquel crimen.

Pasaron a escasos metros de Margherita y Stefano —sus cabezas casi visibles entre los barrotes de la terraza—, pero los amantes, atentos como estaban a las exigencias de su naturaleza —hombre él, bruja ella—, ignoraron los lamentos de la madera y no hicieron caso tampoco cuando les alcanzó la corriente helada de odio puro que recorrió sus dos sombras entrelazadas.

Margherita sí debió de notar algo porque dijo que hacía un poco de frío y como respuesta Stefano la abrazó aún más fuerte y le cubrió los hombros con su propio jersey de punto.

El viento estaba en calma; la luna asomaba ya por encima de la sierra del fondo. No había más ruido que el de la pequeña barca y los remos.

Francesca colocó el candil en la popa y Claudia se acomodó en el pequeño saliente que le servía de asiento, con el libro abierto sobre las piernas. Siempre le tocaba a ella el trabajo duro, pensó Francesca mientras remaba de espaldas al destino haciendo un esfuerzo tremendo por mantener el ritmo y el rumbo. En cambio, a su hermana, como era más pequeña, y menos fuerte, y más delicada, que todo el tiempo tenía tos, fiebre o anginas, siempre le correspondía la tarea fácil.

Ahí estaba, reclinada junto a la lucecilla vacilante de la vela, leyendo en voz alta, exclamando y riendo con las ocurrencias de lady Morgan, y no se daba cuenta de que a escasas millas de allí, muy cerca de Villa Mondolfo, aunque en otro mundo, en otro tiempo, otra villa de nombre Villa Garrovo ya estaba engalanada para una fiesta, iluminada con cientos de farolillos y que los invitados estaban a punto de llegar a bordo de sus elegantes embarcaciones tripuladas por mozos en uniforme de gala, con sus botones dorados y sus bandas color turquesa.

Las damas lucían las creaciones más fantásticas procedentes de los talleres artesanos de Milán sobre sus amplios escotes: plumas de avestruz, sedas salvajes y crinolina. Los caballeros exhibían sus condecoraciones militares prendidas de las chaquetas de terciopelo azul. Sobre la cabeza el sombrero de copa, alrededor del cuello la lazada de seda y en el cinto el puño del sable.

Eran recibidos con solemnidad en el embarcadero y conducidos al templete de Hércules que quedaba en alto, a través de un túnel de castaños iluminado por antorchas. A medio camino les esperaban las doncellas portadoras de las bandejas con el vino fresco y dulce de la casa. Arriba, los anfitriones —Domenico Pino y Vittoria Peluso—, como dos figuras teatrales, los saludaban con una reverencia exagerada, importada de la corte de Bonaparte, que tan bien conocían ambos.

Todo eso ocurría ante las narices de Claudia y ella, que era tonta, qué tonta era, se lo estaba perdiendo por leer y leer y no mirar hacia delante.

X

Historia romántica de Lario, un estudio
LADY MORGAN, SUCESOS Y CORRESPONDENCIA

En el verano de 1812 el Imperio francés navegaba por aguas turbulentas. El todopoderoso Napoleón Bonaparte todavía dominaba media Europa, pero era evidente que, de un tiempo a esa parte, algunos de sus súbditos y aliados estaban sacando los pies del tiesto de una manera bastante molesta. Por un lado, estaban los españoles, que, auspiciados por los ingleses, se habían levantado contra el Imperio y no abandonaban sus ansias de independencia a pesar de la sangrienta represión ejercida por las tropas enviadas desde París. Y por otro, la Rusia del zar Alejandro se había negado a continuar respaldando el bloqueo contra Gran Bretaña impuesto por Bonaparte y había reabierto el comercio prohibido con la corona británica con la excusa de que sus campesinos se morían de hambre por falta de suministros y capitales.

Con dos frentes abiertos al mismo tiempo, y dado que la mayoría de las tropas imperiales se encontraba luchando en España, se le ocurrió al emperador la gloriosa idea de enviar a Rusia un ejército artificial, cosido de retales, en el que incluyó, cómo no, a la recién nacida armada italiana, al frente de la cual nombró ni más ni menos que a su hijastro, Eugène de Beauharnais, virrey de esas tierras. Y resultó que uno de sus generales más valientes se llamaba Domenico Pino y vivía con su esposa, Vittoria Peluso, en Villa Garrovo, cerca de Cernobbio, a orillas del lago de Como.

En aquel tormentoso verano de 1812, exactamente el 2 de julio, la noche antes de partir hacia la lejana Rusia, quiso el general Pino despedirse de sus vecinos más ilustres y organizó una fiesta a la que invitó a lord y lady Morgan porque así se lo exigieron Visconti y Confalonieri.

A pesar de sus recelos hacia aquel general afrancesado al que culpaban de la jugarreta de Napoleón —que después de alimentar sus ansias de autogobierno con la patraña aquella de «igualdad, libertad y fraternidad» había tenido la desfachatez de autoproclamarse rey de Italia dejándolos a todos boquiabiertos, estupefactos y con la sensación de haber caído en el timo más pueril de la historia del mundo—, tanto Visconti como Confalonieri habían respondido afirmativamente a la invitación del general Pino con tal de no discutir con sus mujeres. Eso sí, como venganza encubierta, lo habían forzado a convidar a aquellos dos ingleses recién llegados a Italia: lord y lady Morgan, nobles y cultos, sí, pero ingleses al fin y al cabo, cuya presencia en la velada no podía tener más explicación que la de incomodarle.

En el embarcadero de Villa Fontana, iluminado con espectaculares lámparas de aceite, esperaban ya Sydney y Charles elegantemente ataviados con la sobriedad propia de los británicos —chaleco sin adornos, él; camafeo, ella—, escoltados por el mayor de los chicos de los Fontana, el joven Domenico, que vestía el uniforme de la armada italiana: pantalón blanco, casaca azul forrada de rojo, bandas de seda blanca cruzadas sobre el pecho, botas de caña y chacó de piel calado hasta las cejas con una enorme pluma roja en lo alto. A pesar de su juventud, el muchacho poseía un atractivo innegable. Era claro de piel, alto y fuerte, y sus ojos, del mismo azul verdoso que el agua del lago, transmitían una autoridad extraña porque su mirada era la de un alma vieja atrapada en el cuerpo de un niño.

En cuanto atracó el barco, Domenico Fontana ayudó a Sydney Morgan a embarcar tomándola con seguridad de la mano que ésta le tendía y, al depositarla junto a las dos Teresas —Teresa Casati de Confalonieri y Teresa Trotti de Visconti—, le regaló una sonrisa pícara que no pasó desapercibida al pobre sir Charles, el cual no tuvo más remedio que encogerse de hombros y hacerse el desentendido.

—Este joven, Domenico Fontana, me recuerda una barbaridad al *David* de Miguel Ángel —dijo Teresa Casati, abanicándose sin recato.

—Sé perfectamente a lo que te refieres —le respondió la marquesa de Visconti, que no había podido quitarse de la cabeza el cuerpo desnudo y perfecto de aquel gigante de mármol desde que lo viera por primera vez en Florencia y descubriera extasiada la belleza masculina en estado puro.

Lady Morgan no dijo nada, pero inconscientemente persiguió con la vista la sombra de aquel soldado por la cubierta hasta que se perdió en la noche. Entonces se cruzó con los ojos de su esposo, que la estaban vigilando desde la proa del barco. Tenía esa mirada acusadora de los celos y tierna de los amantes secretos y sintió una punzada de culpa por ser tan voluble y casquivana. Bajó la vista. Se ruborizó.

—Oh, querida Sydney, espero no haberte ofendido —dijo Teresa Casati al notar su incomodidad—. No era más que una broma sin malicia.

—Es posible que para una recién casada resulte algo violenta tu observación —señaló la Trotti—. Habrán de pasar algunos años, amiga —dijo dirigiéndose a la irlandesa—, para que encuentres el justo equilibrio entre el amor sereno, que consiste en el dominio de la voluntad sobre las pasiones, y la sana admiración de la anatomía masculina. Observa a mi esposo y comprenderás lo que quiero decir.

Carlo Arconati Visconti había llegado a esa edad indefinida en la que los hombres se abandonan físicamente. Su afición a la buena mesa lo había dotado de una enorme barriga que subía y bajaba al ritmo de su respiración pesada. Caminaba con cierta dificultad, ayudándose con un bastón de marfil, y su rostro, amable, se congestionaba de tal modo con cualquier pequeño esfuerzo que parecía que iba a estallar como un globo.

—Pues le adoro —continuó Teresa Trotti después de la pausa con la que permitió a Sydney disculpar su aparente frivolidad—. Jamás lo cambiaría por ningún otro. Ni siquiera por el joven Fontana, por muy tentador que sea.

Tenía razón. Sydney entendía perfectamente lo que quería decir la marquesa y, sin embargo, cuando esa noche soñó por primera vez con los ojos azules de Domenico, se sintió mal. Traidora e infiel, por mucho que se repitiera a sí misma que los sueños son incontrolables.

—Sólo si muriera, que Dios no lo permita —añadió Teresa Casati.

—Eso cambiaría las cosas —concedió Teresa Trotti.

—Pero, en caso de enviudar y de volver a comprometerme en matrimonio, jamás escogería dejándome llevar sólo por la atracción física —continuó la marquesa—. Tendría más en cuenta otros factores.

—La posición, la renta, el linaje —enumeró la Trotti.

—Exacto —asintió ella—. Lo mismo que Vittoria Pino. ¿Conoces la historia de nuestra anfitriona, Sydney? ¿Sabes de dónde procede su fortuna?

Lady Morgan negó con la cabeza. Comprendió que sus nuevas amigas estaban dispuestas a contarle el chisme quisiera ella escucharlo o no. Y sí quería. Cómo no iba a querer escuchar un secreto de semejante alcurnia. Así que las dejó hablar al alimón; de marquesa a condesa, como en un partido de ping-pong visto desde la banda.

—Pues verás —comenzó Teresa Trotti, tomando aire—, resulta que su nombre de pila es, en realidad, Vittoria Peluso. Tal vez te resulte familiar, ya que fue una de las más famosas bailarinas de la Scala de Milán.

—Probablemente hayas oído hablar de la Pelusina, ése era su nombre artístico —añadió la Casati—. Cantaba y bailaba como un ángel.

—O como un demonio.

—Hechizó a muchos caballeros de alta cuna. Tenía ese cabello rubio y rizado propio de una dama de hielo y unos ojos de fuego, rojinegros, como el carbón ardiendo. Igual se congelaban que se abrasaban los hombres entre sus brazos.

—Eso dicen.

—Algunos la visitaban en su camerino…

—Y no regresaban jamás…

—Se fue creando a su alrededor una leyenda de magia negra, de brujería, que tal vez no fuera cierta, pero lo parecía.

—Entonces apareció el marqués.

—Don Bartolomeo Calderara.

—Había nacido en Milán y tenía fama de vividor, de hombre disoluto y sin principios.

—De cruel, de soberbio, de derrochador y mujeriego.

—Otro demonio.

—Él fue uno de los que más contribuyó económicamente en la construcción de la Scala. Se reservó el mejor palco para su propio disfrute y el de sus invitados. Frecuentemente asistía a las funciones acompañado por las más extravagantes mujeres.

—Exuberantes.

—Ruidosas.

—Una noche, alguien lo convenció para que bajara al camerino de la Pelusina. Fue una apuesta tonta. Un reto para un hombre temerario como él en asuntos de amores.

—Cuentan que pasaron veinte noches y veinte días encerrados en aquel sótano. Que sólo abrían la puerta para recibir licores y alimentos y que se escuchaban los más salvajes gemidos procedentes del interior del camerino.

—Dicen que salía por debajo de la puerta un intenso olor a azufre.

—Un perfume raro, como de incienso quemándose.

—Después de aquel encuentro el marqués no volvió a ser el mismo. Caminaba sonámbulo por los callejones oscuros de la ciudad.

—Estaba pálido, ojeroso...

—Flaco, consumido.

—Sólo salía de su palacio de noche y envuelto en una capa negra. Se encaminaba al teatro. Se acurrucaba en el palco, escondido entre las butacas vacías, y desde allí contemplaba la función. Después bajaba al camerino de la Pelusina y volvía a encerrarse con ella durante horas y horas.

—Hasta que se casaron.

—Fue una boda inolvidable a la que no faltamos ninguno. ¡Quién iba a perderse semejante fiesta!

—Sin embargo, la Pelusina, que es muy inteligente, se dio cuenta enseguida de que jamás sería aceptada por los aristócratas milaneses. Al fin y al cabo, ella no era más que una actriz de teatro. Bonita y lista, pero sin nobleza.

—Por eso convenció a Calderara de las ventajas de instalarse en Como.

—Pensó que las damas y los caballeros de estas tierras no estarían al tanto de las habladurías de Milán.

—Entró en Villa Garrovo como una ráfaga de aire fresco que barrió de un soplo todo lo viejo. Trajo pinturas, tapices, muebles y hasta vajillas y cristalerías venecianas. Tomó posesión de su palacio y lo transformó en un reino. Ahora lo verás, querida Sydney, el resultado es asombroso.

—Cuando murió Bartolomeo lo lloró durante meses.

—Y eso que nos figurábamos que su amor no era más que una patraña.

—Pero se consoló deprisa.

—Conoció a Domenico Pino, ministro de la Guerra, vestido de uniforme de gala en una de las recepciones de Augusta Amalia de Baviera, la esposa del virrey Beauharnais. Y se enamoró perdidamente de él.

—Es que vestidos así los hombres ganan mucho.

—Se casaron en la más estricta intimidad. Ella perdió el título de marquesa, pero en su lugar obtuvo el de condesa y un esposo de cuarenta años recién cumplidos, apuesto y galante.

—Te puedes imaginar cómo la odian sus cuñadas, que se han quedado sin uno solo de los bienes de su familia mientras el general disfruta del dinero y de las propiedades de los Calderara, heredadas en su totalidad por su joven esposa. ·

—Ellas no están invitadas esta noche.

—Claro. Faltaría más.

Federico Confalonieri se aproximó en ese momento a las mujeres e, interrumpiendo su comadreo, les anunció que estaban a punto de llegar a Villa Garrovo.

—Le encantará Vittoria Pino —dijo, dirigiéndose a su invitada.

—Ya lo creo —respondió lady Morgan con una sonrisa enigmática.

El embarcadero de piedra de Villa Garrovo estaba atestado de barcazas tan lujosas como la suya disputándose el mejor amarradero con gritos y golpes de remo. Los *barcaiuoli* que habían acudido hasta allí atraídos por la algarabía como insectos a la luz voceaban en el extraño dialecto de la tierra lanzando a diestro y siniestro insultos que no entendía nadie, ni siquiera los mozos de la casa, que trataban de poner algo de orden en aquel terrible caos.

En medio del jaleo, Domenico Fontana desenfundó el sable —era impetuoso aquel chaval— y amenazó con él a todo el que osara interrumpir el paso al barco que comandaba. De este modo, lograron colocarse en la mejor posición: en el centro mismo de la escalinata que, majestuosa, emergía del agua.

Sydney descendió por una rampa de madera móvil con abrazaderas de cordón de seda y, al contemplar por primera vez la fabulosa fachada de Villa Garrovo, soñó despierta con el mágico Versalles y se sintió de pronto convertida en una reina. La reina del Este.

Charles la tomó del brazo y juntos recorrieron la avenida de los castaños de Indias que rodeaba la casa hasta el jardín, presidido por un inmenso sicomoro. Varios grupos de invitados conversaban bajo las ramas del árbol, que había sido engalanado con farolillos.

Hasta ese lugar caía la fuente en cascada desde lo alto de la colina. Los más intrépidos subían los escalones no sin cierta dificultad, ya que se habían puesto de moda entre las damas unos botines de seda de tacón de precio exorbitante que sólo se fabricaban por encargo. Sydney se había calzado su único par, de color crema, un regalo inolvidable de uno de sus antiguos pretendientes.

Los Confalonieri y los Visconti se encontraban en aquella sociedad como pez en el agua; todo el mundo los conocía y los saludaba con una mezcla de admiración y temor que no pasó desapercibida a los observadores ojos de Sydney. Sus anfitriones debían de ser más poderosos de lo que ella había supuesto, a juzgar por la profundidad de las reverencias.

Había entre aquellos caballeros algunos científicos de renombre, profesores en su mayoría de la universidad de Pavía, como Joseph Frank, Alessandro Volta y Antonio Scarpa, que ocupaban una de las mesas principales. Hasta ellos fueron conducidos los Morgan, como por corriente electromagnética, ya que muy acertadamente Visconti y Confalonieri habían imaginado que a sir Charles le interesaría participar en la conversación de los doctores, que esa noche versaba sobre el intrincado funcionamiento de la musculatura de las ranas y otros anfibios. No pensaron, en cambio, que a su esposa Sydney aquellas asquerosidades la traían sin cuidado y la abandonaron allí, en medio de la discusión teórica, mientras ellos se unían a un grupo de oficiales de la armada italiana a los que arengaban sin el menor recato en contra de los franceses y a favor de un ejército independiente que defendiera únicamente los intereses de Italia y los italianos.

Por su parte, las dos Teresas había sido abducidas por una horda de gallinas ponedoras, todas con el mismo peinado de tirabuzones y diadema de estilo grecorromano, cuyos cacareos se escuchaban desde cualquier punto del perímetro irregular de aquel jardín.

Aburrida hasta el infinito, Sydney se excusó y abandonó la mesa de los doctores en cuanto pudo. Su curiosidad de escritora no le permitía perder la oportunidad de fisgar en aquella villa, más aún ahora que había conocido la historia de Vittoria Peluso y sus amoríos. Se le ocurrió imaginar que tal vez en el sótano del palacio se escondiera todavía el ataúd del vampiro Calderara, porque de eso se trataba sin ninguna duda, de un vampiro como una casa. Que si pálido, que si ojeroso, que si con capa negra y ojos sanguinolentos. Sólo faltaba que al pasar delante de un espejo no quedara rastro ni de la Pelusina ni de sus esposos, el vivo y el difunto. De modo que Sydney Owenson, que de pronto se había transformado en Glorvina, la valiente y salvaje princesa irlandesa, cruzó el jardín y entró en el recibidor de Villa Garrovo.

Como presa de un encantamiento se deslizó por el damero de mármol del suelo y fue recorriendo estancias a cada cual más asombrosa. Atravesó el *hall* de entrada, con su escalera de doble baranda, los salones tapizados de seda, las bibliotecas y los gabinetes, hasta que dio con una habitación cerrada y allí se detuvo, porque escuchó murmullos y gemidos procedentes del interior.

Empujó con cuidado la puerta dorada y, al asomarse dentro, se encontró con el patio de butacas de un teatro cubierto de terciopelos, con un escenario inmenso y dos actores interpretando una escena melodramática, recostada ella en un diván y arrodillado él a su lado besándole el cuello.

Sydney había asistido a muchas representaciones teatrales a lo largo de su vida, pero jamás había contemplado una estampa tan realista como aquélla. Los lametazos eran de lo más verosímiles, lo mismo que la daga y el desmayo de la dama. Por un instante no supo qué hacer: si gritar pidiendo ayuda o aplaudir con toda el alma.

Finalmente, optó por una tercera posibilidad: la de desandar el camino sin hacer ruido y regresar a la mesa de los doctores, eso sí, pálida como una muerta.

—Querida —le advirtió sir Charles en un susurro cuando la vio acercarse a su mesa dando tumbos—, recuerda lo mal que te sienta el vino.

—Aún no he probado una sola gota —respondió ella— y ya estoy viendo visiones.

En ese momento, alguien anunció solemnemente la aparición estelar de los anfitriones.

—Recibamos con vítores al valiente general que parte a Rusia para luchar contra los enemigos de Italia.

Al otro lado del jardín, Confalonieri estalló en un estrepitoso ataque de tos. Teresa Casati le palmeó la espalda con todas sus fuerzas hasta que logró que su marido escupiera el trozo de *pepperoni* con el que aparentemente había estado a punto de asfixiarse.

—Siempre igual —dijo el viejo Volta por lo bajo.

Entonces Sydney se giró hacia la puerta de la casa para contemplar atónita la llegada de los dos personajes emplumados a los que acababa de sorprender en plena actuación dramática. El galán de la daga y los lametazos no era otro que el formal y valiente general Pino, y la doncella del desmayo y los gemidos, su esposa Vittoria, más Pelusina que nunca en aquella noche estrellada.

Avanzaban tomados de la mano, elegantes y altivos, sin sospechar que Sydney había sido testigo de su arrebato amoroso en el teatro. No quedaba más rastro del escarceo que un tirabuzón descolocado en el peinado de Vittoria Peluso y una leve cojera, algo intensificada por el esfuerzo, en los andares de Domenico Pino.

—Ven a conocer a nuestra anfitriona —dijo la Trotti rompiendo el hechizo y agarrando a Sydney del brazo para conducirla a escasos centímetros de la Pelusina.

La italiana se giró en redondo y se encontró de sopetón con los ojos desorbitados de lady Morgan.

—Vittoria —las presentó Teresa Trotti de Visconti haciéndole un guiño a la dama—, ésta es nuestra adorada Sydney, lady Morgan, de quien tanto te he hablado.

Se produjo entonces una inmediata corriente de simpatía entre aquellas dos mujeres tan dispares —Sydney Morgan y Vittoria Peluso—, que se saludaron con una reverencia educada y una sonrisa pícara. «Sé que sabes que sé», pensó Sydney al inclinarse.

—¿Es usted, como me han contado, la hija de Robert Owenson? —preguntó la dama admirada.

—¿Y usted Vittoria Peluso, la gran estrella de la Scala?

—Ya no —respondió ella algo apurada, bajando la voz—. No aquí, al menos, en este jardín lleno de condesas y marquesas. Pero de vez en cuando sí, lo soy. De puertas adentro, si entiende usted a lo que me refiero.

—De puertas adentro yo soy Glorvina.

—Encantada, Glorvina.

—Encantada, Pelusina.

Con este diálogo dio comienzo la amistad que más tarde habría de salvar a Sydney de un destino muy negro. De una amenaza que comenzó a cernirse sobre ella esa misma noche, al regresar a casa y desnudarse frente a la ventana de su dormitorio, sin acordarse de cerrar las cortinas. Qué insignificante descuido y qué consecuencia tan fatal.

Desde el instante en que las presentaron, ni Sydney ni Vittoria tuvieron otro aliciente en la fiesta que la necesidad inexplicable de conocerse mejor. El resto de los personajes secundarios que habitaban aquel jardín desaparecieron de escena por arte de magia, como si una ráfaga de viento muy fuerte los hubiera borrado del guion. Tenían tanto en común Glorvina y la Pelusina que ambas entendieron que su amistad trascendía esta vida y procedía de otra realidad anterior. Tal vez en el antiguo Egipto o en la Europa de las cruzadas sus espíritus inquietos se habían encontrado por primera vez y se habían hecho la promesa de reunirse de nuevo en la Tierra, años, siglos o milenios después, seguras de que cuando llegara ese momento, serían capaces de reconocerse como almas gemelas e inseparables.

Hablaron de sus infancias, ambas tan poco convencionales. Hablaron de sus hombres amados. Hablaron de Byron y de su innata capacidad de escandalizar armado con una pluma afilada; y de la mediocridad del corso milanés, donde las óperas permanecían en escena durante más de tres semanas seguidas, y de autores teatrales irlandeses viejos y de poetas clásicos olvidados.

—Mi hermana Olivia tiene muchas amigas —dijo Sydney—. Sin embargo, a mí siempre me ha resultado difícil relacionarme con otras mujeres. No me interesan las conversaciones de salón. No me seducen las modas, ni las novelas de amor, ni las canciones románticas, ni los concursos florales. Me apasionan las historias de brujas y duendes, las leyendas que sólo conocen los marineros viejos, los crímenes pasionales y las intrigas políticas.

—No tienes amigas porque eres demasiado hermosa —respondió Vittoria—. El resto da igual.

—¡Pero qué dices, Pelusina! —se sorprendió lady Morgan—. ¿Cómo va a dar igual que pienses de un modo u otro, que defiendas esto o aquello?

—Da igual lo que pienses, Glo. Las mujeres no hemos nacido para pensar —replicó la italiana—, sino para gustar o no gustar a los hombres. Tú no tienes amigas porque las demás mujeres te ven como una amenaza. Te temen. Por eso yo tampoco he tenido nunca una sola amiga.

—Hasta esta noche —dijo lady Morgan agarrando la mano de Vittoria Pino con fuerza.

Esas cosas se estaban diciendo cuando Domenico Pino las encontró tumbadas en la hierba del jardín, contando estrellas, aisladas por una campana de cristal invisible del resto de los asistentes al convite. Llevaba un rato buscando a su mujer para hablar con ella de los fuegos artificiales.

—Encendámoslos ya, amor mío, antes de que amanezca, o no tendrán el mismo efecto sobre el ánimo de nuestros soldados. Estos fuegos simbolizan la lucha que vamos a librar en Rusia. Cuando nos encontremos inmersos en el fulgor de la batalla, recordaremos esta noche clara y no nos dejaremos vencer por el miedo, sino que combatiremos impulsados por el anhelo de regresar a casa.

Cuando dio comienzo el espectáculo de luz y color —una lluvia mágica que se reflejaba en el agua como en un espejo multiplicador y que escupía fuego desde el cielo y desde el lago, sobre los barcos, las casas y las montañas—, Charles Morgan se las arregló para colocarse detrás de su esposa y, aprovechando que todos los presentes atendían a la exhibición pirotécnica, acariciar con maestría la carne en tensión de Sydney, que no protestó en absoluto por el impropio comportamiento de su marido.

—Creo que es hora de volver a casa —dijo, y se volvió para ofrecer su boca a la sed de Charles.

Se despidió de Vittoria con la promesa de visitarla a diario cuando el general Pino hubiera partido hacia Rusia y se encaminó junto a su marido hacia el embarcadero, donde ya los esperaban los Visconti y los Confalonieri, y el joven Fontana, candil en mano.

El regreso fue silencioso. Las Teresas se descalzaron, agotadas por las horas que habían permanecido de pie saltando de un círculo a otro —ahora los marqueses, ahora los oficiales, ahora los clérigos y luego los científicos— y sin más fuerzas que para abanicarse de vez en cuando, los rizos deshechos y el escote sudoroso. Sydney hizo la travesía con la cabeza recostada en el hombro de su esposo, la respiración profunda y las intenciones claras. Los condes dormitaron también sin palabras y los mozos remaron pesadamente, como si tuvieran la corriente en contra. Sólo Domenico Fontana permaneció en su puesto de mando, tieso como una vela, despierto como un ave nocturna, perfecto en su juventud y en su belleza. De vez en cuando, Sydney se permitía mirarle con disimulo: las nalgas duras, la espalda ancha, los brazos fuertes, el pelo largo, ondulado, y los ojos de un color extrañamente azul a la luz del amanecer.

Amarraron en el embarcadero de Villa Fontana y se despidieron de sus amigos, a quienes invitaron a tomar un auténtico té inglés a las cinco de la tarde de un día cualquiera. Luego se dirigieron los tres —Domenico, Charles y Sydney— hacia la casa y en la balaustrada sus pasos tomaron direcciones opuestas —los Morgan, a la derecha; Fontana, a la izquierda— sin decirse más que «buenas noches» a pesar de la mañana y el trino de los gorriones.

Entonces ocurrió, por mala suerte o por descuido, la escena de Sydney desvistiéndose de espaldas al balcón, de frente a su esposo, anhelante y tembloroso, ya sin pantalones, que la contemplaba desde la cama. Ella dejó caer el vestido pesadamente a sus pies, y después las enaguas, el corsé y las medias, hasta que se quedó completamente desnuda, la carne de gallina y el pecho meciéndose como empujado por una corriente de aire.

—Cierra la ventana, Glorvina, no cojas frío —logró decir Charles en el instante mismo de transformarse en Hyde.

Sydney se volvió hacia el balcón y se encontró por sorpresa con los ojos azules de Domenico Fontana al otro lado del jardín. Fue un instante sólo: el que tardó en cerrar las contraventanas con un golpe demasiado violento que Charles confundió con la urgencia del inminente encuentro carnal.

Sin embargo, y a pesar de lo efímero del instante, algo cambió radicalmente en la manera en cómo Domenico se comportó a partir de entonces con lady Morgan.

Habría que ponerse en la piel del muchacho para entender lo que aquella visión significó para él. Domenico era un buen chico. Impetuoso y temerario, algo pendenciero y muy galante con las damas. Fiel hasta el límite, leal como pocos y patriota tanto por herencia como por convencimiento. Un caballero.

Pero todo eso quedó sepultado bajo toneladas y toneladas de deseo descontrolado en cuanto posó sus ojos azules sobre la piel de Sydney. Era la primera vez en su vida que veía una mujer desnuda. Fue un instante sólo; una décima de segundo en la que fue capaz de aprenderse de memoria el mapa del paraíso y entender que todas las cavidades del cuerpo femenino estaban hechas para alojar sus aristas.

Deslumbrado, aturdido, como el hombre de la cueva de Platón o como el mismo Adán cuando se despertó de la anestesia divina y se encontró con una costilla de menos y una mujer recién creada sobre la faz de la Tierra, Domenico perdió la calma y no la recuperó jamás. Desde esa noche en adelante, todos sus esfuerzos, sus ambiciones y sus empresas perseguirían un único objetivo: despojar el cuerpo de Sydney de la ropa que lo cubría y acariciarlo primero, lamerlo después y gozarlo hasta el límite de sus sentidos.

Domenico Fontana había encontrado en un abrir y cerrar de cortinas el sentido de su vida.

Esta circunstancia no pasó desapercibida para lady Morgan, que tenía cierta experiencia en casos de amores imposibles. No era la primera vez que le ocurría algo así a la salvaje irlandesa. De hecho, su historia con Richard Everard, diez años menor que ella y sin oficio ni beneficio, había logrado alterar durante un tiempo la paz de su arrogante espíritu.

«¡Con qué pasión se entregan los jóvenes a la mujer madura!», pensaba de vez en cuando, recordando aquellas cartas ardientes y las visitas fugaces que le regalaba el chico, enamorado hasta lo más profundo de ella y de su desprecio.

Pero aquel caso había sido muy diferente, puesto que el pobre Richard de la nariz aguileña y los anteojos no representaba ningún peligro ni para ella ni para nadie y, en cambio, Domenico, tan irresistible como era, podía hacer tambalearse hasta a la mujer más virtuosa del mundo a poco que se lo propusiera. De modo que Sydney se prometió a sí misma que jamás volvería a encontrarse a solas con la tentación que vivía enfrente.

Sin embargo, a pesar de que también se había obligado a olvidar aquella escena de su desnudez en la ventana, no pudo evitar que las imágenes de aquella noche, la expresión de la cara del chico y el color azul de sus ojos regresaran una y otra vez a su cabeza. Hasta que, en una de las ocasiones en las que Sydney rememoró por enésima vez aquella noche, cayó en la cuenta de algo que casi había olvidado: «Había una mujer».

No lo había recordado hasta entonces porque había pesado más el apuro de su desnudez que el resto de los elementos que la rodearon, pero ahora que se le había pasado el susto inicial, estaba segura de que junto a Domenico, aquella noche, había visto la inconfundible silueta de una mujer de espaldas.

Y se dijo que ninguna mujer que no estuviera loca de amor por un hombre se arriesgaría a pasar con él la hora peligrosa del amanecer, cuando afloran los instintos animales de los varones.

«¿Por qué una cita clandestina entre la noche y el día en un rincón escondido del jardín?», se preguntó Glorvina. ¿Era aquél, tal vez, un amor prohibido? ¿Ella una mujer casada, o una campesina sin fortuna, o la hija de un enemigo mortal de la familia? Y, sobre todo, ¿por qué sentía ella, una feliz recién casada y enamorada de su esposo, una punzada de celos cuando pensaba en la amante de Fontana?

El candil se balanceaba con el subir y el bajar de las olitas. Era difícil leer y remar al tiempo. Por eso Francesca, que era algo más mayor y mucho más fuerte, se encargaba de llevar la barca mientras Claudia, en la proa, sujetaba la luz con una mano y el libro con la otra. El equilibrio era precario. En varias ocasiones temió Francesca que la torpe de su hermana se cayera al agua con libro y vela.

—La cosa se complica —dijo Claudia, abandonando la lectura de *Historia romántica de Lario, un estudio*—. De momento, yo encuentro, no sé tú, al menos dos sospechosos: Charles y Domenico.

—Y la chica. No te olvides de la chica.

—Eso si hablamos de un crimen pasional —añadió Claudia—. Un triángulo amoroso con Sydney Morgan en un vértice y cada uno de los hombres en los otros dos.

—Y la chica, Claudia, olvidas a la chica —se empeñó Francesca.

—¡Qué pesada, Franchie! La chica pertenece a otro triángulo: el de Domenico y Sydney.

—Vale, pero no la olvides.

Francesca se detuvo. La barca, por inercia, continuó deslizándose sobre las aguas negras. Notaba los brazos doloridos y la espalda tensa. Todavía la orilla quedaba lejos.

—Bien —concedió Claudia a regañadientes—, dos triángulos amorosos si, como te digo, se trató de un crimen pasional.

—¿Qué otro motivo podría haber? —replicó Francesca.

—Hay tantos móviles en un asesinato como estrellas en el cielo —dijo Claudia levantando la vista sobre la cabeza de su hermana—. Cualquiera de las emociones humanas confluyen tanto en el amor como en el odio. ¡Qué difícil es a veces distinguir uno del otro! La envidia, la avaricia, el miedo, la superstición… A mí, personalmente, la vieja Abbondia no me gusta nada. Parece una bruja.

—¿Y qué me dices de Calderara? Un vampiro de tomo y lomo. ¿Y de los fantasmas de Villa Sommariva o de las aguane de los fondos?

Francesca se inclinó hacia un lado para asomarse al agua. La noche lo envolvía todo con su sombra quieta.

—Déjame el candil un momento, Claudia —dijo—. Creo que he visto algo moviéndose ahí abajo.

Iluminó el agua con la llamita oscilante. Del negro cambió al verde y del verde al amarillo.

—¡Mira!

Juntaron las cabezas, la luz en medio, y vieron pasar una criatura con cuerpo de niña por debajo de la barca. Se fijaron en su ropa blanca, de domingo, sus botines de charol, sus calcetinitos de ganchillo, su pelo negro, muy negro, y sus manitas crispadas, como de muerta, que de pronto extendió hacia ellas. Tenía branquias en el cuello y membranas entre los dedos. Burbujas de aire en los lacrimales. Los dientes picudos.

Entró por estribor, sacudió el suelo de la barca y volvió a salir por babor, pataleando con los botines blancos, para desaparecer después en lo más tenebroso de las profundidades sin dejar rastro.

—Ahí las tienes —dijo Claudia sin inmutarse—. Tus amigas, las aguane. Si por casualidad encuentran flotando un solo mechón de tu pelo, se agarrarán a él y te arrastrarán al fondo. Te enredarán con las algas, te arrancarán los ojos.

—¡Cállate, Claudia! —gritó Francesca—. ¡Me estás asustando! Yo sólo he visto un pez enorme. Podría ser una ballena. Cuanto antes lleguemos a la orilla, mejor.

Volvió a tomar los remos. Ordenó a Claudia que continuara leyendo. Su voz de muñequita tonta la acunaba, la tranquilizaba. Era como un bálsamo. A veces, Francesca no sabía qué era peor, si oírla o no oírla, diciendo todas esas tonterías en el interior de su cabeza.

Claudia obedeció.

La mañana después del incidente del balcón, Charles y Sydney se despertaron sacudidos por un griterío atroz en el dialecto incomprensible procedente del otro lado de la casa. La mujer que siempre vestía de negro se llevaba las manos a la cabeza, se lanzaba de rodillas al suelo y arrancaba la hierba con las manos. La señora Fontana trataba de tranquilizarla, pero su semblante era también la imagen de la angustia y los niños lloraban, contemplando la escena desde un rincón. Evidentemente, una tragedia de dimensiones desmesuradas acababa de sacudir a la familia.

Charles se vistió a toda prisa y bajó las escaleras de la villa saltando los escalones de tres en tres. Sydney lo siguió al rato, envuelta en su bata de seda, sin tiempo para calzarse los botines de día. Cuando atravesó la puerta, Charles salió a su encuentro —la boca tapada con un pañuelo húmedo— y la empujó con fuerza hacia dentro.

—Viruela —le dijo, aterrado—. Los síntomas son muy claros.

La acompañó de vuelta al dormitorio y le pidió que permaneciera encerrada en la casa hasta que él consiguiera unas vacunas.

—Me temo que en esta zona de Italia te será difícil, Charles —se lamentó Sydney—. Ésta es una tierra sembrada de supersticiones y ya sabes lo que piensan algunos de la medicina moderna.

El hallazgo de la recién descubierta vacuna se debía al doctor Edward Jenner, con quien Charles Morgan mantenía una rica correspondencia. Este médico de Berkeley había luchado hasta la extenuación contra dos enemigos tan feroces como crueles: la epidemia de viruela que se extendía por Europa y la insufrible superstición de la gente, que dificultaba hasta límites insospechados la erradicación de la enfermedad. Él mantenía que había dado con la respuesta a sus oraciones por pura casualidad. Contaba que, en una visita médica a una pequeña granja de Gloucester, una joven le habló de una enfermedad molesta pero leve que atacaba a las personas que cuidaban de las vacas, y que producía fiebre, escalofríos, temblores y picores, pesadillas y sudores fríos, pero que sanaba sola, sin medicamentos de ninguna clase, transcurridos algunos días desde el contagio. Las víctimas de esta viruela, llamada «vacuna», quedaban inmunizadas contra la viruela humana.

Jenner regresó a toda prisa a su laboratorio, cogió varias jeringas y volvió a la granja. Buscó entonces a un mozo enfermo de la viruela vacuna y extrajo el líquido infesto de sus pústulas. Después, inyectó el veneno en el cuerpo sano de un muchacho de su comunidad y lo expuso, una vez superada la enfermedad vacuna, al virus maligno de la viruela humana.

El chico no se contagió.

Jenner aún experimentó varias veces más, una de ellas utilizando a su propio hijo como sujeto del estudio, y recogió sus conclusiones en un amplio tratado que presentó ante la Asociación Médica de Londres.

Escandalizados, muchos de los pensadores y doctores de su tiempo declararon a Jenner «loco peligroso» y lo expulsaron del colegio de médicos, alegando que los efectos desconocidos de inocular una enfermedad procedente de las vacas a los seres humanos podría tener consecuencias nefastas, como la posibilidad de desarrollar características bovinas, tales como pelo, cuernos o rabo.

Pero el doctor no se rindió. Continuó con su investigación y logró convencer a algunos médicos, entre ellos a sir Charles Morgan, con quien mantuvo largas discusiones durante toda su vida.

Hasta que el reconocimiento le llegó finalmente en 1805, cuando el general Napoleón Bonaparte ordenó vacunar a toda su tropa.

—Iré a ver a Pino —le anunció Charles a su asustada esposa— y le pediré que me consiga algunas vacunas del ejército francés. Necesitamos al menos una dosis para cada miembro de la familia Fontana y para el servicio de la casa. También te vacunaré a ti, amor mío. A ti la primera.

—¿Y quién de ellos ha enfermado? —preguntó Sydney.

—Domenico —respondió Charles antes de marcharse a Villa Garrovo.

Sydney sintió que todo su cuerpo temblaba como una hoja. Domenico estaba enfermo y podía haber contagiado a cualquiera. Todos los invitados de Pino estaban en peligro; los barqueros, los camareros, las doncellas... Y, sin duda alguna, también la misteriosa mujer con la que el galán se había encontrado la noche anterior en el jardín.

Siguiendo las recomendaciones de su esposo se encerró en su habitación durante horas interminables. De vez en cuando, los lamentos de la vieja llegaban hasta su balcón desde el otro lado de la casa y la hacían estremecerse. Aquella mujer era dueña de una voz ronca que igual le servía para regañar a los niños que para rezar avemarías. Tenía una edad indefinida que Sydney calculaba cercana a los ochenta años, unas manos flacas, un pellejo arrugado y un cabello blanco oculto siempre bajo una redecilla negra de tul. Sólo le faltaba la escoba voladora para ser una auténtica bruja.

Había logrado descifrar que se llamaba Abbondia; el femenino del patrono de Como, un nombre muy corriente entre los *paesi* o labradores de la tierra y esta circunstancia, unida a la piel ajada, los gritos incontrolados, la tendencia a santiguarse tan a menudo como si de un tic nervioso se tratara y la manía de escupir a la espalda de la gente que franqueaba el umbral de su puerta, de esconder cebollas crudas bajo las camas, de espantar duendes invisibles armada con un plumero y de ofrecer los objetos más variopintos a los santos de su oratorio —desde mantelillos bordados hasta cruces de palo o vísceras de conejo— había convencido a Sydney de que su vínculo con la familia Fontana no era el del parentesco, ya que las diferencias sociales eran evidentes, sino más bien el de la necesidad mutua.

Abbondia había servido con lealtad a aquella casa desde los primeros tiempos del matrimonio; había sido partera, niñera, abuela usurpadora de cariños ajenos, enfermera, centinela y ángel de la guarda; todo ello armada con un manojo de llaves que asomaban por debajo del mantón. Todo lo fisgaba, todo lo aireaba o lo callaba, según le pareciera, y espantaba a los extraños con una mirada torva que helaba la sangre.

Cultivaba en el huerto de atrás un montón de plantas medicinales que utilizaba como tisana hirviéndolas en un puchero al fuego. Siempre olía a una mezcla de orégano, cebolla y aceite frito, siempre se levantaba antes del alba, siempre mascaba hierbas, siempre murmuraba palabras extrañas. Nunca descansaba.

La recién desenmascarada enfermedad de Domenico la estaba volviendo más loca que de costumbre. Nerviosa como estaba, su actividad era frenética: en dos horas trepidantes preparó polenta, cataplasmas e infusiones. Lavó ropas, manteles y suelos con el primitivo método de lanzar cubos de agua por todas partes, se arrancó mechones enteros de pelo blanco, se sonó los mocos en el delantal y se clavó las uñas en la carne hasta hacerse sangre.

Sydney nunca había visto nada igual. No una energía tan fabulosa procedente de una octogenaria.

A las cuatro de la tarde, en medio de un calor infernal, Charles regresó a pie, sin la vacuna, pero acompañado por un mozo que tiraba de un cordel a cuyo extremo venía amarrada una vaca lechera muy flaca, toda huesos y pellejo, de cuyos cuartos traseros colgaba una ubre inflamada que se bamboleaba de lado a lado.

El general Pino había partido a primera hora de la mañana junto al resto de su tropa. Habían formado solemnemente en la plaza después de la misa mayor y hasta habían disparado una salva de pólvora al aire antes de ponerse en marcha. Vittoria Peluso se lo contó a Charles con lágrimas en los ojos y él no quiso amargarle la dulce melancolía con el espanto de la viruela. De cualquier modo, el doctor confiaba en que la enfermedad no se hubiera propagado más allá de la verja de Villa Fontana. En los primeros estadios de la infección, antes de aparecer las pústulas, no solía resultar tan contagiosa como más adelante, cuando la infeliz víctima contaminaba con sólo mirarla. Antes de llegar a este extremo, era imperiosa la necesidad de inyectar la vacuna a todas las personas de su entorno y poner la casa en cuarentena; al menos, hasta que las costras se hubieran secado y el enfermo, si había sobrevivido, hubiera recuperado las fuerzas y el juicio.

Lord Morgan reunió a la familia en el jardín. El lago tenía aquel día un aspecto tenebroso, o al menos ésa fue la impresión que tuvieron todos al reparar en sus aguas negras. Un fuerte olor a quemado flotaba en el aire, lo mismo que los sollozos de Abbondia bajo la pañoleta negra. La vaca estaba atada a una estaca que habían clavado en la hierba.

—*Signor* y *signora* Fontana —tradujo torpemente Sydney en el italiano rudimentario que había aprendido durante sus paseos por los soportales de Milán—. Mi esposo conoce el modo de evitar el contagio de esta terrible enfermedad. Les ruega que confíen en su método. Tiene fundamento científico, aunque a primera vista pueda parecerles cosa de locos.

Los Fontana atendieron atónitos a estas explicaciones; los ceños fruncidos y las cabezas ladeadas, las bocas cubiertas por pañuelos húmedos y los niños con roderas de lágrimas en las mejillas.

—Me pide que sea yo la primera en someterse al tratamiento para que vean ustedes que carece de riesgos.

Charles hundió la aguja de la jeringa en la ubre de la vaca y extrajo un líquido amarillento que acto seguido inyectó en el brazo de su esposa.

Abbondia comenzó entonces a escupir frases incomprensibles en su lengua materna al tiempo que se santiguaba violentamente arrodillada en el suelo. De entre la mezcla de palabras amalgamadas procedentes de su boca, Sydney sólo captó aquellas que se referían al demonio: Satanás, Belcebú, Lucifer... nombres que la vieja pronunciaba al tiempo que señalaba a Charles con sus dedos huesudos.

Los niños se alborotaron. Comenzaron a llorar a gritos y quisieron escapar de aquel ritual de pesadilla. Pero entonces la *signora* Fontana se puso en pie y, remangándose la camisa, le mostró al doctor el brazo desnudo.

—Sé cómo la ama —le dijo en su dialecto a sabiendas de que el médico no comprendería una sola palabra—, los veo salir de la casa cada mañana tomados del brazo. Los veo mirarse a los ojos.

—Que Dios la bendiga —pronunció lord Morgan en perfecto italiano.

Y, sin más ceremonia, vacunó a todos y cada uno de los habitantes de aquella villa, incluida Abbondia, a pesar de sus protestas.

Después vinieron los días interminables de la cuarentena encerrados todos en el recinto de la villa sin poder disfrutar del lago más que a través de las rejas y temiendo día sí día también por la vida del joven Domenico, que gemía de dolor en aquella cama empapada, y por la del resto de la familia. Alarmados por culpa de cualquier tos, estornudo o dolor de cabeza. Sin otra ocupación que la de rezar, comer o dormitar en las sombras y esperar a que el tiempo pasara sin causar estragos.

Con estas medidas confiaba el buen doctor en ser capaz de contener la propagación de la epidemia. Y hubiera conseguido dormir más o menos tranquilo de no haber existido el fleco inquietante de la misteriosa joven sobre la que Sydney no tuvo más remedio que hablarle.

—Esa mujer que viste es una amenaza para la salud de todos —afirmó Charles llevándose la mano a la barbilla, como solía hacer cuando se encontraba ante un problema insalvable—. Es necesario advertirla y vacunarla cuanto antes, aunque lo más probable es que lleguemos tarde. A estas horas, sobre todo si hubo algún contacto entre ellos, y bastaría con un solo beso, la pobre chica debe de estar ya enferma. Deberíamos saber quién es y aislarla del resto de los humanos antes de que incube el virus y se convierta en un peligro mortal.

—Pero no sabemos nada de ella...

—Domenico Fontana nos dará su nombre en cuanto recobre la consciencia.

«O tal vez no», pensó Sydney para sus adentros.

Había anochecido ya cuando se decidieron a entrar en el dormitorio del enfermo con una palmatoria en la mano y las bocas cubiertas por una máscara casera hecha con retales de seda y cordones atados a la nuca. Lo encontraron retorciéndose de dolor, empapado y tiritando en aquella cama. A su lado, en una mecedora, estaba la vieja, atenta a su cometido de aplicar cataplasmas y pasar las cuentas del rosario, sin otra protección visible contra la viruela que una ristra de ajos colgando del cuello.

—Domenico, ¿me oye? —dijo Morgan mientras le tomaba el pulso presionando el cuello con el dedo índice.

El chico murmuró una frase incoherente en un idioma extraño.

—Mi esposa me ha contado que hace tres noches se encontró usted con una mujer en el jardín.

Domenico abrió los ojos de repente y escudriñó en la oscuridad hasta que se topó con la mirada alarmada de Sydney.

—No se altere —le recomendó el doctor, que había notado claramente cómo se le disparaban las pulsaciones al muchacho—. Mi curiosidad es meramente médica. Su amiga podría haberse contagiado de la viruela y, de ser así, supondría un peligro grave de propagación para todos. Necesitamos saber quién es para advertirla.

La expresión del joven Fontana era la de un animalillo acorralado. Movió la cabeza de lado a lado negando con rotundidad. Era evidente que, a pesar de la fiebre, sus facultades mentales estaban intactas y que había tomado la decisión de callar.

—Por favor, Domenico, no confunda la caballerosidad con la estupidez —le suplicó Sydney, que seguía convencida de que el encuentro del que había sido testigo por casualidad era de los amorosos, clandestinos y prohibidos—. Es cierto que un hombre no ha de comprometer jamás la honra de una dama y que, si lo hace, debe guardarle al menos el secreto de su indiscreción. Pero en este caso tan extremo debería usted poner en la balanza los dos males y quedarse con el más ligero. Es la vida de esa dama la que está en juego y eso es mucho más importante que el honor.

—¿Usted cree, lady Morgan? —respondió Domenico clavando los ojos en la palidez de Sydney.

Ella se echó para atrás con el mismo ímpetu con el que hubiera recibido un golpe. Notó que la sangre se le subía a la cabeza y le palpitaba en las sienes. Se ruborizó hasta el límite al entender, aterrada, que el joven se estaba refiriendo a su desnudez en el balcón; la piel blanca iluminada por la luna y la melena negra enredándose en el viento.

Temió que si Charles llegaba a enterarse de que su cuerpo había sido contemplado en todo su esplendor por otro hombre e imaginaba los efectos de semejante visión en la naturaleza de aquél, en sus pensamientos, en sus deseos presentes y futuros y hasta en la respuesta física de semejante organismo masculino, sufriría una reacción nerviosa de tal calibre que la quemazón de los celos le produciría úlceras estomacales. O cosas peores.

—Déjalo, Charles —le rogó en inglés para evitar males mayores—. Dudo mucho que nos responda. Marchémonos cuanto antes.

Todavía le insistió un poco más el buen doctor al muchacho sin conseguir absolutamente nada. Cuando se convenció de que todos sus esfuerzos eran inútiles ante la terca negativa del chico, los Morgan regresaron a su pabellón y cerraron las puertas a cal y canto.

—Sydney, tú viste a la dama —le dijo Charles muy serio.

—Sólo de espaldas.

—De todos modos, sería posible que si volvieras a verla, pudieras reconocerla. ¿No crees?

—Es posible.

—Pues entonces procura no olvidar lo que viste. Cuando pase la cuarentena, comenzaremos la búsqueda.

—Cuando termine esta cuarentena, querido, esa mujer será un cadáver —respondió pensativa.

Charles se encogió de hombros y se retiró a su laboratorio. Había recogido muestras de sangre de todos los habitantes de la casa y quería analizarlas antes de acostarse. Sydney se encerró en su despacho con la pluma bien cargada de tinta. Quería escribir una carta desde hacía días y por fin había llegado el momento de ponerse manos a la obra.

CARTA DE LADY MORGAN A LA CONDESA VITTORIA PINO

Lago de Como, Villa Fontana, 23 de julio de 1812

Queridísima amiga:
No creas ni por un momento que he olvidado tu invitación y mi promesa. Mi intención sigue siendo la de acudir a Villa Garrovo para intentar distraerte con mis pobres facultades artísticas de la dolorosa ausencia del general Pino. Durante estos días,

he aprendido de memoria algunos pasajes de las obras The Natural Son, *escrita por un buen amigo de mi padre, Richard Cumberland, y* The School for Scandal, *de Sheridan, ambas muy ingeniosas, con el propósito de hacerte reír un poco, aunque, después del esfuerzo de memorización, reconozco que casi no me quedan ánimos ni para levantarme de la butaca. ¡Qué sacrificada es la vida del comediante y qué poco valorada está! Cuanto más lo pienso, más admiro a mi padre, con sus quebraderos de cabeza, sus bancarrotas periódicas, sus noches en vela repitiendo frases, versos y entonaciones... y más lo añoro.*

Pero, de momento, no puedo visitarte, Pelusina. El motivo no es otro que la insufrible cuarentena a la que nos ha sometido Charles tras declararse el caso de viruela que tú ya conoces. Si en lugar de cuarenta días fueran cuarenta y uno los de este encierro, creo que no podría soportarlo. Cuarenta es el límite y, gracias a Dios, ya hemos superado más de la mitad de la penitencia. Si pudiera escaparme, créeme que saltaría la verja, robaría una barca y acudiría remando a tu lado. Pero eso sería ponerte en peligro y la amenaza de la enfermedad es más convincente para esta salvaje irlandesa que cualquier fortaleza, por muy inexpugnable que sea. Bien cierto es que mi adorado doctor nos vacunó a todos y que, de momento, no se ha producido ningún contagio, pero creo que debemos tener cuidado para no lamentarnos después por nuestra imprudencia. ¿No lo crees así, mi querida Pelusina?

Ten paciencia y espérame otros quince días. Te prometo que para entonces me sabré de memoria los versos más inmorales escritos por lord Byron en toda su vida y no tendremos más remedio que morirnos juntas de risa, que siempre es más agradable que sucumbir por culpa de la viruela. Y más estético también, sin pústulas purulentas, vómitos y esputos de sangre.

Si vieras al pobre Domenico Fontana no podrías creer la decrepitud en la que se encuentra. Tiene la piel completamente cubierta de llagas y se ha quedado flaco como un perro abandonado. Está triste. Terriblemente débil y, a veces, me mira con ojos de reo de muerte.

Dice Charles que se recuperará pronto. Y yo me pregunto si recobrará el cuerpo de David marmóreo que poseía antes o, por el contrario, permanecerán para siempre en su rostro las huellas de esta enfermedad tan cruel. No sé qué es peor para nosotras y para el resto de las mujeres de Italia, si la tentación o la añoranza de su cuerpo.

Ya veremos.

Cuento los días que quedan para visitarte. Se me hacen interminables.

Hasta muy pronto, querida amiga.

Te añora,

Glorvina

NOTA DE LA CONDESA VITTORIA PINO A LADY MORGAN

Lago de Como, Villa Garrovo, 24 de julio de 1812

Querida Glorvina:

¡Corramos el riesgo!

A mí me vacunó Pino antes de irse.

Te espera,

Pelusina

CARTA DE LADY MORGAN A LADY CLARKE

Lago de Como, Villa Fontana, 26 de julio de 1812

Querida Olivia:

He sido una chica muy mala. Pero no me arrepiento de nada. Ésa es la diferencia fundamental entre católicos y protestantes, entre Irlanda e Inglaterra: la culpa, la conciencia de pecado. Pues bien, querida hermana, no te asustes si te confieso que por esta vez me quedo con la fe de Charles y renuncio a la nuestra.

Deberías probarlo al menos una vez en la vida: caer en la tentación y disfrutarlo, sin pensar en lo que venga después, ya sea la condenación eterna, las habladurías humanas o la propagación de la viruela, que es el caso que nos ocupa. Porque ésa ha sido mi falta: la de poner en peligro a toda Italia burlando la cuarentena impuesta por mi adorado doctor, escaparme de esta prisión de oro, mezclarme con malas compañías, arriesgar mi vida y la de otras personas y mentirle a mi esposo, si por mentir entendemos no contarle toda la verdad, sino sólo una pequeña parte de ésta. Cuando me preguntó qué había estado haciendo durante todo el día, le respondí que soñar despierta, y él se quedó conforme con la explicación. Charles no indagó más y yo no dije esta boca es mía.

Pero, ¡ay!, Livy, me estoy dando cuenta de que una aventura como la mía si no se comparte no se saborea. Por eso te escribo esta carta: para hacerte cómplice de mi secreto. Tú verás qué haces luego con tu conciencia.

Pues bien, ya sabes que mi carácter salvaje me impide permanecer quieta durante más de cinco minutos seguidos. Acuérdate de cómo se desesperaba Molly cuando éramos niñas. Decía: «Sydney, pareces un rabo de lagartija», y te ponía a ti como ejemplo de comportamiento: tan formal, tan paciente, tan discreta...

El caso es que la cuarentena estaba pudiendo conmigo. Iba a matarme de aburrimiento. El remedio estaba siendo mucho peor que la enfermedad. Los días pasaban lentos y monótonos a este lado de la verja mientras la vida bullía a mi alrededor sin poder disfrutarla. Veía las barcazas ir y venir por el lago, animadas por los cánticos de los barcaiuoli, *los chiquillos chapotear en la orilla, las lavanderas tender las velas al sol, los labriegos acudir al mercado, las campanas llamar a misa, los carruajes trasladar damas y caballeros de fiesta en fiesta y añoraba la música y los olores, y las voces alegres de los* paesi...

Cuando recibí la nota de Vittoria Peluso, comprendí que mi amiga me enviaba la llave de esta jaula escondida dentro del sobre. Me salieron alas de repente —blancas, ligeras, suaves— y me eché a volar desde el balcón.

Entiéndeme, no me refiero a volar como un pájaro, sino como un ángel. Hacerme invisible a los ojos de los Fontana, desaparecer por una rendija abierta y echar a correr atravesando huertos y jardines, bosques, caminos y rocallas, hasta divisar a lo lejos la inconfundible silueta de Villa Garrovo, donde ya me esperaba la Pelusina disfrazada de Cordelia. Me dijo: «Ama y permanece en silencio», y yo me eché a reír con carcajadas de loca, como ríen las presas cuando salen a la luz y se deslumbran.

Entramos en el teatro vacío. Las butacas de terciopelo rojo, los palcos dorados, el escenario iluminado por un centenar de candelitas, el patio en penumbra y ni un alma que aplaudiera nuestra ópera prima.

Comenzamos por Romeo y Julieta, *porque las dos conocemos los versos desde niñas. Ella recitaba en italiano y yo en inglés. A veces intercambiábamos los papeles, los pantalones, los bigotes, las dagas. Lloramos a mares.*

Luego Pelusina se sentó en primera fila y yo representé la leyenda de Deirdre, intercalando canciones y bailes entre los versos de papá. Ella aplaudía ahuecando las manos para multiplicar el efecto de la ovación y yo saludaba con profundas reverencias, recibiendo sus felicitaciones como si se tratara de flores. Después le llegó el turno a ella y, fueron tales sus piruetas, sus saltos mortales, fue tal su equilibrio, tan graciosos sus movimientos que comprendí al instante cuál es la naturaleza del encantamiento que hechizó a Calderara y a Pino.

«¡Eres una bruja!», le grité desde un rincón de la oscuridad.

Sólo abandonamos la escena cuando nuestros estómagos se quejaron del olvido después de tantas horas sin comer. Salimos al día y nos sentamos a una mesa cubierta de manjares: melón anaranjado y jamón de Parma, embutidos de la región y vino tinto, pasta de mil formas y colores, salsas sabrosas, queso de búfala, postres inverosímiles, frutas carnosas y dulces, pannacotta *y miel.*

Nos tumbamos a dormitar en la hierba, a la sombra del gran sicomoro que preside el jardín de Villa Garrovo y, entonces, como en un sueño raro, Vittoria me agarró de la mano y tiró de mí, convincente como es ella, hasta el embarcadero de piedra. Se quitó la ropa, pieza a pieza —vestido, enaguas, calzones y zapatos— y se lanzó de cabeza al agua.

—¡Aprendí a nadar yo sola! —me gritó—. Y es lo más maravilloso del mundo, Glorvina. ¡Tienes que probarlo!

—Me ahogaré sin remedio —respondí yo mientras me desabrochaba el vestido.

—Las mujeres somos peces que perdieron las escamas por vanidad hace muchos siglos. Pero aún conservamos en nuestra naturaleza femenina la agilidad de las criaturas acuáticas. ¿Has oído hablar de las aguane? Son hadas que pueblan los fondos de los lagos y matan a los hombres de amor.

—Seamos aguane —le contesté.

Y me lancé al cálido azul de las aguas, que me abrazaron instantáneamente con sus manos líquidas. Noté que las aguane se introducían en mi cuerpo por todos los orificios que encontraron abiertos —oídos, boca, ojos...— y me empujaban hacia el fondo con una fuerza irresistible. Menos mal que el pelo se resistió al hundimiento y se quedó flotando como si se tratara de hojarasca, porque así pudo Vittoria agarrarme de la melena y sacar mi cabeza a la superficie.

—Estás loca, Glorvina —me advirtió, pálida como una muerta—. Somos peces que también se olvidaron de nadar.

Volvimos al embarcadero. Nos sentamos en la escalinata de piedra hasta que recuperamos el resuello. Entonces la Pelusina me enseñó a nadar.

Sus instrucciones fueron sencillas: contener la respiración, mantener la cabeza a flote y mover brazos y piernas imitando los movimientos de las ranas.

Aprendí primero a flotar y después a sumergirme, expulsando el aire por los orificios de la nariz, impulsándome con las extremidades como si fueran remos. Logré emerger con la fuerza de un delfín. Sí, Livy, me convertí en un delfín. Recobré las aletas, la capacidad de respirar bajo el agua, el hambre de pescado, el *miedo a los humanos. Vittoria era más bien un tiburón: tenía dos filas de dientes y agallas en los costados.*

Nadie nos vio. Nadie asistió a nuestra transformación. Es un secreto de siglos. Somos criaturas acuáticas. Somos sirenas.

Después de este descubrimiento —el de la capacidad de toda hembra para dominar las aguas— y tras despedirme de Pelusina con la promesa de escaparme muy pronto de nuevo, regresé a Villa Fontana sin tocar el suelo con los pies. En lo más profundo de mi naturaleza seguía sumergida en el lago, envuelta en líquido igual que un bebé en el seno materno. Charles aún estaba encerrado en su laboratorio experimentando con la sangre de Domenico Fontana. Parece ser que el tratamiento va por buen camino y que muy pronto habrá recuperado las fuerzas suficientes para abandonar la cama. Todas las tardes, sin faltar una, mi marido se encierra con él en ese cuarto asfixiante y le pregunta por la dama misteriosa. Pero Domenico guarda un silencio sepulcral. La vieja, que no se mueve de su lado, se balancea en la mecedora con los ojos entornados y los mira a los dos sin disimulo, como si en ella residiera la sabiduría del mundo. Tanto es así que un día Charles se enfrentó a ella y le exigió que le revelara el nombre de la chica. Abbondia le escupió en los pies y su saliva era negra como el betún.

No les cuentes estas cosas a los niños, Olivia, si no quieres que te despierten a medianoche llorando de miedo. Diles que su tía Sydney les manda muchos besos, que en unos días les enviaré unos cuentos que estoy escribiendo para ellos y que sean buenos con su abuelo.

Escríbeme pronto y dame noticias de la civilización.

Te echo mucho de menos,

Sydney

XI

—¡Lo sabía! —gritó de repente Francesca y Claudia se sobresaltó dando un respingo que hizo balancearse peligrosamente la barca de lado a lado. La luz del candil vaciló e iluminó por casualidad el gesto satisfecho de la chica.

—¿Qué sabías, estúpida? ¡Me has dado un susto de muerte! He estado a punto de caerme al agua y con este camisón tan pesado no hubiera podido salir a flote. Me habría ahogado delante de tus narices por tu culpa.

Francesca dejó los remos hundirse en el agua negra. Necesitaba las dos manos para gesticular.

—Acabas de dar con la pista más importante de nuestra investigación y no te has dado ni cuenta —le recriminó a Claudia—. Menuda mierda de detective. Escucha. —Le arrancó el libro de las manos y leyó en voz alta—: «Aprendí primero a flotar y después a sumergirme, expulsando el aire por los orificios de la nariz, impulsándome con las extremidades como si fueran remos».

—Sabía nadar —dijo Claudia.

—Y, por lo tanto, no se ahogó, sino que la ahogaron —concluyó Francesca.

—Pero eso ya lo sabíamos. —Claudia la contemplaba con los ojos muy abiertos; tenía esa expresión tonta de las muñecas de trapo. A Francesca le estaban dando ganas de lanzarla por la borda.

—No, señora. No lo sabíamos. Lo sospechábamos. —Hizo una pausa y continuó hablando en tono condescendiente—: No te puedes inventar las cosas, Claudia, tienes que demostrarlas. Está muy bien que tengas esas visiones tuyas tan detalladas. Que seas capaz de recordar la escena de la muerta envuelta en tafetanes, con los botines de seda empapados y la melena negra enmarañada, y el pobre esposo llorándola a mares... Pero tienes que entender que todas esas cosas existen sólo en tu cabeza. Yo no puedo verlas. Nadie puede excepto tú.

—También he visto a la vieja Abbondia —afirmó Claudia, ignorando el enfado de su hermana—. Es fea como una cretina. Bajita y deforme, bigotuda, encorvada. Tiene una manera de mirar que asusta, como si escondiera veneno en el refajo negro. Juraría que tuvo algo que ver en el crimen.

—¡Ea! ¡Porque tú lo digas! —protestó Francesca—. Ahora resulta que fue Abbondia porque era fea y vieja. Pues te recuerdo que tú también eres fea y que algún día te harás vieja. ¿Serás por eso una asesina?

—Yo no seré vieja jamás —respondió Claudia con un convencimiento absoluto.

Para entonces ya Francesca había retomado los remos y la orilla estaba acercándose a pasos agigantados. Se veía a pocos metros el embarcadero circular de piedra del que hablaba lady Morgan en sus cartas. Villa Fontana seguía en pie, con su balaustrada, sus dos frontones neoclásicos y su jardín recortado.

Amarraron la barca de cualquier manera en una argolla de hierro y subieron sigilosas por las escaleras hasta el camino que quedaba entre la casa y el lago. En la puerta, en medio de una verja de hierro muy alta, había una placa de metal que anunciaba «VILLA MONDOLFO» en letras de molde.

Por el tejado de dos aguas de la casa vecina saltaron Francesca y Claudia al recinto vacío. La casa estaba cerrada con llave. Los nuevos propietarios, descendientes de los Volonté por línea materna, debían de encontrarse en Milán o en España o en alguna isla del Egeo o en Córcega, disfrutando del verano, ajenos al allanamiento, puesto que no les salió nadie al encuentro, ni siquiera un vigilante o un perro disuasorio de esos de ladrido asmático y babas espumosas.

Rompieron un cristal con el pie del candil, abrieron la puerta del pabellón acristalado y se encontraron ante una piscina fabulosa, de mármol y azulejo blanquiazul.

—Esto no estaba así cuando se alojaron aquí los Morgan —comentó Claudia estúpidamente.

—Claro que no.

—No. Las columnas estaban sin techar. El suelo era de hierba y sobre la mesa había una parra que daba sombra. A veces, las abejas venían a picar las uvas y a Sydney le asustaban sus aguijones. Charles las espantaba con un sombrero de paja que compró en el mercado de la plaza. Se pasaba el día entero vestido con ese sombrero y un guardapolvos de muselina amarilla. Le encantaba pescar. ¿Sabes lo que hacía? Por la mañana les lanzaba miguillas de pan a los peces y por las tardes los atrapaba en una red de su invención. Por las noches se los comían asados en una pequeña hoguera que encendían en ese rincón. —Señaló hacia algún punto indefinido del jardín—. Solían venir los niños Fontana a compartir la cena con ellos. Charles sacaba la guitarra, no era mal músico, y Sydney cantaba viejas nanas celtas que había aprendido de la dulce Molly. Se le ponía la voz melancólica, recordando a su padre y a su hermana en esas noches tan cálidas.

Mientras Claudia relataba estas escenas que parecía estar viendo a través del tiempo, Francesca había roto de una patada la cerradura de la puerta. Trató de encender las luces de la casa, pero, al parecer, los propietarios habían desconectado la electricidad antes de irse de vacaciones y tuvo que conformarse con prender un candelabro de plata con la llama de su candil.

Así, como dos fantasmas de pelo suelto y camisón blanco, fueron atravesando las niñas todas las estancias de la mansión. De vez en cuando, Claudia recordaba alguna vivencia antigua que describía en voz alta: «Aquí tropezó Sydney y derramó el té encima del doctor Frank la tarde en la que Abbondia juró quemarlos a todos por brujos. Allí se escondió la pequeña Sofía Fontana, detrás de ese butacón, y tardaron horas en encontrarla porque se quedó dormida. Ése es el retrato de Domenico Fontana, el bisabuelo; el que participó en la construcción de la catedral. A Charles le hacían mucha gracia sus barbas de chivo y el monóculo».

Subieron a la planta superior por la misma escalera de mármol de la que hablaba lady Morgan en sus cartas. Recorrieron los mismos pasillos y abrieron las mismas puertas. Al llegar al dormitorio principal, Claudia se escandalizó al visualizar a los Morgan dormidos y abrazados en la cama, pero lo más asombroso fue abrir después la puerta del gabinete y contemplar, con incredulidad, el retrato al óleo de Sydney Morgan pintado por René Berthon colgando de la pared.

—Aquí tienes a Sydney —dijo Claudia, consciente del efecto que aquella aparición estaba causando en su hermana Francesca, pálida como una hoja de papel—. Desde que encontré su tumba en el cementerio y la vi sentada sobre la lápida con estos mismos botines y este vestido negro supe que era nuestra muerta.

Acercó el candelabro al retrato y lo contempló en silencio durante varios minutos. Sydney Morgan estaba sentada frente a un escritorio de madera, el gesto melancólico y la mano lánguida, las hojas de papel a medio escribir y el tintero vacío. Vestía de terciopelo oscuro con un amplio escote y tenía el cabello muy negro, en contraste con su pálida piel. Era guapa, portadora de una belleza atemporal que igual le hubiera servido para el siglo XIX que para el XX. No era extraño que una mujer así, hermosa, lista, culta e independiente, hubiera dejado a su paso por este mundo una hilera de enamorados despechados y sufrientes y que su pobre esposo, el flemático Charles Morgan, la siguiera por la vida con la lengua fuera, amenazado a partes iguales por el deseo descontrolado y los celos bien fundados. Sólo había que imaginar cómo la contemplaba cada día Domenico Fontana desde su dormitorio, al otro lado de la columnata, para compadecer al buen doctor.

Francesca se asomó a la ventana y reconoció aquella habitación, la de Domenico, entre las siete del edificio de enfrente. No le cupo la menor duda de que encerrado allí había pasado el joven los peores días de su enfermedad y luego, encaramado al balconcito, con la vista clavada en el dormitorio de Sydney, se había ido obrando la milagrosa recuperación que lo devolvió a la vida, tal y como estuvo a punto de salir de ella, con el mismo cuerpo musculoso y la piel inmaculada. Fue tal vez la obsesión por el desnudo de lady Morgan al otro lado de aquella ventana lo que lo mantuvo vivo.

—Le tenía miedo —dijo de pronto Claudia sacando a su hermana de sus cavilaciones.

—Claro, porque temía que le contara a Charles que la había visto desnuda —reflexionó Francesca dándole la razón—. Lord Morgan era extremadamente celoso y habría sufrido muchísimo de haber conocido el motivo por el que el irresistible Domenico miraba a su esposa con semejante anhelo.

—No era eso.

Claudia había fijado los ojos, abiertos como platos, en la cara de Francesca.

—Tenía un miedo atroz a caer en la tentación —afirmó—. Ya había desobedecido a su marido una vez, cuando se escapó de casa para encontrarse con Vittoria Peluso y, según le escribió a su hermana Olivia, no había sentido el menor remordimiento por ello. La atracción física que sentía por Domenico Fontana le estaba convirtiendo el matrimonio en una cuarentena insoportable. Necesitaba escapar de su jaula de oro y aprender a nadar en las aguas del muchacho. Se daba cuenta de que él la llamaba sin palabras desde detrás de los visillos y, aterrada, comprobaba con qué excitación respondía su cuerpo a aquella voz.

—Pero Sydney adoraba a Charles —protestó Francesca.

—Eso no tiene nada que ver —respondió Claudia—. Una cosa es querer y otra desear. En muy contadas ocasiones coinciden las dos condiciones en la misma persona.

—Pues para Charles Morgan, Sydney lo encarnaba todo: el amor y el deseo —afirmó Franchie, enternecida.

—De ahí la dulzura, la empatía, la veneración.

—Pobrecillo.

Las dos hermanas se retiraron de la ventana y colocaron el candelabro y el candil sobre una mesita de velador. Se sentaron en un sofá de terciopelo verde que quedaba a los pies de una cama de matrimonio.

—En este cuarto no había cama —dijo Claudia mirando a su alrededor—. Las paredes estaban cubiertas de pinturas, librerías y lámparas. Las cortinas eran muy pesadas, en el suelo había una alfombra y aquí, justo donde estamos sentadas, estaba el escritorio en el que trabajaba Sydney. Era de madera inglesa y tenía varios cajoncitos que ella cerraba con unas llaves pequeñas que guardaba en su joyero. Por lo visto, odiaba que leyeran sus cartas o sus borradores sin permiso. Desconfiaba de todo el mundo. Ni siquiera le permitía a Charles, ni a Olivia, ni a Molly, que entraran en su gabinete sin llamar antes a la puerta. Siempre tenía algo que esconder. Buscaba rendijas y rincones secretos para ocultar sus cosas.

—¿Qué cosas?

—Pues de todo. Tonterías. Una piedra que encontraba en la playa, un billete de tren, una invitación, un sobrecito de té... Cualquier cosa que tuviera algún significado para ella.

Francesca paseó la vista por el dormitorio. Con las indicaciones de Claudia no le resultaba difícil imaginar aquel gabinete del que hablaba Sydney en sus cartas. Aún se conservaban sobre los estantes algunos libros de entonces y los cuadros que quedaban debían de ser los mismos que había en 1812.

—Está todo igual excepto lo más interesante: el escritorio —dijo en voz alta.

—Ha desaparecido de escena —respondió Claudia—. Y con él una buena parte de nuestras pistas. Ya te he dicho que a Sydney le encantaba esconder cosas.

Francesca golpeó con rabia la mesa. Si había algo que le disgustara de veras era lo inesperado. No esperaba encontrar un cuadro valiosísimo colgando como si tal cosa de la pared de una casa cerrada. No esperaba que los muebles no estuvieran donde debían estar. No esperaba sospechar que a Sydney se le hubiera pasado por la cabeza la idea de serle infiel a su esposo. Eso no.

—¿Sabes una cosa, Claudia? —susurró—. Tal vez nuestra Sydney merecía morir. Tal vez se acostó con Domenico Fontana y Charles los descubrió. Tal vez él la ahogó con sus propias manos en el agua negra del lago. Al fin y al cabo, según tu visión, fue él quien la encontró flotando sin vida cerca de la orilla. Él quien certificó su muerte. Y él quien la lloró con desconsuelo.

Pero Claudia se había quedado profundamente dormida en el sofá —la que decía que no dormía nunca—, y, por mucho que la agitó y la llamó a gritos, no hubo modo de despertarla hasta la mañana siguiente, cuando un estruendo las sobresaltó a las dos y las arrancó de aquel sueño tan hondo en el que habían caído juntas como por un barranco.

El desastre sucedió al alba, con las primeras luces del día. Primero se escuchó un golpe tremendo y después una explosión brutal. Francesca saltó literalmente del butacón al suelo, y del suelo al balcón, para observar horrorizada un espectáculo sobrecogedor: una columna de humo muy negro que se levantaba del agua incendiada, una hoguera ardiendo en medio del lago, un amasijo de hierros retorcidos y maderas destrozadas, una peste a goma quemada, a petróleo y a carne chamuscada.

Después llegaron las lanchas de los *carabinieri* y las de los bomberos, con sus luces de colores y sus alarmas ululantes y lucharon durante varios minutos contra las llamas.

El mirador que daba la vuelta al lago se fue llenando de gente espantada procedente de las cuatro esquinas de Como. Comentaban que un accidente así se veía venir, que tenía que terminar ocurriendo tarde o temprano, porque la idea de instalar un aeródromo tan cerca de la ciudad era de locos. Que ya lo decía la gente. «Llévenlo más dentro, a la *isola* Comacina, donde no crucen los niños en barca, no sea que un día al despegar un hidroavión se encuentre con algún bote a la deriva y ocurra lo peor».

Y eso, exactamente, era lo que acababa de acontecer. Lo dijo un hombre enojadísimo, colorado de rabia. Que, al parecer, alguien había amarrado una barca de remos a una argolla oxidada y con los vientos de la noche se había soltado el nudo y se había marchado la barca, vacía, que había cruzado la pista de despegue justo en el instante en el que levantaba el vuelo un hidroavión de la compañía hidrográfica de Lario con dos operarios a bordo. El choque fue inevitable. La muerte de los trabajadores también. Y la culpa del alcalde, de los concejales, de los propietarios del aeródromo y del insensato que había dejado su barca en ese amarre prohibido, con lo claro que lo decía el letrero blanco pintado en el muro: que se abstuviera la gente de dejar cualquier embarcación allí por peligro de accidente mortal, con una calavera y todo, que hasta miedo daba acercarse por allí.

Francesca había abierto la ventana y escuchaba todos estos comentarios temblando de susto. La barca de remos en la que habían llegado a oscuras como dos almas en pena la noche anterior había desaparecido del embarcadero. Sólo quedaba el cabo colgando, sin nada atado al otro extremo.

Claudia se acercó por detrás y rodeó los hombros de su hermana con un abrazo muy cálido.

—No ha sido culpa nuestra, Franchie, sino del piloto. Tendría que haberse asegurado de que la pista estaba libre antes de despegar. Los descuidos se pagan. A veces con la vida.

—Ya lo sé —respondió Francesca—. ¿Cómo íbamos a ver el cartel si era de noche? ¿Cómo íbamos a saber que la cuerda estaba podrida? No es la muerte de esos dos hombres lo que me preocupa.

—¿Entonces?

—Pues que nos van a echar la culpa a nosotras, idiota. ¿No te acuerdas de que la barca lleva escrito nuestro nombre en la popa? Franchie y Claudia, en letras de niña tonta. Que eres tonta, y ya te lo dije entonces, cuando lo escribiste con aquella brocha sucia y la pintura reseca. Si casi no sabías ni escribir, que tenías cinco años y ya eras tonta. ¿Por qué estropeaste mi barca nueva?

—Pues a mamá le hizo gracia.

—Pero a mí me fastidió el regalo. Me amargaste el cumpleaños, con tu estúpida idea de pintar mi barca, que era mía y no tuya, y no sé a qué vino poner tu nombre.

Se zafó del abrazo y se sentó en el butacón tapándose la cara con las manos. Parecía que estaba llorando porque de vez en cuando hipaba y sollozaba, pero en realidad se estaba riendo, con una risa histérica y húmeda. Claudia le apartó las manos del rostro.

—¿De qué te ríes?

—De ti, tonta del bote, que ahora te van a acusar igual que a mí de este accidente. Vamos a acabar las dos juntas en la cárcel. Lo que tanto temías. Y no por deshacernos de Margherita, que hubiera valido la pena, sino por matar a dos hombres inocentes a los que ni siquiera conocíamos.

Todavía le duraron las carcajadas varios minutos más. Claudia se sentó a los pies de la cama y la contempló en silencio durante todo el tiempo que permaneció Francesca en estado de conmoción. Luego cerró con cuidado las contraventanas y las cortinas y la condujo escaleras abajo hasta el jardín, abrió sigilosa una pequeña puerta lateral y la empujó fuera del recinto de Villa Mondolfo, por la carretera estrecha que subía entre curvas a Cernobbio, y desde allí hacia Villa Margherita por un caminillo de polvo bajo los castaños, donde aún dormían Stefano y Margherita, ajenos a la desgracia que se les venía encima.

XII

La historia de amor entre Stefano y Margherita jamás
habría ocupado una sola página de un solo periódico
local de no haber sido por la procedencia ilustre de las dos
damas involucradas en el triángulo amoroso. Lo que debería haber quedado relegado a la condición de chismorreo o
murmuración de vecinos y, consecuentemente, haberse olvidado con el tiempo se convirtió por obra y gracia de los
apellidos Cossentino y Borghetti en uno de los escándalos
públicos de mayor alcance de toda la historia de Lombardía. El hecho de que Margherita Borghetti fuera la única
heredera del imperio textil fundado por su abuelo y de la
fabulosa fortuna de la familia convertía en muy sabroso
cualquier asunto que tuviera que ver con el estado de su
corazón. Y si dicho asunto suponía además el enfrenta-
miento frontal y definitivo con sus más directos competidores en el imperio de la seda, los Cossentino de Venecia,
entonces el espectáculo estaba servido.

Cuando se supo que Stefano Ventura, el yerno pobre de
Pompeyo Cossentino —de quien tanto se había hablado
en su día cuando conquistó el corazón de la bella Paola
armado con una guitarra española y una balada de amor
en la que se lamentaba de su condición desigual, ella una
princesa, él un mendigo, y que llegó a convertirse en la
canción más popular de aquel verano del 58—, le había
sido infiel a su esposa nada más y nada menos que con

Margherita Borghetti, aquella calle de Milán en la que residían los Ventura se transformó en un hervidero de actividad. Toda la prensa se apostó en cada portal y en cada balcón para asistir al evento en primera fila. Por otra, Paola, que desde hacía meses vivía en Florencia, regresó a su viejo hogar con la única intención de recoger todas sus cosas, arrojar por la ventana las de Stefano y avisarle de que aquella vivienda quedaba clausurada y que ya podía ir pidiendo asilo al bando contrario porque de acuerdo con el régimen de separación de bienes que tanto les habían recomendado sus abogados al contraer matrimonio ninguno de los lujos de los que había disfrutado hasta entonces le pertenecía a él, sino a su suegro, Pompeyo Cossentino, el magno. Y por otra, el pueblo llano, aburrido de los mismos paseos matinales de cada día y ávido de un poco de picante en sus vidas insípidas, se dejó caer por allí como por casualidad, para dar una opinión que nadie le había pedido, que si la culpa era de ella por melancólica, si de él por ambicioso, que si de la vida misma por mezclar churras con merinas, que si de las niñas, pobrecitas, que si de Margherita, la caprichosa y consentida heredera de los Borghetti que se había cruzado en aquel matrimonio tan frágil en el peor momento y lo había terminado de hacer añicos.

A Francesca la pusieron a salvo de todo aquello encerrándola bajo siete candados en el palacio florentino de sus abuelos y protegiéndola entre algodones de las habladurías ajenas, pero indefensa ante su propia conciencia de culpa, consciente de que si ella no hubiera contado a voz en grito lo que vio y oyó aquella tarde en un callejón de la ciudad, Stefano y Margherita aún vivirían su amor secreto amparándose en la clandestinidad, aún su madre estaría en la inopia y sus abuelos entretenidos con sus negocios y sus fiestas, ella no se habría convertido en una delatora despiadada —una chivata, traidora, soplona, de bando en bando, correveidile— y Claudia la dejaría dormir por las noches, sin reproches, ni lamentos, ni sollozos de niña tonta.

Cómo aborrecía a veces a su hermana. Siempre recordándole sus errores como una conciencia glotona que jamás olvidaba el menor detalle. Aún la machacaba con historias viejas.

—Cuando yo tenía cinco años y tú siete, me caí de la barca, ¿no te acuerdas? Y tú no me ayudaste, me dejaste boqueando en el agua, que todavía no sabía nadar, como un pez moribundo, caray, y luego quemaste mis muñecas, y con unas tijeras de cocina destrozaste mis visillos, los que me servían de cobija en las noches de viento. De eso sí tienes que acordarte porque eran de seda y los había traído mamá de aquel viaje a Venecia envueltos en celofán con toda la ilusión. «Para mis niñas», dijo. «Para que sientan la suavidad del aire».

—¡Cállate ya! —gritaba Francesca, tapándose los oídos. Y luego iba al armario, rebuscaba entre las sombras del fondo, sacaba una chaquetita o unos botines de charol de Claudia y los rasgaba de arriba abajo con sus propias uñas para fastidiarla.

—¡Haberte callado tú, niña mala! ¿Por qué tuviste que avergonzar a papá delante de todo el mundo? Salimos hasta en el noticiero: «El *Romeo y Julieta* del siglo XX», han dicho. «El melodrama de los Borghetti y los Cossentino en directo, desde la elegante calle de Milán adonde fueron a parar los zapatos, las camisas, los palos de golf, la pitillera con las iniciales entrelazadas, los marcos de fotos y el mueble bar».

Una y otra vez la misma historia. Claudia no atendía a razones. Le describía una a una la colección de botellitas de whisky que contenía aquel mueble, chiquitinas, como las de los aviones, cómo se rompieron en pedacitos cuando chocaron contra los adoquines de la acera, cómo se desparramó su líquido, igualito que pis de perro, cómo quedó el portal cubierto de cristales.

—No era mi intención hacer daño a papá. Ya sabes que lo adoro a pesar de todo —le había explicado Francesca a Claudia mil veces con esa santa paciencia que tanta falta le hacía a su hermana—. Lo único que quise fue atacar a Margherita con sus propias armas: las de la traición. Traición por traición; ojo por ojo.

—¿Y qué conseguiste, Franchie? —Llegadas a ese punto del drama, Claudia lloraba sin remedio—. Exponer a la luz el secreto. Hacerlo público. Obligar a papá a reconocer su infidelidad, precipitar el divorcio, destrozar a mamá, comprometer a papá en una estúpida boda que probablemente jamás se habría celebrado si no llegas a intervenir tú.

Y eso era cierto. No existían argumentos en contra de tal verdad absoluta. Sólo circunstancias atenuantes que rebajaban la pena, como el hecho de que los Borghetti amenazaran con desheredar a su hija si continuaba viviendo en pecado con un hombre casado. O la ruina total de Stefano por culpa de aquella separación de bienes que provocaba una sonrisa siniestra en el rostro del abuelo Cossentino cada vez que alguien la sacaba a colación.

—Los abuelos también tuvieron mucha culpa —argumentaba Francesca sin demasiada convicción—. Y el dinero, claro.

Ahora ya no había vuelta atrás. Paola lloraba desconsolada en Florencia y Stefano le hacía el amor a la bruja para escapar de la miseria.

Eso debían de estar haciendo la mañana del accidente cuando Francesca y Claudia regresaron de puntillas de su aventura nocturna. Sus voces adormecidas, como de recién levantados, se escuchaban al otro lado del pasillo. No cabía la menor duda de que estaban acariciándose, besándose, amándose. Lo comprobó Francesca mirando por el ojo de la cerradura.

No es que le gustara fisgar en las intimidades de la pareja. En realidad, le repugnaba bastante presenciar esas sesiones tan obscenas, pero entendía que era necesario saber en cada momento lo que ocurría detrás de la puerta, no fuera a ser que un día el erotismo se tornara en violencia, o en desprecio, y entonces hubiera que intervenir con una patada, arrancar a papá de los brazos de la bruja y quemarla viva sobre las sábanas.

Ella siempre lo llamaba «*amore*», extendiendo el sonido sensual de la o hasta el infinito. Él callaba y empujaba. Cuando se agotaba, caía a plomo sobre las almohadas, jadeante y sediento. Margherita se incorporaba y le acariciaba la espalda, los hombros, el cuello, con una suavidad voluptuosa que él agradecía con pequeños gruñidos.

Entonces Francesca se retiraba de la puerta con la sensación de haber cumplido con un deber tan desagradable como ineludible y regresaba a su habitación para contarle a Claudia que el hechizo todavía conservaba intacto todo su poder.

Pero esa vez, la mañana del accidente, los amantes se demoraron mucho más que de costumbre en las caricias. Sus besos fueron más largos, sus movimientos más suaves. Stefano permaneció abrazado al cuerpo de Margherita durante minutos eternos detenido en su vientre, la cara apoyada en el ombligo, las manos alrededor de la cintura, y ella sonreía con una paz nueva, como de misión cumplida.

—Es una niña —dijo de pronto el padre, para espanto de Francesca, que se retiró instantáneamente de la cerradura, tomó aire y regresó a su puesto de vigilancia con el corazón en un puño—. Es una niña preciosa. Tiene tus ojos, tu pelo, tu boca, tus manos...

—Tiene tu risa y tu corazón —respondió Margherita revolviéndole el pelo.

—¿Cómo vamos a llamarla?

—Ya veremos. Podría ser un niño.

—No —protestó Stefano—. Será una niña. La llamaremos Margherita, porque no hay ningún nombre en el mundo tan bonito como el tuyo. Y se parecerá tanto a ti que cuando os vea venir de lejos os confundiré. Seréis como dos gotas de agua. Dos aguane. Dos hadas pérfidas que arrastran a los hombres, ¡pobres hombres!, al fondo del lago, locos de amor.

La bruja esperaba un hijo. Francesca sintió ganas de vomitar. La náusea surgió de lo más profundo de su estómago vacío y subió a toda velocidad por su garganta, hasta su boca reseca. Allí estalló en un lodazal asqueroso de bilis y babas que escupió con rabia contra el suelo. La arcada sonó igual que el gruñido de un oso salvaje. La tos como el trueno de una tormenta.

—¿Te preocupaba cómo ibas a decírselo, *amore?* —se escuchó decir a Margherita desde dentro de la alcoba en un tono demasiado agudo que se oyó con claridad a pesar del estruendo de la vomitona—. Pues ya no tienes que mortificarte por eso. Francesca ya sabe que va a tener un hermanito. —Y añadió a voz en grito—: ¿Verdad, Franchie, que te alegras muchísimo?

Pero la hijastra, descompuesta, pálida y mareada, ya regresaba corriendo a su habitación para contarle a Claudia que ahora todo había cambiado. Que la bruja llevaba en el vientre, enjaulada, a una pequeña víctima de su maleficio; una criatura medio humana, medio hermana, medio inocente, y que habría que decidir si seguían adelante con el asesinato o esperaban a que la cosa engendrada saliera a la luz para ver de qué naturaleza estaba hecha. Si tenía rasgos mortales como el padre y merecía vivir, o si, por el contrario, poseía la misma maldad que la madre y entonces había que acabar con ella de inmediato, antes de que creciera y se propagara por el mundo, como una nueva epidemia de viruela contagiosa y mortal.

En el dormitorio, Claudia pasaba las páginas de *Historia romántica de Lario, un estudio* con una serenidad admirable. Ni siquiera levantó los ojos del libro cuando entró Francesca empapada en vómito.

—Cálmate —le dijo—. Si hay algo que no tenemos ahora es prisa. Además, los embarazos a veces no llegan a buen puerto. Muchos se pierden; se desprenden, se reabsorben. La naturaleza es muy sabia para esas cosas. Escucha —dijo. Y se puso a leer como si no hubiera ocurrido nada.

XIII

Historia romántica de Lario, un estudio
LADY MORGAN, SUCESOS Y CORRESPONDENCIA

La cuarentena llegó a su fin un día antes de que Sydney se declarara oficialmente loca de remate. A pesar de sus visitas clandestinas a Villa Garrovo, el encierro resultaba insoportable para un alma salvaje como la suya, ávida de aventuras. Charles conocía bien a su esposa. Sabía cuánto añoraba la vida social de la que tanto disfrutaba de soltera: los bailes, las conversaciones banales, el pícaro coqueteo... y, con la mejor de las intenciones, organizó una merienda en el jardín de Villa Fontana para celebrar el éxito de la vacuna de Jenner, que había evitado el contagio de la viruela y su peligrosa propagación. Siempre con la voluntad de agradar a su esposa, lord Morgan envió invitaciones a su reducido grupo de conocidos milaneses: los Visconti, los Confalonieri, la condesa Pino y los científicos Frank, Scarpa y Volta.

Resultó que las dos Teresas y sus nobles esposos habían emprendido viaje a Génova para asistir al baile que ofrecían todos los veranos los marqueses de Pallavicini y al que nunca faltaba el príncipe Borghese, cuñado de Bonaparte, ni la condesa de Albany, viuda del último pretendiente al trono, de modo que, finalmente, aquel té inglés de las cinco contó únicamente con la presencia de seis actores: los Morgan, los tres doctores y la Pelusina, que llegó por tierra, subida en un coche de caballos tapizado en terciopelo rojo.

La idea de Charles Morgan de servir té hirviendo en tacitas de porcelana a las cinco de la tarde se demostró una extravagancia sin sentido en una tierra tan cálida y soleada como aquélla. La sombra de la parra resultó insuficiente para evitar el sofoco de los invitados y pronto asomó la congestión a los rostros de los doctores. (Alessandro Volta pasaba ya de los sesenta años de edad y Joseph Frank, desconocedor de la etiqueta adecuada para semejante evento tan inglés, había optado por una chaqueta de terciopelo, un chaleco de seda y un pañuelo anudado al cuello). Por su parte, Vittoria Peluso comenzaba a notar el cosquilleo de las gotitas de sudor resbalando por el voluptuoso canal que cruzaba su escote y también la sed en las miradas que de soslayo le dedicaban los caballeros, a punto de perder la compostura. Esto último también lo observó lady Morgan, quien, disimulada pero firmemente, dio por terminado aquel disparate de merienda y animó a sus invitados a entrar en la casa, donde, al menos, era posible respirar.

Una vez acomodados en la penumbra del salón y refrescados con enormes vasos de jugo de sandía helada, la conversación se desvió enseguida hacia los intereses científicos de los cuatro doctores, mientras que los asuntos mundanos, que tanto divertían a Sydney y a la Pelusina, se redujeron a dos o tres comentarios banales sobre la salud de tal o cual dama que se constipó en el teatro por culpa de las corrientes de aire.

—Hablando de corrientes —dijo de pronto Morgan con gran entusiasmo dirigiéndose al doctor Volta, a quien Bonaparte acababa de nombrar conde y senador del reino por su asombroso invento de la pila eléctrica—, no nos ha contado todavía, querido amigo, cómo logró desentrañar uno de los prodigios más fascinantes de la naturaleza.

Alessandro Volta se frotó las manos. El reconocimiento público le había llegado después de largos años de árido camino durante los cuales se le había tomado por loco, excéntrico y pervertido, y hasta se le había acusado de actuar contra natura y contra Dios por utilizar cadáveres humanos en sus investigaciones.

—Yo jamás he experimentado con seres humanos —aclaró el profesor—, al contrario que mi buen amigo Luigi Galvani, que se hizo famoso en los barrios bajos por ofrecer cuantiosas sumas de dinero a quien le proporcionara cadáveres frescos para sus investigaciones. Luigi jamás hacía preguntas sobre la procedencia de los difuntos ni sobre la causa última de sus fallecimientos, con lo cual hubo voces que lo culparon de haber puesto precio a la vida humana, ya que, sin él proponérselo, había establecido las bases para que cualquier desaprensivo olfateara el negocio del asesinato y vendiera por anticipado, como finado, al inocente vecino que todavía andaba por la calle, vivito y coleando, ignorante de lo que se le venía encima. Yo me he limitado a experimentar con ranas.

—¡Ranas! —exclamó Vittoria Peluso dibujando una mueca de disgusto en su rostro bellísimo—. ¡Con el asco que me dan!

—Pues sí, ranas, no se asombre usted, condesa. Le recuerdo que fue gracias a una de esas escurridizas criaturas como dio comienzo todo este proceso. Ocurrió por casualidad cuando el bueno de Galvani disecaba un anca de rana en su laboratorio de Bolonia. Él mismo me lo mostró con gran emoción meses más tarde en Pavía, aunque equivocado en lo fundamental.

—¿Equivocado?

—Galvani creía que el impulso eléctrico residía en el tejido muscular animal.

—¿Y no es así? —La curiosidad de la Pelusina iba en aumento.

—No, señora —respondió Volta—. Es posible producir electricidad sin intervención animal alguna. De hecho, el mejor conductor de tal fenómeno no es la carne, sino el metal.

—Eso, condesa, es precisamente lo que ha logrado demostrar nuestro gran amigo —dijo Charles.

—Imaginemos las posibilidades que se abren ante nosotros —reflexionó en voz alta Joseph Frank, el más circunspecto de los cuatro científicos—. Muy pronto, el hombre desafiará al creador utilizando sus propias armas.

Todos lo miraron interrogativamente.

—¿No nos hizo Dios a su imagen y semejanza? —se explicó—. ¿No nos dotó de lenguaje, inteligencia y libre albedrío? Pues ya somos capaces de reproducir sin su ayuda el primer elemento de su obra: la luz.

—Si ustedes lo desean, y me consiguen una rana y unos platillos de metal —propuso Volta deshaciendo el silencio que siguió a las palabras de Frank—, podríamos realizar aquí mismo un pequeño experimento para que comprueben con sus propios ojos lo que les digo.

Intrigada hasta el límite, Sydney Morgan logró reunir en menos de media hora un total de tres ranas y dos peces gracias al pequeño ejército de niños Fontana que durante la eterna cuarentena y a falta de entretenimientos mejores se habían convertido en auténticos expertos en la busca y captura de todo tipo de criaturas acuáticas.

Entonces el doctor Morgan condujo a sus invitados hasta la sala de la primera planta en la que había instalado su laboratorio doméstico. Sobre el escritorio había colocado el microscopio, los tubos de ensayo, los pesados tomos de medicina que siempre llevaba consigo y el monóculo con lente de aumento que levantaba pasiones, inexplicablemente y sin pretenderlo, en su esposa Sydney. En los estantes reposaban cien frascos de cristal que contenían criaturas invisibles, diminutos pobladores de aguas y bosques, monstruos en miniatura. De las paredes colgaban las más inquietantes láminas sobre anatomía humana, colecciones de insectos y mariposas clavados con alfileres en pequeñas planchas de corcho y miembros destazados de aves y roedores que el doctor coleccionaba para practicar con ellos la técnica del embalsamamiento animal. El olor a cerrado y a una mezcla de azufre y formol resultaba irrespirable.

Encima de la mesa de trabajo Alessandro Volta dispuso lo necesario para el experimento: cuchillo de sierra, bisturí, gancho de bronce, platillos de metal y pinzas. Entonces, ante el espanto de las damas, agarró una de las ranas, que estaba todavía viva, y, sin el menor miramiento, la decapitó de un solo tajo. Luego fue trinchándola con cuidado, patas delanteras, pellejo, vísceras... hasta que del anfibio no quedó más que la columna vertebral intacta y las ancas tiesas.

—Pobre rana —se oyó decir a Sydney, que se había cubierto la boca con un pañuelito de seda.

—Los animales, señora, que entregan su vida a la ciencia se ennoblecen —respondió Volta sin levantar la vista de la mesa.

—Si lo hicieran voluntariamente, tal vez —respondió la salvaje Glorvina, princesa de Innismore y defensora de los débiles.

Charles la amonestó con un pellizco en el hombro que Sydney le devolvió inmediatamente, pero consintió en callarse sus opiniones de ese momento en adelante, al menos hasta que hubiera terminado la demostración.

Conteniendo la respiración, asistieron los Morgan, Scarpa, Frank y la condesa Pino al mágico fenómeno de la resurrección. Todos arremolinados sobre la mesa de operaciones presenciaron atónitos cómo al aplicar Volta en la médula espinal de la rana muerta una pequeña descarga procedente de los platillos y administrada con maestría con la punta del bisturí, aquella anca inerte regresaba a la vida de una patada.

—¡Otra vez, otra vez! —clamó Vittoria Peluso al tiempo que aplaudía igual que si estuviera en la Scala de Milán.

Pero en ese preciso instante, y sin previo aviso, la puerta del laboratorio se abrió de par en par y la vieja Abbondia, que, al parecer, había estado escuchándolo todo con la oreja bien pegada a la pared, irrumpió en la sala con el ímpetu de un huracán y la emprendió a escobazos contra todo lo que se interpuso en su camino. Repetía a gritos nombres de santos y demonios, se santiguaba y escupía espuma, gesticulaba histérica y juraba que todos los allí presentes estaban condenados al fuego eterno por transgredir las leyes de Dios y las de la madre naturaleza.

Tuvo que ser Domenico Fontana, que apareció por arte de magia sosteniéndose en un bastón, quien le devolviera la cordura a su vieja ama de cría y quien se la llevara de allí envuelta en su abrazo de chico bueno, disculpándose sin palabras por todas las supersticiones de Italia.

Quedó entonces el laboratorio en silencio, las conciencias remordidas por las amenazas de aquella anciana.

Era cierto que la ciencia moderna se descontrolaba a veces, que escapaba al dominio de los hombres y obedecía en cambio a las fuerzas desconocidas de la naturaleza.

¿No sería precisamente a esto a lo que se refería el libro del Génesis con su famoso árbol de la ciencia del bien y del mal?

«El que juega con fuego se quema», solía decir la vieja Molly. ¿No estaban los hombres jugando a ser dioses sin tener en cuenta las consecuencias de sus actos? ¿Y si de pronto un día abrían sin querer las puertas del infierno?

La inquietud de estos pensamientos se propagó como un virus por aquella estancia sobrecargada de objetos raros y olores asfixiantes. Sonó un trueno. Alguien dijo: «Deben de ser casi las siete». Se levantó viento. Golpearon las contraventanas en los cristales.

Y en ese momento, coincidiendo con un rayo que rasgó literalmente el cielo de Lario de norte a sur, Sydney se desplomó de pronto sobre el suelo del laboratorio: cabeza, espalda y piernas abiertas, y el pobre Charles casi se murió del susto al acercarse a su esposa desmayada y comprobar que por debajo de las faldas asomaba un charquito de sangre roja, muy roja, más roja de lo normal, y más densa, parecida a la víscera pastosa recién extraída de la rana diseccionada pero curiosamente cuajada de grumos.

CARTA DE LORD MORGAN A LADY CLARKE

Lago de Como, Villa Fontana, 15 de agosto de 1812

Querida Olivia:

Te extrañará que sea yo quien te escriba y no tu hermana Sydney, pero ocurre que en este momento la pobre carece de las fuerzas y del ánimo necesarios para tomar la pluma y contarte, Livy, que hace unos días se malogró el bebé que esperábamos y que tan felices nos hubiera hecho.

El embarazo era tan incipiente que ninguno de los dos sospechábamos siquiera que Dios nos hubiera concedido la gracia de concebir un hijo. Sydney había notado algunos síntomas, pero los había achacado a nuestros viajes primero y al efecto de la vacuna después. De cualquier modo, la pérdida ha sido demasiado traumática para ella y por eso te envío yo esta carta, para que conozcas el motivo de su silencio y no te extrañe su falta de noticias en los próximos días.

Te tranquilizará saber que tu hermana ha superado ya los momentos de mayor peligro y que su estado actual es estable, si bien todavía se encuentra muy débil, en cama, indolente y apática, sin sed ni apetito ni las energías necesarias para abandonar el lecho y retomar su actividad normal, que, como bien sabes, es siempre rematadamente intensa.

Su recuperación física no me preocupa, Olivia. Como médico, puedo asegurarte que con unos mínimos cuidados tu hermana recobrará la salud muy pronto. Es su estado anímico el que me inquieta. Nunca la he visto tan triste ni tan callada. Tengo la sensación de que de algún modo me culpa a mí de lo sucedido. A veces me mira sin decirme nada y yo me pregunto qué es lo que teme, lo que no quiere contarme.

Quizá sea sólo la necesidad de encontrar una explicación a lo ocurrido. Tal vez crea que yo, como médico, conozco la respuesta. Pero está equivocada. La ciencia ignora las razones por las que unas gestaciones llegan a buen término y otras no. Sólo sabemos que la naturaleza es sabia e inflexible. Que lo que tiene que ser es y que no deberíamos sentir remordimientos por aquello que escapa a nuestro control.

Vosotros, los católicos, no creéis en el determinismo, sino en la Providencia divina y, por eso, cuando ocurren desgracias como ésta, os resulta tan difícil entender y aceptar la voluntad de Dios. Pero te recuerdo que también existe aquello que llamáis resignación cristiana, y que tal cosa es común a nuestros dos credos. Mejor sería acentuar los puntos de encuentro entre ambos, ¿no opinas lo mismo? Sobre todo cuando, como ahora, es necesario enfrentarse juntos a las dificultades.

Comparto contigo estas reflexiones para rogarte que escribas a tu hermana y me ayudes a convencerla de su inocencia y de la mía. Temo que, de no lograrlo, el sentimiento de culpa que arrastra se enquiste en su corazón y lo endurezca hasta volverlo irreconocible.

Yo moriría.

Charles

CARTA DE LORD MORGAN AL DOCTOR JENNER

Lago de Como, Villa Fontana, 15 de agosto de 1812

Mi querido amigo:
Espero que puedas disculpar la tinta y el papel, el temblor de mi mano y la torpeza de mis palabras al exponerte la duda que me

atormenta. Repaso una y otra vez nuestros trabajos con la esperanza de hallar la respuesta que me libere de esta culpa y no encuentro más que vagas suposiciones sin fundamento científico.

Creo recordar que en algún momento discutimos sobre la conveniencia o no de inocular el virus de la viruela vacuna a mujeres gestantes. Tú, como de costumbre, defendías la vacunación indiscriminada, apoyándote en el hecho de que la enfermedad ataca con mayor virulencia durante el embarazo y que, en caso de contagio, tanto la madre como el hijo suelen sufrir funestas consecuencias.

Mi postura, en cambio, era más conservadora. Yo abogaba por el aislamiento de la gestante durante un período razonable de observación con la idea de evitar inoculaciones innecesarias y sólo recomendaba la vacunación cuando un familiar directo, esposo o vástago, hubiera enfermado de viruela y el peligro fuera evidente.

Recuerdo bien nuestro debate, pero no las conclusiones a las que llegamos.

Tal vez no hubo acuerdo y la incertidumbre quedó pendiente de un hilo quebradizo que ahora amenaza con aplastar mi pobre cabeza.

Mi querido amigo, necesito saberlo para no enloquecer: ¿he malogrado la vida de mi propio hijo o he preservado la de mi esposa? ¿Soy un héroe o un villano? ¿Un instrumento del bien o del mal?

¿Qué soy, doctor Jenner, sino un necio que juega a ser Dios?
Sinceramente tuyo,
Charles Morgan

CARTA DE LADY MORGAN A LADY CLARKE

Lago de Como, Villa Fontana, 17 de agosto de 1812

Querida Livy:
Claro que estoy destrozada. ¿Qué esperaba Charles de mí? ¿Que hiciera como si no hubiera pasado nada?

Me dices que te ha escrito una carta preocupado por mi estado de ánimo, por mi falta de apetito, por mi apatía y mi silencio, pero te oculta el verdadero motivo de este encierro voluntario. Si no quiero salir de mi habitación es para no cruzarme con él, con su cara de pánfilo y con su actitud de perro dócil que se arrastra arrepentido mendigando mi perdón.

Para tu información, Olivia, me levanté de la cama en cuanto recobré las fuerzas, dos días después del desafortunado episodio del aborto, con la intención de cruzar el jardín y quejarme a la señora Fontana de la intolerable actitud de la vieja Abbondia, que, desde mi desmayo, se había instalado bajo mi ventana blandiendo un libro de oraciones y se había dedicado a recitar letanías a voz en grito, a escupir y a maldecir, amenazándonos a Charles y a mí con la condena terrible del fuego eterno. La cólera de Dios.

Descendí por la escalera de mármol llamando a mi marido con la poca voz que me salía de la garganta. No quería enfrentarme sola a la figura contrahecha de la bruja que me esperaba detrás de la puerta.

Pues bien. Lo busqué por toda la casa, desde el comedor al salón, desde la biblioteca al despacho, y no lo encontré por ninguna parte. Imaginé que se hallaría inmerso en alguno de sus estudios de biología. Tan concentrado en su mundo, inventando nuevos remedios contra enfermedades raras o descubriendo la manera de resucitar anfibios, que no sería capaz de escuchar mi voz por encima de sus pensamientos, así que abrí la puerta del laboratorio y entré sin llamar. Charles tampoco estaba allí: sólo sus pequeñas criaturas conservadas en formol, los miembros arrancados de sus víctimas, su microscopio y sus anaqueles.

Entonces me fijé en un recipiente nuevo, de vidrio, que reposaba sobre la mesa. Estaba relleno de un líquido rosáceo y viscoso en el que flotaba un extraño organismo del tamaño de mi mano. Me acerqué con el corazón en un puño, incapaz de creer lo que significaba aquello.

¡Charles había guardado el cadáver de nuestro bebé en un frasco! Le vi los piececitos perfectos, Livy, sus diez dedos diminutos, sus piernas de pajarillo muerto, su columna vertebral, su cabeza desproporcionada y unos ojillos negros con los que me miraba a través del cristal.

No pude reprimir un grito. Grité con toda la energía de mi vientre, desgarrándome la garganta y sentí que me estallaba la cabeza, que me fallaban las piernas.

No sé cuánto tiempo pasé en ese estado de conmoción. Sólo recuerdo que cuando volví en mí me hallaba ya muy lejos de aquel laboratorio, de aquella casa y de Charles Morgan. Abrí los ojos en medio de un gran silencio, en el bosque, en penumbra. Domenico Fontana me llevaba en brazos y me sonreía con dulzura. Al depositarme en el suelo, con cuidado, posó su mano sobre mi boca para que callara, me cerró los párpados con la yema de sus dedos para que descansara y así permanecimos un instante.

Luego me incorporé y le hice una pregunta cruel.

—Domenico, ¿no te ha dejado marcas la viruela?

Él asintió, sonrió y se apartó la camisa lentamente de uno de sus hombros. Allí descubrí las señales de su enfermedad. Tres hendiduras perfectas. Acerqué mi boca a sus heridas y, entre lágrimas, lo besé.

Sí, Livy, lo besé. No con el amor maternal de una mujer casada, sino con el peligroso deseo de una adolescente. Con lengua, dientes, labios y sed.

Él apartó con suavidad mi cara de su piel. Dijo: «Volvamos a casa». Y yo obedecí, sumisa. Si me hubiera pedido en cambio que me fugara con él en ese mismo instante y para siempre, le habría obedecido igualmente dócil, porque mi voluntad había dejado de pertenecerme a mí y mi vida había dejado de pertenecer a Charles.

Regresamos en silencio. Yo hice los últimos metros a la carrera, subí los escalones de dos en dos, me encerré en mi cuarto, pedí al mozo que me preparara un baño caliente y me sumergí en el líquido vaporoso, consciente de que el agua se teñía poco a poco de rojo con la sangre que todavía no ha dejado de fluir de entre mis piernas.

Cuando Charles volvió a casa, me encontró hecha un enredo de sábanas y lágrimas. Lo llamé monstruo. Me quiso convencer de la necesidad de conservar el embrión para estudiar las causas de su muerte. Me dijo que había entablado una intensa correspondencia con el doctor Jenner para investigar las consecuencias de la vacuna en mujeres embarazadas; que estaba seguro de que yo daría mi beneplácito al avance de la ciencia. Pero no quise escucharle.

Mañana enterraremos juntos a nuestra hija no nacida. En una pequeña caja blanca. En el cementerio de Laglio. Pero no le permitiré que me toque. Eso no.

Te quiero, Livy, reza por mí,

Sydney

XIV

Margherita caminaba distinto desde que sabía que esperaba un hijo. O tal vez era el modo con el que Stefano la sostenía por la cintura, más protegida que antes, meciéndola de lado a lado, apoyándola en su cadera, como en un tango argentino, por el mirador. Llevaban tanto cuidado esos dos... —¿cómo había dicho Sydney Morgan?— ¡pánfilos! que parecía que se les iba a derramar un líquido valiosísimo si no se andaban con ojo.

Francesca y Claudia habían tomado la decisión de permanecer encerradas en su cuarto, espiando desde detrás de los visillos, a la espera de que los acontecimientos se precipitaran por sí solos. De un momento a otro, en cuanto la policía investigara las causas del accidente y encontrara los pedacitos de la barca de remos en la que la tonta de Claudia, a los cinco años, había escrito sus nombres, irían a buscarlas, a acusarlas de homicidio involuntario o de imprudencia temeraria. La cárcel inevitable para Francesca por haber cumplido ya los dieciocho años, un reformatorio para Claudia, cada una en una esquina de Italia. Mamá en Florencia, papá en Milán hechizado por la bruja mala, la criatura creciendo en el vientre de Margherita, lista para salir a la luz y ocupar el puesto que ellas iban a dejar vacante.

—¿Por qué dices que no tenemos prisa, Claudia? ¿Cuánto tiempo crees que nos queda? —quiso saber Francesca cerrando el libro con brusquedad. El ulular apagado de las sirenas al fondo, el sonido del motor de los helicópteros, los murmullos de la gente de Moltrasio camino de Como, ávidos de emociones fuertes en medio de la calima estival —¿quién dijo que en ese lago nunca pasaba nada?—, llegaban hasta su balcón, impertinentes, acusadores.

—Diremos que no sabemos nada. Que estábamos en casa, dormidas. La barca pudo soltarse sola. Las corrientes pudieron arrastrarla hasta allí. La mala suerte.

—¿Y los remos, idiota? ¿Cómo vamos a explicarles lo de los remos?

—¡Bah! De los remos no debe de quedar ni una astilla. El incendio era espectacular, Franchie, lo que pasa es que no quisiste verlo. La columna de fuego subía hasta el cielo. Era como un edificio de siete pisos. ¡Y el humo! Negro negrísimo. Ahí no queda ni una prueba. Te lo digo yo.

—Olía mal —recordó Francesca pensativa.

—Sí. A gasolina y a goma.

—Y a carne quemada.

Lo malo de esperar a que las cosas sucedan, sin intervenir en ellas nada más que para asombrarse por las consecuencias imprevistas de los actos imbéciles de los demás, es la sensación de cuarentena que provoca. Francesca, de brazos cruzados, asomándose de vez en cuando al balcón, se sentía igual que Sydney Morgan durante su encierro: atrapada y angustiada.

Pobre Dios, también atado de pies y manos, contemplando a los hombres meter la pata sin poder hacer nada por remediarlo. Maldito libre albedrío y maldita autonomía humana. Seguro que se había arrepentido Dios de aquella concesión absurda y se moría de ganas de imponer su voluntad para el bien general. Pero no. Se había comprometido a observar de reojo, con el gesto torcido y el estómago revuelto, mientras sus criaturas se equivocaban a lo bestia.

Claudia canturreaba a sus espaldas. Todavía a veces jugaba con muñecas. Las peinaba con un cepillito de juguete y las perfumaba. Luego las colocaba a todas en fila apoyadas en la almohada. No iba a crecer nunca Claudia. Sería un lastre toda su vida. Una cruz.

Para Francesca, cargar con el peso de su hermana empezaba a resultar insoportable. Se daba cuenta de que cada vez le costaba más trabajo acatar sus ideas absurdas, sus caprichos de niña consentida. Que si nísperos maduros, que si flores arrancadas, que si matar a Margherita en el momento más inoportuno...

Le había sugerido que recapacitara un poco ahora que sabían que la bruja estaba preñada, y nada. Como si oyera llover. La misma indiferencia.

Pues tal vez aquella niña, porque era una niña seguro, merecía vivir. ¿Y si después de todo resultaba ser humana? Quizá, con un poco de suerte, Margherita le permitiera acunarla entre sus brazos, enseñarla a caminar, sentarla sobre sus hombros y llevarla al cine, cantarle canciones alegres, contarle cuentos de hadas. ¿Y si Dios había decidido concederle una segunda oportunidad también a ella?

El balcón del cielo debía de estar rodeado de nubes blancas, los rayos del sol cayendo sobre la tierra baldía, y ahora, por una vez, parecía que la iluminaran sólo a ella; a Francesca Ventura, de las dos, la buena. «A la buenaventura, si Dios te la da, si te pica la mosca, ¡ráscatela, ráscatela!», les cantaba Claudia a sus muñecas.

Mira que era mala Claudia. Y qué absurdas eran sus canciones.

—Oye, Claudia —dijo Francesca sin volverse hacia su hermana—. Estoy pensando que a lo mejor, si decimos que fuiste tú la que soltó la barca, como eres menor de edad, pues no te pasa nada. Podemos contarles que la cuerda estaba podrida y que no te diste cuenta de que se había roto.

Luego las corrientes, que hay muchas corrientes en este lago, la llevaron por mala suerte a Como. Charles Morgan tenía razón. Algunas veces las personas somos inocentes. Meros instrumentos de la voluntad de Dios. Y la naturaleza es muy sabia, con sus cuerdas podridas, sus corrientes traidoras, sus aguas profundas. Algunas desgracias ocurren porque sí. No hay culpables.

Claudia continuó canturreando sin inmutarse. Francesca se giró. Allí estaba Claudia, con cinco años recién cumplidos, peinando a sus muñecas con un cepillito de plástico. Haciéndose la sorda.

Francesca comprendió entonces que algunas de las cosas que le decía a su hermana no las pronunciaba con palabras, sino con pensamientos. Y, sin embargo, Claudia lo escuchaba todo, lo sabía todo. Era verdad. Por mucho que cerrara los ojos no dormía nunca. Era como una mala conciencia: no descansaba jamás.

—¿Me has oído? —le preguntó.

—Sí.

—Tú eres una niña y yo soy una mujer. Ahí está la diferencia. Tus errores no cuentan. Los míos, sí.

Claudia reaccionó por fin. Se giró hacia su hermana con una violencia inesperada. Las manos crispadas, el ceño fruncido, la boca torcida.

—Me vas a echar a mí la culpa. De todo —le escupió sin levantar la voz—. No sólo del accidente, sino también del asesinato. Te lo veo en la cara. Te lo escucho en la cabeza. Estás pensando que en cuanto nazca la niña vas a matar a Margherita con tus propias manos, sin contar conmigo. Y luego me vas a acusar a mí, que por ser menor de edad no iré a la cárcel. Vendrás a visitarme al reformatorio o al hospital psiquiátrico, y traerás contigo a nuestra hermana, vestida con un abriguito de piqué y capotita a juego, me contarás lo feliz que está papá, libre por fin de la bruja y sus maleficios, cómo lo cuidas tú, ahora que eres la única mujer de la casa. Madre, hija y hermana ejemplar, Francesca Ventura, lo dirán en los periódicos.

—No...

—Pero mira, Franchie, qué pena. Asómate a la ventana. Ya vienen a por ti. Está llegando un coche. Se detiene en la calle. Le abren la cancela. Pasa. Rueda. Aparca junto a la puerta. Se bajan dos hombres y los llevan al salón. Preguntan por papá. Te buscan.

Francesca sintió que el corazón se le desbocaba. Era cierto. Lo vio desde el balcón. La doncella salió al jardín con cara de susto y localizó a Stefano con la mirada. Estaba leyendo junto a Margherita bajo la sombra de la parra.

Se acercó a toda prisa, lo llamó —«señor, señor»—, él se sobresaltó, se levantó de un brinco, acarició la cara extrañada de la bruja, la convenció para que se quedara allí, que no se moviera, que no se preocupara, que regresaría enseguida y entró en la casa para enfrentarse a los dos hombres que venían en busca de Francesca Ventura, con algo muy serio, muy gordo, que cambiaría su vida para siempre.

—Ahora sí tenemos prisa —dijo Claudia, acercándose a la ventana y rodeando a su hermana con un brazo muy flaco—. Se acabó el tiempo. Si queremos deshacernos de Margherita, sólo nos queda un minuto. El que tardarán esos tipos en contarle a papá tu última hazaña.

—Pero todavía no sabemos cómo murió lady Morgan.

—Yo sospecho que alguien la empujó del mirador al lago —respondió Claudia.

—Imposible. Sydney sabía nadar.

—Sí, pero antes de empujarla, le golpearon la cabeza con un remo o con algo similar. Mira —añadió, tomándola de la mano y poniéndola ante el espejo—. El jarrón de sus flores servirá. Bajas corriendo, te acercas por detrás, le rompes esto en la cabeza y luego la arrastras hasta el embarcadero y la tiras al agua.

Francesca se estremeció.

—Sabrán que he sido yo —protestó—. Tanto planear el asesinato perfecto para que al final resulte tan burdo. Para este crimen no hacía falta investigar la muerte de Sydney Morgan, que si el marido, que si los condes, que si un vampiro, que si una bruja, que si un amante, que si un suicidio. Bastaba con hacerlo y ya. Menuda pérdida de tiempo, Claudia. Si lo llego a saber, la mato el primer día. Cuando todavía no estaba preñada. Me van a condenar de todas formas...

—No, Franchie —sonrió Claudia en el espejo—. Les diremos que lo he hecho yo. Soy una niña, ¿recuerdas? Mis errores no cuentan. Haga lo que haga, soy inocente.

Francesca obedeció, como siempre. Agarró el jarrón que le señalaba Claudia y bajó sigilosa por la escalera, despacito, de puntillas, atenta a cualquier sonido procedente del salón, donde ya Stefano recibía intrigado a aquellos dos hombres que venían preguntando por Francesca Ventura, qué cosas, con un portafolios y un montón de papeles en los que aparecía su nombre, con un espacio en blanco para la firma. «¿Es usted el padre de la chica?», decía uno, y Stefano asentía sin saber muy bien qué vendría a continuación.

XV

Stefano se estremeció. En el fondo, siempre había temido que llegara ese día, incluso cuando se negaba a sí mismo lo que todos sabían y callaban. Pobre hombre, ciego ante la evidencia.

«Que nadie se atreva a insinuar siquiera que mi hija no está bien. Francesca es una niña feliz, una jovencita adorable. Ha sufrido mucho, es cierto; más desgracias y decepciones en menos de veinte años que cualquiera en toda su vida, pero es fuerte, es tenaz, todo lo superará, todo lo vencerá. Un día, ya lo verás, Margherita, *amore,* Francesca será capaz de perdonarme. Me volverá a querer, me volverá a hablar. Entiéndelo, de la noche a la mañana me convertí en el peor de los villanos. Ella qué sabía del sufrimiento, de la desolación, de la soledad, si le habíamos hecho creer que todo iba bien. Fue idea de Paola: "No le digamos nada a Francesca, pobrecita, con lo sensible que es, de nuestro amor agotado, que ya no nos queda ni una gotita de amor, que se nos ha derramado, que se nos ha convertido en lágrimas, en reproches, que ya no hay respeto, ni ganas. Mira, yo me voy a Florencia, con mis padres, unos meses, y nos pensamos qué hacer. Tú quédate en Milán, atiende los negocios, aparenta normalidad. Si alguien pregunta, le dices que estoy componiendo la obra de mi vida. Una ópera, un concierto, lo que se te ocurra, que necesito silencio, aislamiento, concentración. Que la ciudad es demasiado bulliciosa para una artista como yo. Y tú a lo tuyo, a las empresas, a tus asuntos". Y Francesca en la inopia, de casa al colegio, del colegio a casa, atravesando el peligroso límite de la infancia más sola que la una, como un barco a la deriva, la vela al pairo, el timón abandonado, las olas y los vientos empujándola de un lado a otro, dando tumbos por las calles vacías de esta ciudad de mala suerte. ¿Cómo pretendes que nos perdone, Margherita, si para ella no somos más que los dos traidores que le arruinaron el cuento de hadas? Vaya modo de despertar a la vida, darse de cara con su padre infiel y su amante secreta saliendo de un hotel a media tarde, cuando ella suponía que el mundo era de color rosa. Cuando, según todos los expertos, había superado ya los traumas de la infancia y era otra vez normal, si por normal entendemos libre de culpas y de reproches, la página en blanco, borrón y cuenta nueva. ¿Cómo va a perdonarnos, *amore*, si ni siquiera nos hemos perdonado tú y yo a nosotros mismos?

»Pues claro que no me habla. Dale tiempo. Dame tiempo. Yo también necesito expiar poquito a poco esta culpa. Si Francesca es diferente, una desgracia, nuestra desgracia, es porque tú y yo la volvimos loca. Locura transitoria, espero. De las que pasan como una tormenta de verano, descargando rayos y truenos, lluvias torrenciales, y luego dejan el aire más limpio que nunca, el bosque en calma, las aguas tranquilas, y todo vuelve a su cauce, todo fluye, naturalmente en paz.

»Algún día, Francesca se enamorará. Lo mismo que nos pasó a nosotros. Y tal vez entonces comprenda cómo es esta fuerza de indomable. Que por mucho que uno se resista, al final termina por caer, que de repente nada importa, nada se pone por delante, todo es secundario. Y llega un momento en que uno piensa: si nos descubren, que nos descubran. Si nos arruinan, que nos arruinen. Si nos odian, que nos odien. Porque todo da igual. No se ve más allá de los propios deseos, del propio egoísmo. No se ve siquiera el final de la calle, la calle estrecha del barrio estrecho de la ciudad estrecha por donde va dando tumbos una niña perdida, más sola que la una, en la inopia, y se encuentra de cara con la peor de las traiciones.

»No me digas que no es normal. Claro que es normal, *amore*, sólo nos hace falta tiempo, y paciencia, y serenidad».

—O sea, que usted es Stefano Ventura.

—El mismo.

—Pues es un placer saludarle, señor Ventura. Yo soy Gianni Versace y él es Richard Avedon, fotógrafo profesional.

Las presentaciones no eran necesarias. Stefano sabía de sobra quiénes eran aquellos dos hombres que habían aparecido en su salón como por arte de magia, sin previo aviso. Cualquiera que tuviera una mínima relación con la industria de la moda conocía perfectamente la fama de ambos: el calabrés entronado por la prensa internacional como el más vanguardista de los diseñadores y el neoyorquino considerado un genio, un artista capaz de hacer malabares con su cámara Nikon.

—A su mujer, Paola Cossentino, sí tuve el placer de conocerla en Milán —estaba diciendo Versace—. Es una belleza. Elegante y discreta.

Stefano se ahorró las explicaciones. Qué le importaba a aquel señor que Paola hubiera dejado de pertenecerle. Si en su día no leyó los periódicos, no iba él ahora a remover el lodo.

—Pero la que ha resultado ser una auténtica preciosidad es su hija Francesca —remató el modisto con un gracioso movimiento de manos. Richard Avedon asintió, muy serio, a su lado. Desplegó el papel fotográfico con la imagen de la niña, el susto en la mirada, la melena al viento, la *Enciclopedia británica*, y Stefano comprendió a qué se referían los dos artistas que tenía enfrente.

—Francesca es especial —dijo Avedon con cierto temblor en la voz—. Tiene mucha vida interior, un mundo oculto al que sólo ella tenía acceso... Hasta que lo he retratado yo.

Se sentaron frente al padre. Los verdugos apuntando al reo de muerte. Un pelotón de fusilamiento. Stefano se retorcía de miedo en el sofá. Le aterraba imaginar lo que vendría a continuación.

Richard Avedon había descubierto algo que no era capaz de identificar. Para él, se trataba sólo de un retrato inquietante; algo así como la sonrisa enigmática de la Mona Lisa, que si hombre, que si mujer, que si feliz, que si desgraciada. Para Stefano Ventura, en cambio, era la prueba irrefutable de todo lo que se negaba a aceptar. Su hija no estaba bien. No hacía falta que se lo demostraran con una fotografía. La mirada ausente de Francesca, más pendiente de las criaturas que poblaban su cabeza que de las cosas reales, esa desviación casi imperceptible de los ojos, el derecho un poquito hacia fuera, el izquierdo hacia arriba, que sólo le notaba él de vez en cuando y que con tanta precisión había captado la cámara. Ese ligero temblor de las manos, ese rictus de los labios, esa actitud de animalillo acorralado que tanto le dolía cuando lo encontraba en ella y que pretendía apartar de sus preocupaciones pretendiendo que carecía de fundamento real. Todas esas tragedias las había retratado Richard Avedon sin proponérselo.

—Francesca no está bien —reconoció Stefano Ventura después de tantos años negándolo.

Pero Versace y Avedon no quisieron escucharle. O no supieron. Comenzaron a parlotear como dos papagayos, arrebatándose el uno al otro el uso de la palabra, solapando proposiciones descabelladas, planes absurdos sobre campañas de publicidad, portadas de revistas, exposiciones en el Soho, catálogos de moda y calendarios.

—¡Basta! —exclamó Stefano, levantándose de repente—. Les agradezco su visita. Todo esto resulta muy halagador. Pero, por favor, olviden a Francesca. Olviden esta casa y esta familia. Destruyan esa fotografía. Márchense. Déjennos en paz.

Ante la violenta reacción de Stefano los dos hombres se quedaron helados. Paralizados por la sorpresa, no supieron qué decir. El silencio se fue extendiendo entre ellos como un mar de hielo que cada vez se hacía más y más profundo, hasta que al cabo de unos minutos de frío cortante Versace y Avedon salieron de Villa Margherita todavía en estado de *shock*. Antes de despedirse de su propietario con una palmada en la espalda, dejaron caer, como por descuido, la tarjeta de visita con sus datos, por si Stefano Ventura recobraba el juicio y se arrepentía de haberlos expulsado de su futuro sin haber aprovechado la oportunidad que le negaba a Francesca. ¿No se daba cuenta de que una modelo internacional, más que una actriz de cine o una princesa de cuento, alcanzaba la fama con sólo chasquear los dedos, ganaba millones, se instalaba en lo más alto del mundo, era recibida por los poderosos, disfrutaba de todos los placeres y de todos los lujos, se casaba con un aristócrata, se convertía en la reina de todas las repúblicas? ¿Qué más podría desear un padre para su hija?

Stefano Ventura se enjugó las lágrimas en el pañuelo de seda que siempre llevaba a mano. Se levantó con gran trabajo del sofá. Tomó aire, recobró el valor que le permitió avanzar por el salón, empujar la puerta, salir al jardín y llamar a Margherita con un hilo de voz para volver a refugiarse en su abrazo, como cada vez que le fallaban las piernas, y el coraje, y el ánimo. Pero nadie respondió a su petición de socorro.

—¿Margherita? *¿Amore?*

Sólo silencio.

—¿Princesa? ¿Vida mía?

Sólo silencio.

XVI

El golpe había sonado a hueco, igual que un coco al abrirse o una nuez al cascarse, tal debía de ser el contenido de la cabeza de Margherita: nada más que una cavidad vacía por donde retumbaba el eco.

Se había desmayado de inmediato. No había sido necesario romper el jarrón. Un impacto nada más. Una conmoción cerebral, dijeron los médicos; buena puntería, dijo Claudia.

Ni siquiera hubo sangre que limpiar. Margherita cayó limpiamente del sillón al suelo, con los ojos cerrados y la boca abierta. La novela que estaba leyendo se resbaló de sus manos y las páginas revolearon por culpa del viento, como un abanico.

En un primer momento, Francesca la arrastró asida por los tobillos, pero cuando observó que la falda se le enganchaba en la hierba dejando a la vista el encaje de su ropa interior, prefirió agarrarla de las manos. Así quedaba más elegante; con la cabeza en alto, sin ensuciarle el pelo de tierra.

Al llegar junto al embarcadero tuvo que dejarla tirada en el césped mientras abría la cancela exterior y temió que volviera en sí porque la bruja dejó escapar lo que parecía un lamento, pero enseguida constató, aliviada, que en realidad sólo había sido un pequeño gruñido inconsciente. Muerta no estaba, pero tampoco en condiciones de salir a flote, a no ser que el agua fría del lago la espabilara. ¿Debería atarle las manos con los cordones de los zapatos para que le resultara imposible nadar? ¿Llenarle los bolsillos de piedras como hizo Virginia Woolf para asegurarle la muerte?

No tenía tiempo para nada de eso. Ya se escuchaba la voz de Stefano llamándola angustiado. Ya los *carabinieri* debían de tener las esposas listas, la orden de busca y captura rellena con sus datos, la celda vacía. ¿Qué más daba, si iba a acabar en la cárcel de todas formas, que fuera por uno, por dos o por tres asesinatos?

«¡Date prisa!», la apremió Claudia desde el interior de su cabeza. La orden al perro: «¡Ataca! ¡Siéntate!».

Pero Margherita pesaba muchísimo. Demasiado para ella sola. Si al menos su hermana, en vez de quedarse mirando desde la ventana, bajase a ayudar, el crimen sería más fácil. Compartirían la carga y la culpa y tal vez la misma suerte.

Arrastró el cuerpo un par de metros más. Se situó en lo alto de la escalera de piedra que llegaba al agua. Se le ocurrió pensar que quizá bastase con un empujón para que Margherita bajase rodando a encontrarse con la muerte. Entonces se acordó de la criatura que crecía en su interior. ¿Tendría ya los diez dedos diminutos, las piernas de pajarillo muerto y los ojos negros de los que hablaba Sydney Morgan en su carta?

—Siento mucho que no puedas vivir —dijo en voz alta dirigiéndose al vientre de su madrastra—. Sobre todo, porque eres inocente. Tú qué sabes de la maldad, de la traición y de los remordimientos. Pero has tenido la desgracia de ir a nacer en este cuerpo de bruja que ya estaba condenado antes de que aparecieras tú. —Se agachó y tiró con fuerza de las piernas de Margherita. Al bajar el primer escalón le golpeó la cabeza contra la piedra—. Yo hubiera sido una hermana fabulosa —continuó—. Te habría querido muchísimo. Te habría cuidado y protegido. No te habría permitido ni acercarte al lago. Es muy peligroso este lago. Mucha gente muere ahogada, ¿sabes?

Bajó otro escalón y se detuvo a escuchar. Stefano se acercaba por el camino de gravilla que iba de la casa al embarcadero. Todavía llamaba a Margherita, pero ahora a voces, con tono de preocupación.

—Y tampoco habría dejado que Claudia se acercara a ti. Porque es una niña muy mala Claudia; tiene unas ocurrencias nefastas. Es una caprichosa, una egoísta. Siempre hace lo que le da la gana y luego yo me llevo todas las culpas. De este asesinato, ya lo verás, me acusarán a mí y a ella ni la tocarán.

Miró hacia la ventana de su habitación. Allí estaba Claudia, medio oculta por los visillos, gesticulando con las manos. ¡Vamos, Franchie, termina ya o papá te va a descubrir! ¡Lo tienes encima, estúpida, date prisa!

—En el fondo —dijo Francesca, reflexiva—, tengo la sensación de que a ella no le haces ninguna gracia. Siempre hemos sido sólo dos, ¿entiendes? Claudia la pequeña, la mimada. No debe de tener ganas de convertirse en la princesa destronada de esta historia. Tienes que reconocer que en cuanto supe que Margherita estaba embarazada, yo tuve mis dudas con respecto a este crimen. Le dije: «Vamos a esperar a ver qué sale de ahí», pero ella nada, erre que erre, «mátala, Franchie, hazlo por mí, Franchie», como si tú no existieras.

Francesca se mojó los pies. El agua estaba fría y negra, muy negra, preparada para recibir con su abrazo mortal el cuerpo inconsciente que le serviría de alimento. Pequeñas olitas subían y bajaban al ritmo que marcaban el sol y la luna, las corrientes, las aguane.

—¿Sabes lo que le da miedo? Que me encariñe contigo y me olvide de ella. Que la abandone en el altillo del armario, como al resto de mis muñecas viejas. Yo ya no tengo

edad para jugar con muñecas, ya he cumplido los dieciocho, soy una mujer. Ahora soy lo suficientemente mayor
para cuidar de una niña pequeña como tú. —Hizo una
pausa, se detuvo—. No todas las hermanas del mundo se
odian tanto como Claudia y yo —prosiguió—. Fíjate en
Sydney y Olivia, ¡cuánto se querían! Confiaban la una en la
otra; se lo contaban todo. Eso haríamos nosotras. Nos es-
cribiríamos unas cartas preciosas en las que tú me habla-
rías del colegio, las monjas, los chicos, y yo te relataría al
detalle todas mis aventuras por el mundo, mis viajes por
los cinco continentes, mis nuevos amigos, mis sueños hechos realidad. Uña y carne. Cara y cruz. Eso seríamos: hermanas del alma. Las mejores amigas.

Ya el agua le llegaba a Margherita por las rodillas. Un
escalón más y su vientre quedaría sumergido en el lago.
Francesca se figuró que la niña sentiría el frío que atravesaría la piel y la carne de la bruja. Se estremecería, chiquita
como era, abriría la boquita para pedir auxilio, daría patadas con sus piernas de pajarillo, temerosa de la muerte
que se le avecinaba.

Claudia gesticulaba con manos y brazos desde la ventana. ¡Venga, venga, termina ya! ¡Acaba con la bruja y con
su criatura del demonio! ¡Mátalas de una vez, imbécil, que
papá te ha visto y ha echado a correr por el jardín gritando
tu nombre!

—¡Francesca, Francesca, detente! ¡Espera, Franchie! ¡No
lo hagas! ¡Quédate quieta, hija mía, ya llego, ya te agarro
por detrás, ya te impido que acabes definitivamente con tu
futuro, un futuro prometedor, al otro lado del mundo, en
esa América de las oportunidades donde van a convertirte
en una estrella! Suéltala. Así, muy bien, despacito, déjala en
el suelo, yo la saco de aquí. Tú vuelve a casa, espérame en tu
cuarto. Subo enseguida y te cuento que han venido a verme
Richard Avedon y Gianni Versace, que te quieren llevar a
Nueva York, que te vas a comer el mundo, vas a ser fa-

mosa, Francesca Ventura, suéltale los pies a Margherita, muy bien, muy bien, así, con suavidad, yo me ocupo de todo, ahora la despierto y aquí no ha pasado nada. Nadie te va a castigar, mi vida, tú tranquila, entra en casa. Ahora mismo voy.

Stefano, empapado hasta la cintura, logró coger a Margherita en brazos y sacarla del lago. La tendió sobre la hierba, se agachó a su lado, le acarició la cara, gimoteó como un niño, pronunció su nombre en voz alta, una, dos, tres veces, hasta que la bruja emitió un gruñido y la vida retornó al cuerpo frío del que había estado a punto de escapar.

—No puedo subir a mi cuarto, papá, porque Claudia está enfadadísima conmigo —dijo Francesca después de tres años de largo silencio—. Mírala, asomada al balcón con esa cara que pone cuando las cosas no salen a su gusto. Es mejor que la dejemos sola hasta que se le pase la rabieta. Vaya niña mimada Claudia, siempre hay que hacer lo que ella dice: que si coger la barca sin permiso, que si remar y remar hasta que los mayores no nos vean, que si darnos un baño en el agua tan fresquita, Franchie, que sí, que sí, que ya sé nadar, que he aprendido yo solita, que tú mírame lo bien que nado... luego pasa lo que pasa.

El padre, horrorizado, mezcló las lágrimas de Margherita con las de Francesca y las de Francesca con las de Claudia, la pequeña, la añorada, la niña de sus ojos tristes que nunca más volvieron a contemplar la vida como algo posible y bueno. Se levantó temblando, rodeó a su hija Francesca con los brazos y le acarició la cara.

Margherita recobraba poquito a poco la consciencia, gruñía, se llevaba las manos a la cabeza, lo llamaba. Pero él ahora estaba muy lejos de aquel jardín; en otro parecido, en la otra orilla del lago, a los pies de Villa Cossentino, con su hija Claudia muerta en su regazo, Paola vomitando y Francesca repitiendo con su voz de niñita, siete años recién cumplidos, esa misma mañana, las velas de la tarta todavía humeantes, que ella no tenía la culpa, que todo había sido idea de su hermana, que era una mimada, que había pintado su barca sin permiso, que la había obligado a remar y remar, hasta que los mayores ya no las vieron y que la había convencido de que sabía nadar, la muy tonta, y se había tirado al agua vestida con aquella ropa de muselina blanca y los botines de charol, y se había hundido sin remedio delante mismo de sus narices. ¡Claudia, Claudia! ¡Agárrate al remo! ¡Papá, papá!

—¡Papá, papá! —Francesca lo devolvió al presente, once años de golpe, de los siete a los dieciocho, de niña a mujer en un abrir y cerrar de ojos—. No llores, papá, que no ha sido culpa tuya, ni de mamá, ni mía. Ha sido Claudia, ella solita, la que se ha ahogado. Pero no importa, mírala, está en mi balcón, enfadadísima, haciéndome señales para que cumpla sus órdenes. ¿No la ves? Parece una muñeca de trapo, con esos ojos tan abiertos, esas pestañas largas, esa cara tan pálida. Parece buena, pero es un demonio.

—Franchie, amor mío —dijo Stefano sin dejar de acariciarle la cara—. Todo va a salir bien. Iremos a visitar al doctor Musatti. Margherita te perdonará, como las otras veces, y al final del verano estarás perfectamente. Lista para viajar y conocer mundo. Ven, Francesca, vamos a llamar a un médico para que venga a curar a Margherita. ¿Ves? Ya se despierta, ya dice cosas.

Margherita se lamentaba en el suelo. Decía: «¿*Amore, amore?*». Porque no entendía qué había ocurrido, por qué se había despertado dolorida y empapada en el jardín. Desde su posición incómoda vio alejarse a toda prisa a Stefano abrazado a Francesca. La dejaron sola. Medio muerta y sola bajo el sol de agosto. Se llevó las manos al vientre y lloró.

XVII

Claudia estaba esperándola, como siempre, sentada en la cama con el libro abierto sobre las piernas. No se giró hacia la puerta cuando entró su hermana ni dio muestras del enfado monumental con el que Francesca había imaginado que la encontraría al volver a verla. Al contrario, su voz se había vuelto dulce de repente, casi una caricia, y su sonrisa más ancha, y sus palabras, cuidadosamente escogidas, tenían el efecto hipnótico de un bálsamo milagroso.

—No te habrás creído el cuento de que estoy muerta, ¿verdad? —dijo sin levantar la vista de las páginas de seda.

—Pues, la verdad, Claudia —respondió Francesca—, ya no sé qué pensar.

Era extraño, muy extraño, que unos días Claudia tuviera cinco años, trenzas y botines, y otros fuera ya una vieja con telarañas entre los dedos. Esa cara de porcelana, esos ojos de cristal, esa piel de trapo igualita a la de las demás muñecas puestas en hilera sobre la cama, a veces le hacían dudar de la verdadera naturaleza de la niña. «Pareces de juguete», le decía cuando, al agitarla, Claudia no daba señales de vida.

Sin embargo, la presencia de su hermana, siempre vigilante, siempre al acecho, había sido una constante en su día a día. Claudia llevaba dieciséis años deambulando por

este mundo; los cinco primeros libre como una mariposa
bonita y efímera; los once siguientes agazapada detrás de
los muebles, escondida entre las cortinas y los visillos, invisible para todos excepto para ella. «Yo soy sólo tuya. No
hablo con nadie. Nadie me dirige la palabra. Te pertenezco
a ti en exclusiva».

—Volverás a ver al doctor Musatti.

—Eso creo.

—Sabes lo que dirá, ¿verdad?

—Sí, Claudia, que tú no existes más que en mi imaginación.

—¿Te acuerdas de lo que tienes que responderle?

—Que tiene toda la razón.

—Muy bien.

Ya había pasado por esto una vez. Cuando tenía nueve
o diez años, Paola y Stefano se preocuparon seriamente
por aquella amiga invisible con la que jugaba Francesca a
escondidas, a la que hablaba en susurros, a la que llamaba
Claudia sin comprender que aquel nombre les hacía un
daño atroz y pidieron ayuda a un médico ilustre, el doctor
Musatti, quien les explicó que un trauma como el vivido
por su hija no se cura con sopas calientes. La terapia resultó demoledora para todos. ¿Cómo aceptar que Claudia,
su niña con mellas en los dientes, se hubiera ido para siempre? ¿Cómo descargar a Francesca de aquella culpa que la
carcomía por dentro? ¿Cómo convencerla de que la muerte
de Claudia fue un accidente, inevitable y atroz?

Las tardes de flores y rezos ante la tumba de Claudia en
el cementerio de Laglio no las entendía ni el mismísimo
vigilante. «Ven, Franchie, dile adiós a tu hermana. Se va
para siempre. Está muerta, ¿lo ves? Ésta es su tumba. Aquí
está su cuerpo. Ya no la verás más, ya no podrás hablar
con ella». Y la niña saltaba de lápida en lápida, como en
una rayuela macabra, mientras su madre, Paola, se desli-
zaba por la pendiente del desánimo.

—¿Por qué sigues leyendo el libro, Claudia? —le preguntó para cambiar de tema—. Este crimen se ha terminado. Ha salido mal. Margherita sigue viva, mírala, revolcándose de dolor sobre la hierba, pero viva. Ya no tiene sentido continuar con la historia de lady Morgan.

—¿Y si la asesinó su marido? —respondió cortante Claudia clavándole los ojos por primera vez—. Piénsalo, Franchie, podría ser una solución. Charles Morgan descubre que su mujer se ha enamorado del joven Domenico Fontana y, presa de un ataque de celos, la golpea violentamente hasta dejarla inconsciente. Entonces, atemorizado por las consecuencias de su comportamiento, la sube a una barca de remos a escondidas y la ahoga en el lago. Regresa a nado a la orilla y recorre el resto del camino a pie. Hasta bien entrada la noche no da la voz de alarma. ¿Dónde está Sydney? ¿Alguien sabe adónde ha ido?

—Podría ser —le concedió Francesca—. Los crímenes pasionales están a la orden del día. Aunque yo no me imagino a papá asesinando a nadie. Y menos a Margherita.

La sirena de una ambulancia procedente de Como hizo su aparición en escena. Verdaderamente, estaba resultando ser una mañana complicada para los servicios de emergencias: primero el accidente del hidroavión y ahora este otro accidente. «Una caída desafortunada, una mujer embarazada, un traumatismo craneal, una contusión cerebral con pérdida de conocimiento. Nada grave, gracias a Dios, con un poco de hielo y vigilando bien que no aparezcan síntomas de inestabilidad, ni vómitos, ni visión doble, volverá a la normalidad en unas horas. El bebé está perfectamente, no se preocupen ustedes que la naturaleza es muy sabia para estas cosas. Miren, escuchen con qué fuerza late su corazón, pónganse el estetoscopio, así, muy bien. ¿Lo oyen? Todo está bien. Aquí no ha pasado nada».

—Me están entrando unas ganas de vomitar... —dijo Francesca, asomada al balcón, observando cómo los médicos levantaban con delicadeza a Margherita del suelo y cómo la abrazaba Stefano, empapado en lágrimas.

—Tienes que aprender a ver más allá —le recriminó Claudia—. Por mirarlos a ellos te estás perdiendo esa barca de remos que se adentra en el lago con dos personas a bordo. Son Domenico Fontana y Sydney Morgan. Van a esconderse en un recodo de la orilla, muy cerca de Villa Pliniana, donde nadie pueda ser testigo de su amor prohibido. Ella se ha adornado el pelo con lavanda, él lleva puesta la camisa del uniforme, los botones abiertos dejando a la vista su pecho tostado, y no pueden apartar la vista el uno del otro. Están hechizados, hambrientos y sedientos. Míralos, ya se acarician, ya se besan, ya no les importa nada ni nadie. Se dejan arrastrar por la corriente.

XVIII

Historia romántica de Lario, un estudio
LADY MORGAN, SUCESOS Y CORRESPONDENCIA

La tea ardiendo que había sido la pasión de Charles Morgan para el cuerpo inflamable de su esposa se apagó en cuanto Sydney se volvió de hielo. Tensa y fría, un témpano árido y cortante, compartía su cama con él porque no le quedaba otro remedio, pero no le permitía tocarla. Pasaban las noches cada cual en su lado del colchón, como Rusia y Francia, enemigos en pie de guerra.

Al principio, Charles había albergado la esperanza de que Sydney, si no era capaz de perdonarle, al menos pudiera llegar a comprenderle. Tampoco para él había sido plato de gusto recoger del suelo los restos del aborto, encontrar en el charco de sangre el muñequito arrugado que era su hijo y conservarlo en un frasco, como otro más de sus ensayos de laboratorio. Lo había llorado con inmenso dolor de padre, había besado el recipiente de cristal como si fuera la urna de sus cenizas y lo había velado durante horas antes de tomar la decisión tremenda de analizarlo.

Pero la mente científica es así, capaz de ir más allá, de dejar a un lado los sentimientos humanos. ¿Acaso no había experimentado el doctor Jenner con su propio hijo enfermo? ¿No le había estudiado después de muerto para entender los motivos de su fallecimiento? ¿Y no le había permitido su esposa que buscara el remedio para ese mal en lo más profundo de aquel cuerpo tan amado, con la esperanza de que ninguna otra madre del mundo tuviera que soportar jamás el sufrimiento que la desgarraba a ella?

Todo esto le repetía a su mujer una y otra vez, hasta que comprendió que Sydney era incapaz de compartir sus razonamientos. Que le repugnaba hasta el sonido de su voz, no digamos el tacto de su piel o su pretensión de acariciarla. Si se acercaba más de la cuenta, ella se hacía un ovillo, las rodillas encogidas, la espalda curvada, y entonces a Charles le venía a la mente la imagen del cuerpecillo blanquecino flotando sin vida en el frasco de cristal.

Era una niña. Una pequeña Sydney Morgan que hubiera heredado la belleza de su madre, su imaginación y su voz de ángel. Y también, ¿por qué no?, la curiosidad del padre y su interés por la medicina. Habrían sido muy felices viviendo los tres en el *cottage* cercano a Baron's Court que los Abercorn habían puesto a su disposición, con sus rosales trepadores, su caminillo de piedras, su chimenea caldeando el salón y su cocina de leña. Pasarían las largas veladas de invierno confortablemente sentados alrededor del fuego, tomando té con pastas mientras Sydney les relataba viejas historias de hadas y duendes de la misteriosa Irlanda y Charles la acompañaba con las notas de su guitarra española.

La estampa irradiaba calor, y no el frío glaciar que los asediaba ahora. Casi no se dirigían la palabra, casi no se miraban a los ojos. Sydney pasaba horas y horas asomada a la ventana de su gabinete observando a los Fontana disfrutar del verano, de las noches estrelladas y de las mañanas de sol.

Los chicos solían salir a pescar al alba en la barca de remos. Unos días los acompañaba el padre; otros sólo iban Domenico y su hermano León, ambos con las camisas abiertas, los pantalones remangados, las cañas y las redes, la piel tostada y el sudor.

Las niñas se ocupaban de las flores y de la huerta; los delantales bordados y los vestidos blancos. Daban largos paseos en la calesa abierta, con las sombrillas desplegadas y los rizos al viento, visitaban el mercado, asistían a misa y recorrían el corso de extremo a extremo, agarradas del brazo, las dos mayores tan rubias, tan alegres, tan llenas de vida, mientras la *signora* Fontana preparaba *pannacotta* ayudada por su hija menor, Luciana.

Daba la sensación de que Sydney había renunciado a su propia felicidad y sólo aspiraba a mendigar las sobras de la suya a aquellas personas desconocidas. Detrás de los visillos espiaba los movimientos de cada miembro de la familia y sólo abandonaba su observatorio cuando se acercaba el crepúsculo para bajar al embarcadero y esperar, candil en mano, el regreso de los pescadores. Los veía llegar a lo lejos y agitaba la luz, como un faro encendido, para mostrarles el camino de vuelta.

León se ocupaba de amarrar la barca y desenredar las redes. Domenico descargaba los cestos llenos de peces y jamás permitía a lady Morgan que lo ayudara.

—Señora, ni lo piense —le decía con un gesto muy pícaro—, no es trabajo para una dama mancharse las manos de pescado. —Y levantaba en alto la cesta para que Sydney admirara sus fuertes brazos—. No hay mejor recompensa que encontrarla aquí, esperándonos —le decía meloso—, como Penélope o Medea, o como cualquier diosa griega, bellísima, al final de la travesía. ¿Cuándo accederá a venir conmigo, los dos solos, a descubrir los secretos de este lago? Yo podría mostrarle los lugares más hermosos, los más apartados y misteriosos. Existen rincones en estas orillas que no conoce nadie; playas recónditas, bosques profundos, claros solitarios, donde podríamos ocultarnos de miradas curiosas y malas lenguas.

Entonces Sydney se sonrojaba y señalaba a León con la cabeza, pidiéndole sin palabras al galán: «Sé discreto, Domenico, ten piedad de mí».

—Mi hermano no entiende el inglés —continuaba él—, aunque sí se da cuenta de la fascinación que siento hacia usted. Esta fuerza no se puede dominar. Es ella la que me domina a mí.

—Calla.

—Me atrae como el imán al metal, me hace hervir como el fuego al agua.

—Calla, Domenico, por lo que más quieras.

—La deseo, señora, desde que la vi en la ventana. Sueño con su piel de oro, sus labios carnosos, su melena rizada, su cuerpo y su alma.

Estas cosas le decía Domenico con pequeñas variantes. La piel de oro era a veces de fuego, y los labios se podían morder, y el pelo era capaz de enredarse en sus dedos, pero el fondo era siempre el mismo: hablaba del cuerpo de Sydney como de un festín y, mientras lo hacía, sus músculos se tensaban, la carne se le ponía de gallina y la boca se le hacía agua.

Luego León pasaba entre ellos rompiendo el encantamiento y entonces Domenico y Sydney reparaban por primera vez en la presencia de la vieja Abbondia, santiguándose entre los arbustos.

—Lejos de sus maleficios —decía el galán.

Charles Morgan también observaba la escena, disimulando detrás de un libro abierto, desde la ventana del laboratorio. Sydney lo sabía, pero no le importaba lo más mínimo. «Sufre», pensaba, y eso le proporcionaba a ella una satisfacción malsana, dulce y ácida al mismo tiempo, que hacía más excitante si cabe el cortejo.

—Siempre ha sido una coqueta incorregible —le había advertido la dulce Olivia al doctor Morgan el día en que se conocieron—, pero no debes mortificarte. También ha mantenido a todos sus pretendientes a raya dándoles una de cal y otra de arena, y parándoles los pies cuando ha sido necesario. Puedo asegurarte que ninguno de ellos ha logrado jamás rozarle la piel, besarle otra cosa que no sea la mano o pasearle la vista más allá del tobillo. Creo que en eso consiste su éxito. En preservar su virtud y ser inalcanzable.

Pero poco consuelo encontraba ahora Charles en aquellas palabras, cuando ya la virtud de Sydney le pertenecía a él, no a ella, y, apesadumbrado, presentía que no sería capaz de conservarla durante mucho tiempo. Para su desgracia, Domenico Fontana era tremendamente atractivo, hablaba inglés con un seductor acento italiano, era más joven que él, más alto, más fuerte, más tentador y, además, estaba prohibido. Lo único que podía hacer el pobre Charles era arrastrarse como un gusano ante Sydney y permitirle que lo pisoteara mientras la felicidad se le escurría como el agua entre los dedos.

Y así se habría sentido indefinidamente si no se le hubiera ocurrido la idea más peregrina de su intachable historia. Fue una iluminación malvada que al principio descartó por despreciable, pero que, desesperado, una de esas tardes en las que su esposa había acudido a recibir a Domenico, se decidió a poner en práctica. Salió de casa sin hacer ruido, se ocultó entre los arbustos, se asomó al mirador, recorrió algunos metros a escondidas y, cuando la tuvo a tiro, agarró a Abbondia por la cintura, le tapó la boca con la mano y la sujetó muy bien mientras Domenico y Sydney cruzaban el jardín por el caminillo de piedra alumbrándose con un único candil. En cuanto las dos sombras desaparecieron de su vista liberó a la vieja, que ya lo estaba mordiendo y arañando como una fiera.

—¿Entiende el italiano? —le dijo, chapurreando aquel endiablado idioma.

Ella asintió, enfadada.

—Tengo un trabajo, un *laboro*, para usted —le dijo al tiempo que se llevaba la mano al bolsillo y sacaba unos billetes—. Es muy simple. Quiero que vigile a mi esposa,

¿entiende lo que le digo? Vi-gi-lar —repitió haciendo la señal universal de llevarse el dedo al párpado inferior y tirar de él hacia abajo— a mi esposa.

Abbondia sonrió. Tenía los dientes negros. Era una auténtica bruja.

—Y decirme dónde está en cada momento, *dove si trova*, y con quién.

—Su esposa es un demonio —respondió Abbondia escupiendo al suelo—. Va a por mi niño. Mi Domenico. Lo ha hechizado.

Charles reconoció sólo tres o cuatro palabras, pero le bastaron para entender que Abbondia aceptaba el trato.

—Pero no quiero su dinero —replicó ella—. Quiero que se marchen de aquí y no vuelvan más. Llévense sus frascos, sus ancas de rana, sus brujerías. Que Dios los castigue lejos de mi casa. Que cuando caiga el rayo que los parta en dos mis niños estén a salvo. Estoy cansada de exorcizar la villa, de salpicar las paredes con agua bendita, de ofrecer sacrificios a San Abbondio, de caminar descalza, de quemarme la punta de los dedos con teas encendidas para mortificarme. Que he rodeado su casa con cenizas de hierbabuena para no permitir a los malos espíritus atravesar el jardín, que he colocado crucifijos bajo las camas, que he puesto ristras de ajos en las ventanas y muérdago sobre las puertas. Que detrás de cada tapiz hay una escoba escondida, boca arriba, para que se marchen y que en la olla mezclo vino con sangre de rata para que no vuelvan. Demonios. Hijos de Belcebú.

—Nos iremos, Abbondia, en cuanto venza el alquiler. El último día de agosto —le respondió lord Morgan en inglés—. Nos esperan en Génova los condes de Visconti y los marqueses de Confalonieri. Hasta entonces, confío en usted para evitar una desgracia.

Selló el acuerdo con un apretón de manos —el odio es un idioma que no sabe de lenguas— y regresó a toda prisa al salón de su villa para recibir a Sydney en el silencio más absoluto.

Tuvo suerte Charles Morgan. El primer chivatazo de Abbondia no se hizo esperar. Dos días después del pacto, la vieja entró a trompicones en el laboratorio para contarle que había visto a lady Morgan subirse en una barca y remar hasta Villa Garrovo, donde la condesa Vittoria Pino la estaba esperando con los brazos abiertos.

Intrigado por aquella excursión de su esposa, Charles decidió acudir con los prismáticos del teatro ocultos entre la ropa para vigilar a las dos mujeres desde lo alto del templo de Hércules, no fuera a ser que el galán Fontana apareciera de pronto disfrazado de rey de Francia y hubiera que intervenir de urgencia.

A pesar de que el modo más rápido y lógico de llegar a Villa Garrovo era en barco —apenas diez minutos a remo—, prefirió tomar prestado uno de los caballos de la casa con la intención de dejarlo amarrado a una estaca en un recodo del camino y recorrer los últimos metros a pie para evitar ser descubierto por los Pino o sus criados. Sigiloso, subió la colina entre castaños y se escondió tras el templete neoclásico desde el cual se contemplaba una buena vista del jardín.

Al cabo de unos minutos de soledad y silencio, comenzó a cuestionarse lo improcedente de su comportamiento. Se dijo que, éticamente, eso de vigilar a una dama, por mucho que fuera su propia mujer y su virtud se viera amenazada por la existencia de un vecino guapísimo, era bastante reprobable. Más aún para una persona que, como él, se considerase un librepensador y defendiese a capa y espada los valores de la independencia, el autogobierno y el sufragio universal.

—Abajo el despotismo y la tiranía —le repetía a Sydney—. Inauguremos la era de la luz, la supremacía de la razón y de la ciencia. Aboguemos por el derecho a la libertad sin límites.

¡Qué incongruencia era ésta del escondite y los prismáticos! Si tanto amaba la libertad, ¿no debería empezar por concedérsela a Sydney? Y, sobre todo, ¿no era esa cualidad, la independencia, la que más admiraba en su esposa?

Pero entonces se figuró a su adorada Glorvina rindiéndose al asedio de Domenico Fontana y volvió a sentir la punzada de dolor que desde hacía días le atravesaba el pecho. «Los celos son más crueles que la más inhumana esclavitud», se dijo cuando desenfundó de nuevo los prismáticos obedeciendo las órdenes despóticas del peor de los tiranos.

En medio de esta lucha interna —ángel ilustrado contra ángel patán—, la puerta de Villa Garrovo se abrió por fin como un telón y al jardín saltaron tres personajes: un hombre y dos mujeres. Una de las damas era Sydney, disfrazada con unas cortinas de seda que apenas cubrían su cuerpecillo menudo. La otra era Vittoria Peluso, como en sus mejores tiempos de estrella en la Scala, sombrero de plumas y botas de mosquetero, bigote postizo y espada en ristre. El hombre vestía uniforme militar de la armada italiana y caminaba con una cojera profunda, una herida de guerra casi mortal. Se había vendado medio cuerpo —cabeza, brazo y pierna izquierda— y avanzaba detrás de las dos mujeres, apoyándose en un bastón de madera y marfil.

Charles notó perfectamente cómo se le erizaba el pelo. Las sienes le latían, el aire se le estancaba en el pecho. Dio por hecho que, con ese uniforme, aquel soldado no podía ser otro que Domenico Fontana disfrazado de herido, ya que el resto del ejército italiano estaba luchando en Rusia a las órdenes del general Pino.

Se frotó los ojos. Enfocaba mal. Las tres siluetas salieron de su campo de visión charlando animadamente y se internaron en el bosquecillo que quedaba a su izquierda. Entonces, Charles abandonó su escondite y, ágil como una alimaña, descendió la cuesta amparándose en la sombra de los arbustos hasta que logró acercarse tanto a sus presas que, agudizando el oído, pudo escuchar algunas palabras sueltas de su conversación.

—La estepa es tan ancha como el mundo —estaba diciendo el militar—. Es como un desierto verde. Cuando se levanta viento, las hierbas dibujan un oleaje idéntico al del mar. De lo profundo de su inmensidad se diría que saltan ballenas y delfines. Pero uno se fija bien y descubre que no son sino carromatos abarrotados de zíngaros que con sus cascabeles y sus panderetas cruzan el mundo de lado a lado.

—¿Cómo tienen los ojos las gitanas? —preguntó Sydney.

—Como los de los gatos —respondió el herido—, grandes y rasgados. Verdes, negros, profundos. Pobre del soldado al que lo miran esos ojos. No vuelve a ser el mismo.

—¿Y a ti? ¿Te hechizaron las zíngaras? —preguntó Vittoria con voz pícara.

—Una de ellas me sonrió —respondió él—. Pero yo bajé la vista a toda prisa. Ambas sabéis que mi alma ya no me pertenece. Y no se puede robar algo que no se posee. La hechicera se dio cuenta. Agitó su pandereta ante mis ojos y se dio la vuelta.

—¿Eso fue antes o después de que te hirieran?

—Fue dos días antes. Los rusos nos estaban esperando detrás de las montañas, en el extremo de la llanura. Eran más de quinientos. Nosotros sólo cien. Estaban emboscados. Conocían el terreno. No hubo nada que hacer.

—¿Cómo supieron que atravesaríais el llano?

—Querida Sydney —respondió el herido—, a tu pregunta, la misma que me hago yo una y otra vez, no encuentro respuesta. Las órdenes eran secretas; el itinerario no lo conocíamos más que un puñado de hombres de confianza. Sólo existe una explicación, y es terrible.

—¡Alta traición! —exclamó Sydney horrorizada, cogiendo la mano del militar entre las suyas.

En ese momento al pobre Charles le dio un vuelco el corazón al observar el gesto cariñoso de su esposa hacia el hombre al que equivocadamente había confundido con el joven Fontana. Menos mal que entonces, para su sorpresa y alivio, la condesa Vittoria se acercó por detrás al herido y comenzó a acariciarle la cabeza y el cuello con manos amorosas. Acto seguido, se inclinó sobre él y lo besó en la boca con una glotonería tan obscena que Sydney se vio obligada a ponerse en pie y hacer mutis por el foro.

La escena que representaron los amantes a partir de entonces fue tremenda. Tanto que Charles Morgan decidió regresar a casa y esperar allí a su mujer con una mezcla de agitación, mala conciencia y alivio, una vez que se cercioró de que no era Fontana, sino Pino, el Domenico del jardín.

La pregunta de qué estaba haciendo el general Pino en Villa Garrovo en lugar de estar luchando en Rusia quedó flotando en el aire como uno de esos misterios en los que es preferible no indagar. Pero la palabra traición, ésa sí cayó sobre sus hombros con el peso de un mazo de plomo.

CARTA DE LADY CLARKE A LADY MORGAN

Londres, Great George Street, 20 de agosto de 1812

Querida Sydney:
Hermana del alma... Hace apenas unas horas entregué al correo una carta en la que trataba de consolarte por la pérdida de tu bebé y ahora, con la mayor de las angustias, te escribo esta otra para alertarte sobre una persona a la que pareces haber tomado mucho afecto durante tu estancia en Italia.
Estoy preocupadísima por ti, Sydney, y admirada por tu facilidad para meterte en líos. Desde niña siempre te las has apa-

ñado para estar en el ojo del huracán. Como aquella ocasión en la que le diste una paliza a uno de los acreedores de papá y terminaste prestando declaración en el juzgado, ¿te acuerdas? Bien cierto es que el señor Barrington se lo tenía muy merecido, era un sinvergüenza; pero, niña, a todos les asombró tu audacia; no levantabas ni metro y medio del suelo y eras, sin embargo, más brava y osada que un gallo de pelea. Aquel hombre te sacaba dos cabezas de altura y era más ancho que el armario de la ropa blanca. Recuerdo perfectamente que, subida encima de la mesa del comedor y armada con el atizador del fuego, le arreaste tres o cuatro mandobles que le doblaron por la mitad. ¡Cómo gritaba Molly, echándose las manos a la cabeza, creyendo que lo habías matado de un golpe!

En fin, Glorvina, no quiero distraerte del motivo de esta carta, la cual espero que llegue a tiempo de evitar alguna desgracia, así que, por favor, lee con atención lo que tengo que contarte.

Ocurre que de un tiempo a esta parte nuestra apacible existencia en Great George Street se ha visto alterada por la sobrecarga de trabajo del pobre Arthur, que cada día pasa más tiempo en el hospital militar y menos en casa. Como sabes, en estos momentos nuestro ejército libra batallas en tres frentes distintos. Las escaramuzas y los combates están a la orden del día. Los heridos, que se cuentan por centenares, llegan medio muertos a bordo de fragatas y barcazas procedentes del continente, muchos de ellos en un estado de tal gravedad que Arthur se desespera ante la impotencia de sus esfuerzos. Para empeorar todavía más la situación, se ha detectado un brote de viruela que mantiene aislada toda un ala del hospital. Muchos civiles, algunos niños y mujeres son enviados allí y puestos al cuidado del personal sanitario de la armada a pesar de que, en justicia, debería ser la medicina pública y no la militar la que atendiera sus casos.

Por este motivo, querida Glorvina, casi no veo a mi esposo. Pasa día y noche ocupándose de sus enfermos y regresa a casa en un estado de ánimo tan sombrío que ya no sé qué hacer para devolverle el buen humor.

Dicho esto, espero que puedas perdonarme cuando sepas que esta noche le he leído a Arthur una de tus cartas. Se me ha ocurrido que le serviría para olvidarse por un rato de sus problemas y viajar con la imaginación hasta el paraíso donde te encuentras.

Es curioso con qué rapidez olvidamos que existe la alegría. Es como el tiempo. ¿Quién recuerda, en medio del más crudo invierno, la luz y el calor de las largas tardes de verano? ¿Y quién piensa en el frío y la lumbre cuando se encuentra, como nosotros ahora, en medio de uno de los más agobiantes estíos? Pues lo mismo pasa con la felicidad: si por algún motivo se interrumpe, nos parece que se ha ido para siempre, que no habrá primavera después del invierno ni otoño al final del verano.

Tu carta, Glorvina, ha tenido por unos momentos el efecto de un bálsamo milagroso para mi querido Arthur. Se ha arrellanado en el butacón de la biblioteca, ha cerrado los ojos y ha escuchado placenteramente mi lectura con una sonrisa de satisfacción en la cara.

Pero entonces, ¡ay, Sydney!, al pronunciar el nombre de Domenico Pino, mi marido ha pegado un salto de varios centímetros sobre su asiento, al tiempo que ha proferido una grosería de tal calibre que no me atrevo a repetir, y menos por escrito.

—¡El general Pino! —ha bramado—. ¡No es posible que sea el mismo!

Me ha arrancado tu carta de las manos y ha proseguido su lectura en silencio, con cara de preocupación. Cuando ha terminado con la primera ha querido leer el resto de las cartas. Al principio, yo me he resistido por respeto a tu intimidad, pero él ha insistido de tal modo que al final no he tenido otro remedio que consentirlo. Me ha dicho que era cuestión de vida o muerte.

Mientras leía, dejaba escapar algunas exclamaciones de sorpresa. Yo le he preguntado: «¿Qué es, qué pasa?», pero él no ha querido darme ninguna explicación. Finalmente, se ha levantado, ha cogido el sombrero y el bastón, ha llamado al cochero y ha salido disparado hacia quién sabe dónde.

Antes de desaparecer de mi vista, Glorvina, imagínate la escena: yo, aterrada, con la pequeña Lucy llorando en mis brazos, suplicándole a mi esposo que me contara lo que estaba pasando. Arthur se ha asomado a la puerta del landó y me ha dicho: «Livy, amor mío, te ruego que escribas una carta urgente a tu hermana advirtiéndole que corre un grave peligro. Dile que no se mezcle con esa gente, los condes de Pino, o estará arriesgando inútilmente su vida y la de Charles. Mi consejo es que regresen cuanto antes a Inglaterra y que permanezcan al margen de intrigas y conspiraciones porque siempre acaban mal».

Es posible que éstas no hayan sido sus palabras literales. Puede que en lugar de «arriesgando» haya dicho «sacrificando», o en vez de «inútilmente», algo así como «imprudentemente». Pero la palabra «intrigas», ésa sí la ha pronunciado letra por letra, lo recuerdo perfectamente porque me ha atravesado el corazón como un cuchillo.

Las intrigas son terribles, Sydney, temerarias, mortales.

Por eso te ruego, princesa de Innismore, salvaje irlandesa, que si estás en peligro, te pongas a salvo aunque sólo sea por piedad hacia tu hermana Olivia, que te adora y no sabría vivir sin ti.

Ten compasión de mí. Imagínate el miedo que estoy pasando. Estoy sola en casa, los niños duermen, Arthur no ha regresado aún ni creo que lo haga antes del alba. No sé qué ocurre. Leo y vuelvo a leer tus cartas sin encontrar una pista que me indique por qué mi marido ha reaccionado del modo como lo ha hecho y no hago más que rezar pidiéndole a Dios que os proteja y os traiga de vuelta a casa sanos y salvos.

Ya amanece, Sydney, ya me despido de ti con el corazón encogido. Ya cierro este sobre y lo sello con lágrimas y besos. Espero que mi advertencia llegue a tiempo de evitar una desgracia: aléjate del general Domenico Pino, por lo que más quieras.

Por favor, respóndeme a vuelta de correo para que el alma me regrese al cuerpo y pueda volver a respirar, a dormir, a vivir.

Tu hermana que te adora,
Olivia Clarke

Hasta ese momento, Claudia había leído del tirón. Sin levantar la vista del papel, sin tomar aire, sin darle a Francesca la oportunidad de interrumpirla con alguno de sus absurdos comentarios. Pero, al llegar a ese punto, al final de la carta de Olivia Clarke, hizo una larga pausa, miró a su hermana a los ojos y cerró el libro con fuerza. Una nubecilla de polvo salió del interior de sus páginas viejas.

—Sigue, Claudia —le rogó Francesca.

—Si sigo ahora, es posible que ya no pueda detenerme, Franchie. La historia está llegando a su fin. ¿Seguro que quieres saber lo que le ocurrió a Sydney? Mira que eres muy impresionable, mira que luego no puedes conciliar el sueño.

—Sigue leyendo, Claudia, por favor.

Claudia obedeció. Abrió el libro por una página al azar, paseó la vista por encima de aquellas letras apretujadas y continuó leyendo, sin detenerse a comprobar si aquella historia conmovía el ánimo de su hermana o no. Qué mas le daba si ya todo se había cumplido. Si ya no había otro remedio que acabar de una vez.

Fue una lástima que el cartero se demorase tanto aquella semana. La misiva de Olivia Clarke tardó cinco días enteros en llegar a Como y, cuando finalmente lo hizo, era ya demasiado tarde. La doncella dejó el sobre cerrado en el escritorio, junto al resto del correo, sin imaginar que lady Morgan acababa de abandonar la casa en secreto.

Tal vez, de haber recibido a tiempo las advertencias de lady Clarke respecto a Domenico Pino, Sydney se lo hubiera pensado mejor antes de acudir a la llamada de su amiga Vittoria Peluso.

La nota en la que requería su angelical presencia, «disfrazada de Cordelia», se la entregó un cochero a primera hora de la mañana. Decía: «Domenico ha regresado de Rusia con una pierna destrozada y una tristeza muy honda. Ven, Glorvina, y ayúdame a curarle las heridas». Sydney no lo dudó ni un momento. Almorzó en silencio frente a Charles y después, mientras su marido dormía la siesta, soltó las amarras de la pequeña barca de remos que los Fontana habían puesto a su disposición y partió hacia Villa Garrovo.

Si la carta de Olivia Clarke hubiera llegado antes, quizá lady Morgan no se habría embarcado en solitario a bordo de aquel balandrito incapaz de hacer frente a las tormentas. O, en todo caso, habría tomado precauciones: un cochero que la esperara en la puerta, un barquero que la recogiera a tiempo de cruzar el lago sin incidentes o, quién sabe, tal vez un marido desesperado, dispuesto a cumplir todos y cada uno de sus deseos con tal de recuperarla.

Pero no. La princesa de Innismore acudió sola e indefensa a la cita, pasó la tarde en Villa Garrovo y, cuando quiso regresar a casa, se topó con la mayor tempestad jamás conocida en toda la historia de Lario: volaron tejados, se ahogaron gallinas, se perdieron cosechas y se hundieron barcos, entre ellos, el pequeño cascarón en el que viajaba Sydney Morgan.

Por su parte, Charles, de vuelta en Villa Fontana tras su inconfesable episodio de espionaje en el jardín de los Pino, soportó la tormenta como pudo; en parte preocupado por el paradero de su esposa y en parte confiado en que estaría a salvo en Villa Garrovo porque dio por hecho que Domenico Pino, todo un caballero, jamás le permitiría a una dama abandonar aquella casa en una tarde tan siniestra. Aguardó pues a que amainara el temporal para cronometrar la demora y calculó mentalmente que a eso de las nueve, a tiempo para la cena, oiría los cascos de los caballos del landó de los Pino trotando sobre el suelo de piedra de Villa Fontana. Entonces le haría frente a Sydney, ya estaba bien de tanta cobardía, y le preguntaría sobre aquella palabra —«traición»—, la única que había podido escuchar claramente de toda la conversación con Pino, porque no le cabía duda de que él era la víctima y ella la traidora, la que había echado por tierra el amor y la pasión y la dulzura sólo por gozar del cuerpo prohibido de Domenico Fontana. Tal es la ceguera de los celos.

Pero a las nueve sólo escuchó el carillón del reloj de pared. A las diez, la pregunta del cocinero: «¿Cenarán los señores?». Y a las diez y media, los latidos de su corazón resentido.

Se dio cuenta de que llevaba tres horas martirizándose con la imagen del cuerpo de Sydney entre los brazos de otro hombre. La soledad y la espera le estaban volviendo loco. Al filo de la medianoche perdió los papeles. Subió los escalones de dos en dos y entró en el gabinete de su mujer convencido de que en algún lugar de aquella habitación encontraría la prueba irrefutable de los amoríos de Sydney y el joven Fontana, de quien, por otra parte, tampoco había sabido nada en toda la tarde. Ni de Abbondia, la espía que probablemente jugaba a dos bandas ofreciendo información puntual a Domenico para allanarle el camino hacia Sydney mientras lo vigilaba a él con un ojo y a ella con el otro, en beneficio propio y de su consentido, la muy bruja.

Ya no sabía qué pensar ni en quién confiar. Se sentía solo, humillado, confundido. Únicamente le quedaba dar con la huella del amante entre las cosas de Sydney para poder enfrentarse a ella con motivos mejor fundados que la febril agitación de sus celos. Buscó el hilo de un botón, la pisada de un zapato, la nota escondida o el cabello arrancado. Revolvió cajones, abrió armarios, derramó tinta china, arrugó papeles, descolgó cuadros y leyó toda su correspondencia y sus diarios íntimos.

Entonces, por suerte o por desgracia, encima del escritorio donde aquella misma tarde lo había depositado la doncella, encontró un sobre cerrado. La carta de Olivia. La abrió sin importarle que Sydney descubriera más tarde su fechoría y leyó aterrado las advertencias de Arthur Clarke sobre los condes de Pino: «Dile a Sydney que no se mezcle con esa gente o estará arriesgando inútilmente su vida y la de Charles».

Aquellas palabras cayeron sobre el ánimo del doctor Morgan como un jarro de agua fría. En menos de un minuto de lucidez se dio cuenta de que por culpa de los celos había malinterpretado la situación. La pequeña Glorvina se había metido en un lío, sí. Pero no en uno romántico, como él había sospechado, con el vecino irresistible, sino en un asunto político de dimensiones desconocidas que de alguna manera explicaba la presencia de Pino en el jardín de Villa Garrovo. «Diles que permanezcan al margen de intrigas y conspiraciones», les advertía Arthur desde Londres.

Si en lugar de abandonar la casa a toda prisa se hubiera parado a pensar, habría buscado a Abbondia para preguntarle si sabía algo más y quizá la habría encontrado entre los pucheros de la cocina. La vieja podría haberle contado que después de marcharse él de Villa Garrovo, ella había permanecido unos minutos más escondida entre zarzamoras y había escuchado una sorprendente conversación entre Sydney Morgan y Vittoria Peluso bajo el inmenso sicomoro del jardín. Que la Pelusina había hecho su reaparición sobre el césped vestida de mosquetero, bigote incluido, con los ojos desorbitados y la respiración agitada y había acorralado a la brava Glorvina contra el tronco del árbol.

—¡Calla y escucha, amiga mía! —le había dicho, tapándole la boca con su mano blanca—. Lo que te ha contado mi marido es cierto. La armada ha caído en una emboscada en Rusia y los militares creen que han sido traicionados. Han descubierto una trama en la que están implicados tus amigos los nobles y el joven Fontana y, además, Sydney, amiga mía, sospechan de ti.

—¿De mí? —La irlandesa había palidecido ante semejante revelación—. ¿Por qué?

—Por el simple hecho de estar casada con un inglés te acusan de espiar para Inglaterra. Antes, cuando hablabas con mi marido, tú no te dabas cuenta, pero él estaba tratando de sonsacarte información sobre la conspiración. Quieren encarcelarte. Te torturarán, Sydney, si no huyes cuanto antes.

Lady Morgan trató de hablar, pero Vittoria se lo impidió.

—Yo sé que eres inocente —dijo—, te conozco desde hace poco tiempo, pero tengo la sensación de que nuestra amistad es tan auténtica que puedo leer en tu alma como en un libro abierto. Sé a ciencia cierta que tú no has participado en la conjura, pero he sido incapaz de convencer a Domenico. Él no permitirá que volvamos a vernos. Piensa detenerte hoy mismo, Sydney. Tu única opción es abandonar esta casa, esta ciudad y esta tierra de locos. Yo te despejaré el camino, amiga. Distraeré a mi esposo para que puedas escapar. Súbete a la barca, vuelve a Villa Fontana, toma un carruaje y vete a Irlanda, princesa de Innismore, despídeme de Charles y no me olvides nunca.

Pero quizá no. También podría haber ocurrido que si Charles Morgan se hubiera entretenido en indagar sobre el paradero de Abbondia, habría descubierto que la vieja había desaparecido sin dejar rastro, llevándose con ella al joven Domenico Fontana, al galope ambos en una yegua blanca, y que los dos, hechicera y príncipe encantado, se habían internado en el bosque camino de Villa Pliniana porque por experiencia sabían que en las noches de tormenta, la deriva del lago solía arrastrar los restos de los naufragios hasta aquella orilla recóndita y solitaria.

Ambas opciones habrían sido válidas y ambas verdaderas, dado el extraordinario don de la ubicuidad de la

vieja, pero, puesto que Morgan salió al rescate sin encomendarse ni a Dios ni al diablo, nada de esto se supo hasta
la mañana siguiente, cuando ya era demasiado tarde, el
cuerpo de Sydney yacía sin vida en una cama empapada y
Charles, con los ojos desencajados por la desesperación, se
mecía de delante atrás en una silla a su lado.

Claudia continuó leyendo como si tal cosa, a pesar de que
sus ojos habían perdido el brillo de la vida. Francesca cayó
en la cuenta de que su hermana jamás pasaba las páginas.
Permanecía siempre detenida en el mismo párrafo, estan-
cada, incapaz de avanzar o de retroceder, paseando la vista
una y otra vez sobre una sola línea, inventándose la historia a capricho, que si ahora me interesa que se muera, pues
va y se muere. Y si quiero que resucite, pues vuelve a la vida,
qué fácil.

—La salvaje Glorvina —leía Claudia sin mirar las letras—, irlandesa de nacimiento, había soltado amarras sin
tener en cuenta que algunas veces la fuerza del viento no
supera la de las corrientes de los lagos asesinos. Había re-
mado a favor del viento, pero en contra del agua, y muy
pronto había comprendido que jamás lograría alcanzar la
orilla opuesta. Cuando sintió que los brazos se le acalam-
braban, que el estómago se doblaba sobre sí mismo y que
le faltaba el aire, decidió dejarse llevar por la naturaleza,
doblegándose a su voluntad, sin pensar que ésta pudiera
ser la de devorar su cuerpo menudo.

»Así fue. Primero llegaron los empellones del viento y
de las olas; luego, la lluvia torrencial, los rayos y los truenos, el balanceo de aquella barca a merced de las olas. Después vinieron el miedo y las oraciones, el recuerdo, a buenas horas, de aquel Dios que se había vuelto tan despiadado.
Y, por último, el arrepentimiento, el recuerdo de su esposo
Charles acariciándola entre las sábanas, las lágrimas deses-

peradas al entender que no lo vería más, al menos en esta vida, al menos con esta apariencia humana. Y que moriría sin despedirse de él y sin perdonarle, y sin pedirle perdón.

»Entonces se hundió. Y a medianoche el doctor Morgan encontró su cuerpo sin vida envuelto en un vestido blanco de muselina balanceándose con el ir y venir del agua. Traía tanta paz en la cara que todos dieron por hecho que había muerto acunada por las olas. Con los ojos verdes abiertos de par en par y los labios morados de frío, y la piel arrugada como la de una viejita, y el pelo negro todo enmarañado. Pero eso ya te lo había contado, Franchie, lo que pasa es que no me creíste. Dijiste que cómo iba a ahogarse lady Morgan siendo como era una nadadora tan hábil. Ahora lo entiendes, ¿verdad?

»A veces los asesinatos no tienen un autor humano. A veces es Dios el asesino a través de su creación, la naturaleza, y sus instrumentos los hombres, con sus equivocaciones, sus torpezas y su imperfección.

»Tú tenías siete años y eras buena, Francesca. La mejor de las dos. Yo no era más que una caprichosa. Te estropeé el regalo, la infancia, la vida. Me hubiera gustado pedirte perdón. Intenté hacerlo, pero la boca se me llenó de agua.

Claudia cerró el libro y lo apretó contra su pecho de trapo. Francesca los lanzó a los dos por la ventana: libro y fantasma. Cayeron describiendo una curva tremenda que partió de aquel balcón y terminó en el lago, a escasos centímetros del embarcadero, y que sobrevoló la escena de Margherita en el suelo, Stefano abanicándola y el doctor auscultando su vientre abultado.

Allí quedaron durante horas las páginas de seda y el recuerdo de Claudia con coletas, cinco años y mellas en los dientes, disolviéndose en el líquido negruzco de las aguas hasta que poco a poco dejaron de existir.

Se acabó Claudia. Se acabó el crimen.

Salió el sol. ·

XIX

Nueva York, dos meses después

La isla de Manhattan había amanecido cubierta por una espesa capa de nubes que en algunos lugares eran blancas y brillantes y en otros sucias y grises, los charcos pisoteados por las manadas de gentes dispares que poblaban aquella ciudad de extraterrestres. Francesca Ventura salió del hotel Pierre amparada por el paraguas de un portero uniformado, el mismo que cada mañana, lloviera, nevara o hiciera sol, la acompañaba hasta el final de la alfombra roja y detenía el tráfico para conseguirle un taxi. Debía de estar un poquito enamorado de ella: de su metro ochenta, de su melena caoba y ondulada, de sus piernas largas, de su cintura estrecha y de sus tacones de aguja. De sus labios rojos, de sus gafas de sol, de sus buenos días con acento italiano y de su indiferencia enfermiza hacia todo lo que la rodeaba.

Todos lo estaban. Platónicamente enamorados de Francesca Ventura.

Su fotografía empapelaba la ciudad de norte a sur. Con el frasquito de perfume en la mano —la campaña mundial de Chipre Floral de Versace— y una lágrima deslizándose por su mejilla izquierda.

Aquella imagen la había tomado Richard Avedon el mismo día en que la joven modelo había aterrizado en el aeropuerto JFK procedente de Milán. Estaba previsto que la sesión fotográfica diera comienzo una semana después de su llegada a Nueva York, una vez se hubiera instalado en su nuevo hogar de la Quinta Avenida, cuando ya los sucesos de los últimos dos meses en Italia no fueran sino un lejano recuerdo del que nadie, por contrato, le volvería a hablar. Sin embargo, al descender por la escalinata del avión y respirar el aire frío de la ciudad en otoño, Francesca se había retirado las gafas de sol de los ojos y se había enfrentado cara a cara con la nueva luz que a partir de ese momento iluminaría su vida. Entonces, todos aquellos días envueltos en sombras que había pasado encerrada en el palacete renacentista de los Cossentino, en Florencia, donde había recibido las visitas del doctor Musatti (quien se empeñaba obstinadamente en convencerla de la no existencia de Claudia por mucho que la niña estuviera presente en todas y cada una de las sesiones haciéndole señales a su hermana desde detrás del médico), habían invadido su cabeza hasta provocarle el llanto. Y, cómo no, la lente del fotógrafo, que la esperaba a pie de pista para darle la bienvenida al nuevo mundo, había captado con una asombrosa precisión el instante en que una lágrima imposible de contener se había deslizado por su cara antes de estrellarse contra el suelo asfaltado del aeropuerto.

Ya no fue necesario organizar aquella producción millonaria de la que habían hablado tantas veces, ni de alquilar un helicóptero, ni de contratar al mejor estilista de la ciudad, puesto que aquella imagen espontánea de la chica llorando en la escalinata del avión, la melena al viento, la camisa de seda, la boca entreabierta en una expresión de asombro y miedo, resultó tan rotundamente perfecta que cualquier intento de mejorarla hubiera sido imbécil.

Así se lo dijo Avedon a Versace aquella misma tarde: «Imbécil», sólo que en inglés, que suena peor. Y el italiano optó por confiar en el genio de su amigo, como había he-

cho siempre, y ahorrarse la molestia de la superproduc-
ción. En su lugar, invitó a Francesca a acompañarle a todos
y cada uno de los eventos a los que asistió durante aquellos intensos días de octubre, en parte para presentar en
sociedad a su nuevo hallazgo y en parte porque no sabía
qué otra cosa hacer con la italiana ahora que su presencia
en Manhattan se había vuelto tan innecesaria.

De este modo, Francesca fue admitida en los círculos
más exclusivos del poder y del lujo. Conoció a las grandes
divas del cine, a las damas fabulosas de la sociedad neo-
yorquina, compartió mesa con los mejores partidos del
mundo y coqueteó con los galanes del cine, la moda y la
televisión que se daban cita en las noches locas del Studio
54. Se dejó llevar por la *dolce vita* y el *dolce far niente* hasta
que se acostumbró a los excesos de una existencia ociosa,
los asumió como propios, y se propuso probarlos todos,
empezando por el alcohol.

Años después, Francesca llegaría a creerse su propia
mentira: la de su inocente iniciación en la bebida por culpa
de tal o cual sujeto sin escrúpulos que la convenció para que
tomara una copa o dos a pesar de que ella jamás, en toda su
vida, había sentido la menor inclinación por los licores.

Pero su romance con la bebida fue una decisión consciente y voluntaria que tomó al despertar de su primera
borrachera en solitario y recordar claramente que había
pasado la noche entera jugando a las cartas con Claudia.
Hizo la prueba de volver a beber hasta perder la compostura y cuando volvió en sí comprobó que aún era capaz de
tocar con la punta de los dedos la piel helada de su hermana muerta.

Desde entonces, bebía para encontrarse con ella en un
lugar de nieblas entre esta vida y la otra, el limbo de los
inocentes, donde no hay edad ni tiempo ni recuerdos ni
dolores. Se tambaleaba por el pasillo de su hotel y no ati-
naba con la llave. La lengua se le volvía de trapo, la risa de

boba. Olvidaba el inglés y regresaba al italiano, a su infancia triste y a los brazos de Claudia esperándola detrás de las cortinas.

Gianni Versace llegó a sentirse tan culpable que contrató a un equipo de relaciones públicas para que manejara el asunto, de modo que nada de todo eso saliera a la luz, y lo logró con creces, ya que la imagen pública de Francesca siempre fue la de una joven aristócrata italiana de reputación intachable y educación exquisita que posaba para Richard Avedon por diversión mientras cursaba sus estudios de literatura en la Universidad de Milán.

Hasta la propia Francesca se creyó el cuento. Llamaba a Versace «tío Gianni» y se le colgaba del cuello con la candidez de una niña buena que se deja arrastrar por la marea.

Aquel domingo había quedado con el calabrés para tomar el *brunch* en el Odeon. Su llamada telefónica, la tarde anterior, la había despertado de un pesado sueño en el que sentía que se ahogaba sin remedio en las profundas aguas de un océano muy negro. Efectos secundarios del vodka con naranja.

—¿Franchie?

—¿Mmm…?

—¿Has vuelto a beber, *amore?*

—Yo no bebo, tío Gianni, ¿quién te cuenta esas cosas tan feas de mí?

Versace la esperaba desde hacía más de una hora sentado a una solitaria mesa con un café frío, un periódico arrugado y una expresión de aburrimiento bajo la barba. Le gustaba vestir de negro: camisa de seda y chaqueta abierta, sin corbata. Francesca entró dando un portazo. Todas las miradas se clavaron en ella. Lo saludó en italiano, a gritos desde la puerta, y él la respondió de la misma manera, escandalosa y alegre, lanzándole piropos en su lengua cantarina. Después se besaron ruidosamente. Cualquiera habría creído que se trataba de una pareja de amantes, tal era la intensidad de sus abrazos. Él la ayudó a desabrocharse los botones del abrigo. Debajo del chaquetón apareció un jersey tan diminuto y una falda tan corta que ya nadie despegó los ojos de aquel monumento de mujer durante las dos horas siguientes.

—Franchie, *cara*, me tienes muy preocupado —dijo Gianni, cogiéndole una mano entre las suyas—. Te estás volviendo una salvaje, tú que eras una niña buena e inocente. Y me haces sentir muy culpable. Si no fuera por mí, ahora estarías estudiando en Milán en lugar de ir de fiesta en fiesta.

—Pero a mí me gustan las fiestas —respondió Francesca—. Me gusta la gente que me presentas, acostarme de día, despertarme de noche, vestir bien, vivir en el Pierre. Tú me has hecho feliz, tío Gianni. No puedes imaginarte lo desesperada que estaba cuando me rescataste de esa casa horrible, con esa madrastra horrible. Deberías estar contento por mí en lugar de preocuparte tanto.

Sus conversaciones siempre comenzaban así. Versace disculpándose por haber arrastrado a Francesca a la perdición y ella agradeciéndole que la hubiera salvado de una muerte segura.

—Me habría muerto de aburrimiento. Habría asesinado a Margherita, te lo juro, con estas manos.

Era como un juego. Ambos necesitaban escuchar una y otra vez las mismas cosas para poder coger aire y seguir adelante.

Pero esa mañana de niebla, el italiano bullía en su asiento con una especie de picazón que ella captó de inmediato.

—¿Qué te ocurre?

—Tómate un café. Te necesito bien atenta.

Llamó a la camarera con un chasquido de dedos, como si estuviera en una *trattoria* de Calabria. Hay costumbres que no cambian.

—Dime, Francesca —dijo a continuación—, ¿qué tal llevas tu trabajo sobre lady Morgan? ¿Cuándo tienes que entregarlo?

La joven abrió mucho los ojos. Luego soltó una carcajada muy sonora. A esas alturas de la película, el único que todavía creía en aquel embuste del trabajo para la universidad era el pobre Gianni. ¿Cómo explicarle que en realidad ella jamás había tenido la menor intención de estudiar una carrera y que toda aquella investigación sobre la vida y milagros de lady Morgan tenía como único objetivo la planificación del crimen perfecto? Se habría sentido tan decepcionado y ella tan sucia por haberse aprovechado de la cándida confianza de Gianni en el género femenino que optó por seguirle la corriente con la esperanza de evitar defraudarle del todo. De cualquier modo, era posible que al fin hubiera llegado su hora. Lo de ir de fiesta en fiesta, de carambola en carambola, rebotando por las cuatro esquinas de la mesa de billar sin dar jamás con el agujero que andaba buscando empezaba a pesarle en el cuerpo y en el alma.

—Pues muy mal —reconoció—. Hace un par de meses decidí abandonar el estudio. Al final resultó que la historia era de lo más previsible. Un aburrimiento. La mujer se ahogó por accidente. Punto final.

—¿Entonces no fue un asesinato?

Francesca negó con la cabeza.

—Se la tragó el lago.

Llegó la camarera con el café.

—¡Qué pena! —respondió el calabrés—. Siempre es más interesante un crimen que un accidente. —Hizo una pausa muy teatral antes de continuar—: Sin embargo —dijo, misterioso—, en las películas policíacas suele haber casos cerrados que vuelven a abrirse a la luz de nuevas pruebas. En esto estarás de acuerdo conmigo, es el quid de la cuestión.

—Ajá.

Francesca frunció el ceño. No adivinaba qué se traía Gianni entre manos con tanto suspense.

—Bien. Entonces escucha con atención lo que voy a contarte.

Francesca, por una vez en la vida, guardó un silencio sepulcral. Había llegado su hora.

—Últimamente, he pensado mucho en ti. En cómo recomponer tu existencia de niña buena; que te has vuelto mala, Franchie, no me mires así. Jamás debiste abandonar los estudios. Cuando te conocí, andabas apasionada con ese estudio sobre lady Morgan... Te intrigaban las circunstancias de su muerte más que las de su vida y pasaste por alto algo fundamental.

Francesca se revolvió en su silla.

—Me refiero al escritorio en el que la dama escondía sus papeles íntimos. Cuando te pregunté por ella la última vez, no sé si lo recuerdas, Francesca, acababas de llegar a Nueva York, y me contaste algo de un cuadro muy valioso y un escritorio que había desaparecido de la antigua Villa Fontana.

—Sí.

—Pues hablé con Amalia Volonté, era clienta de mi madre, y me contó que los muebles de aquella villa, junto con sus obras de arte, se habían subastado a principios de los años setenta. El retrato de lady Morgan había alcanzado un precio de salida de varios millones de liras y había sido adquirido por una dama norteamericana, una tal Greta Bouvier, que se lo devolvió, quién sabe por qué, a la familia Volonté unos años después con la condición de que lo colgaran en Villa Mondolfo y jamás se desprendieran de él. Además, dispuso que si en algún momento vendían la casa y los nuevos propietarios no lo querían, el cuadro debía donarse a la National Gallery of Art de Dublín.

—¿Una filántropa? —supuso equivocadamente Francesca.

—Nada de eso —replicó Versace—. Resulta que la señora Bouvier es una de las mujeres de negocios más despiadadas de Manhattan. Siguiendo la pista que me diste sin darte cuenta —continuó el modisto— llegué hasta una persona muy cercana a ella. Ahora, escucha con atención la historia que voy a contarte, Franchie, no te lo vas a creer.

El relato que vino a continuación, sorprendente como era, tuvo consecuencias inesperadas para Francesca. Jamás olvidaría el *brunch* en el que la máquina del destino se puso en marcha con el ímpetu de una locomotora que la arrastró derechita al desastre, pero, eso sí, después de haberle dado a probar las mieles de la felicidad y habérselas arrebatado sin permitirle saborearlas a gusto.

Resultó que Gianni Versace había planeado cuidadosamente, durante días, un encuentro casual con el hombre de confianza de Greta Bouvier, un príncipe de Bulgaria que vivía en un edificio blanco a dos o tres calles de la mansión Bouvier. Se llamaba Boris Vladimir y había logrado convencer a todos los hombres de bien de la Gran Manzana de la necesidad de llevar pañuelo blanco en el bolsillo, gemelos de esmalte y zapatos italianos. No era mucho mayor que Greta, tendría unos sesenta años en aquel momento, y su fama de aristócrata le precedía desde el instante mismo en que, huyendo de la guerra, puso pie sobre suelo americano con un séquito de aduladores y una tarjeta de visita que llevaba impresa una corona real. Hizo traer su equipaje por valija diplomática, piano de cola incluido, en un carguero que partió de Nápoles y arribó a la costa yanqui una noche sin luna. Fue todo un acontecimiento aquel desembarco de baúles, muebles, porcelanas, cuadros, libros y lámparas de cristal de roca.

Greta se las ingenió para intimar de inmediato con Vladimir. Nada más instalarse ella en Nueva York en el año 51, lo invitó a tomar el té en la mansión Bouvier porque comprendió que, con sólo chasquear un dedo, aquel señor era

capaz de abrirle de par en par las puertas de la alta sociedad. Desde entonces Greta y Boris habían sido uña y carne.

En los años ochenta, aún continuaba el búlgaro rei-
nando en el mundo de las relaciones públicas y de la buena
sociedad, gobernando la isla de Manhattan desde la sombra de sus dominios, decidiendo quién era alguien y quién
no era nadie con sólo fijarse en el brillo de sus zapatos. Los
de Versace, por su originalidad, le habían llamado la atención inmediatamente.

—Italiano —había afirmado Boris con la seguridad de
Hércules Poirot o la de Sherlock Holmes antes de comenzar la conversación que reabrió el caso de lady Morgan.

Tal y como Versace había previsto, en cuanto le habló
de su casa, Villa Fontanelle, a orillas del lago de Como, el
príncipe le contó que había viajado en numerosas ocasiones a la encantadora ciudad de Lugano, muy cercana a
Como, donde su buena amiga, Greta Bouvier, viuda de
uno de los hombres más ricos de América, poseía una villa
espléndida. Esta circunstancia propició una larga charla
sobre la belleza de las montañas y los valles, las mansiones
neoclásicas y su decoración fabulosa, tema en el que Versace era no sólo un experto, sino un amante apasionado.

—Algunos de aquellos muebles los ha traído mi amiga
Greta a América. Yo quise impedírselo. La acusé de expolia-
dora de los tesoros de Italia. Le dije: «Eres como los ingleses.
Una ladrona de guante blanco». Pero ella se rio sin más. Me
respondió que desde hacía varios años hacía exactamente lo
que le venía en gana, sin pararse a pensar en las consecuencias éticas o sentimentales de sus actos. Y que si tal o cual
librería o tal o cual cómoda encajaba en su casa de Park Avenue, pues suya era para embellecer su rincón.

»Greta posee, por ejemplo —continuó el príncipe—, un
escritorio del siglo XVIII, en madera de castaño, al que
llama «secreter» porque dice que está lleno de cajoncitos
diminutos y porque, al parecer, aún conserva en uno de

ellos una carta antigua, fechada en 1812 y firmada por una tal lady Clarke, que era la hermana de una conocida escritora irlandesa de aquella época, lady Morgan, de la cual yo no había oído hablar jamás.

Según le contó a Francesca, el nombre de lady Morgan le había producido a Gianni Versace una sacudida eléctrica. Ahí era exactamente adonde quería llegar. Aquel escritorio de castaño, procedente de un lugar relativamente cercano a Como, había hecho el mismo viaje que Francesca y la esperaba con su tesoro escondido a escasos metros del hotel Pierre.

—¿Cree que su amiga la señora Bouvier tendría la gentileza de mostrarme esa carta? —le había preguntado Gianni a Boris Vladimir con una ansiedad mal disimulada en la voz.

—Es difícil —le había respondido el príncipe—. Greta es una dama muy celosa de su intimidad. No suele abrir las puertas de la mansión Bouvier a ningún desconocido y, por otra parte, conserva la carta con tanto cuidado que se diría que teme por su vida, como si en lugar de papel y tinta estuviera hecha de carne y hueso. No permite que nadie la saque del cajoncito del escritorio. Me ha confesado que prefiere mantener el secreto de su existencia antes que perderla en manos de algún museo o algún coleccionista, por mucho dinero que pudieran ofrecerle por ella. Dinero no le falta, ¿entiende? Greta no se mide por los mismos parámetros que otras personas. Estoy seguro de que el mismo demonio se las vería y se las desearía para conseguir tentarla con cualquiera de las armas que obran en su poder.

Dicho esto, Boris Vladimir dio por terminado el discurso.

La posibilidad de reencontrarse con la historia de lady Morgan quedó a un lado hasta bien entrada la noche, cuando Versace, recién recuperado de una pesadilla muy verosímil, en la que su joven modelo lo estrangulaba con un cinturón de cuero, había resuelto trasladarle el misterio a Francesca y lograr, como consecuencia de ello, volver a conciliar el sueño perdido.

—¡Tío Gianni! —exclamó Francesca, derramando el café—. ¡Si de verdad existe esa carta, tenemos que verla inmediatamente! Tienes mucha razón. Su contenido podría dar un giro inesperado a la historia de Sydney Morgan. Tal vez fuera asesinada después de todo. ¿Te lo imaginas?

El calabrés se rio a carcajadas.

—Entonces, ¿se reabre el caso?

Francesca se mordió el labio inferior y se reclinó sobre el respaldo de su silla.

—Claro. Estoy a punto de morirme de curiosidad —respondió—. Pero no podré hacerlo yo sola —añadió, pensativa—. Necesitaré ayuda.

Guardó silencio unos instantes. A Gianni le dio la impresión de que su pensamiento levantaba el vuelo y viajaba a través del océano Atlántico hasta algún recóndito rincón de su memoria.

—Tú consígueme una cita con esa señora Bouvier y lo demás déjalo en mis manos —resolvió ella al fin.

Y después de besarlo con fuerza en la mejilla salió de aquel local a toda prisa, tropezándose con los clientes que le salían al paso.

Gianni la vio alejarse a saltitos, contenta como una colegiala a la hora del recreo, sin sospechar hacia dónde se dirigía. Unos metros más allá, Francesca entró en una tienda de licores y compró una botella de ginebra y otra de vodka, después llamó a un taxi y le pidió al conductor que la llevara al hotel Pierre.

Eran las dos de la tarde de un domingo lluvioso. Las mujeres del servicio de habitaciones habían retirado ya los restos del desastre de la noche anterior. Francesca se sentó descalza en el suelo, con la espalda apoyada en la cama. Abrió el vodka, dio dos tragos largos.

—Claudia —dijo entonces en voz alta—. Espero que esta botella te traiga de vuelta bien deprisa. Tengo algo muy importante que contarte.

Desde «el desafortunado incidente del jardín», Francesca sólo veía a su hermana de refilón y en contadas ocasiones —en sueños o en el delirio pastoso de las borracheras—, pero aquella noche Claudia volvió a la vida súbitamente, del mismo modo que se había esfumado de ella un par de meses antes. Todavía estaba mojada de los pies a la cabeza y tenía el pelo enredado, los ojos desorbitados y esa expresión suya de espanto que no perdía ni cuando fingía estar dormida para que Francesca detuviera su parloteo de loca y la dejara en paz.

Traía el libro completamente deshojado, sujeto por unas cintas, las páginas arrugadas y la tinta corrida. Sólo ella era capaz de leer aquella *Historia romántica de Lario, un estudio,* o de inventársela, como sospechaba Francesca, siempre fisgando por encima de sus hombros, que a la muerta le daban escalofríos cuando sentía su aliento en la nuca.

—Vaya, Franchie —le dijo mientras escupía los restos de verdín y lodo que se le habían depositado en la boca—, por fin te has acordado de mí.

Se sentó a los pies de la cama, con las piernas cruzadas y se puso a leer el libro, que se había abierto exactamente por el mismo lugar en el que lo habían dejado cuando niña y libro salieron volando por la ventana de Villa Margherita y se hundieron lenta y pesadamente en el lago.

XX

Historia romántica de Lario, un estudio
LADY MORGAN, SUCESOS Y CORRESPONDENCIA

El paso de Sydney Morgan, como un cometa de luz, por el cielo alto y sereno de la villa de Como provocó tantos descalabros en tan poco tiempo que cuando por fin se apagó su fuego y su estela blanca se confundió con las nubes, y su recuerdo con los truenos, hubo quien se creyó de veras el cuento de Abbondia.

La vieja se subió a una escalera un día de mercado y se lio a dar cacerolazos anunciando a voz en grito la buena noticia de la muerte de la irlandesa y la mala de la desaparición de Domenico Fontana. A sus pies se congregó una multitud de *paesi* desharrapados, cretinos hambrientos y *barcaiuoli* tostados por el sol, una mezcla fenomenal para sembrar la semilla de la duda. Gentes de anchas tragaderas para lo sobrenatural y de estrechas miras para el sentido común que igual llevaban ofrendas a sus santos que colgaban ristras de ajos en las ventanas para espantar el mal de ojo.

Abbondia los pastoreó a todos con vara de hechicera y los convenció de que Sydney Morgan, felizmente difunta gracias a la intervención providencial de una tormenta divina, había sido en vida lo más parecido a un diablo disfrazado de mujer. Les contó que invocaba muertos, que resucitaba ranas, que se inyectaba los humores purulentos de las vacas y que por eso tenía un rabo largo, terminado en plumero de hojarasca, y pezuñas en lugar de dedos, y que había seducido a Domenico Fontana y lo había arrastrado con ella hasta el peor de los infiernos. Ahí es donde había ido a parar el muchacho, les aseguró; al fondo del lago, al averno, atado a unas piedras para que su cuerpo no pudiera salir jamás a flote.

Esto último lo dijo echando espumarajos por la boca porque tenía la costumbre de escupir. La vieja escupía a consecuencia de un berrinche, o para espantar los malos presagios, o para aclararse la garganta, con ruido y salpicando, que igual podía caer su baba sobre la hierba que sobre la espalda o los zapatos de su interlocutor.

Como era día de mercado también la escucharon algunas sirvientas de casas nobles que luego fueron a escandalizar a sus señoras con el relato de los amores prohibidos entre el primogénito de los Fontana y su inquilina, una mujer casada y quince años mayor que él.

Para aquellas damas, el asunto de las brujerías no pasó de anécdota chocante, pero, en cambio, la fantasía de retozar con un purasangre desbocado, como imaginaron todas ellas al joven Fontana, con aquellos bríos y aquella urgencia, que hasta relinchaba entre sus sábanas, se acabó convirtiendo en motivo de preocupación para los condes y los marqueses de las villas de Lario, los cuales, con horror, empezaron a descubrirse incapaces de sofocar el incendio que se había declarado en el vientre de sus mujeres o de dejarlas satisfechas como antaño. Lo que no quisieron ver fue que no era tal el problema, sino que las condesas y las marquesas habían dejado de fingir éxtasis inventados y habían comenzado a exigir placeres ciertos.

—¡A estas alturas! —protestó alguno, cumplidos ya los cincuenta, aquejado de gota y al borde de la extenuación ante las sorprendentes demandas de su esposa.

Secretos de alcoba y posturas aparte, lo cierto era que la misteriosa desaparición de Domenico Fontana se entendió como el resultado lógico de aquel derroche amoroso y nadie quiso emprender su búsqueda por miedo a encontrarlo muerto, desnudo y famélico, pero rotundamente feliz.

No creyeron la historia de las prácticas satánicas de los Morgan, pero tampoco les quedaron ganas de indagar entre los frascos vacíos y los restos despellejados que había abandonado el doctor en su laboratorio de Villa Fontana. Prefirieron correr un tupido velo sobre tan inquietante afición; se la achacaron a su condición de inglés y lo despidieron de lejos, asomados a los balcones de sus casas, aliviados por la buena suerte de perderlo de vista para siempre.

Sólo Vittoria Peluso y su marido, el general Pino, que acababa de regresar del frente ruso, acudieron a acompañar a lord Morgan en su penoso duelo y hubo quien llegó a sospechar y a comentar por lo bajo que lo habían hecho sólo para asegurarse de que Sydney estaba muerta y bien muerta, por si acaso su espíritu indómito lograba desprenderse del cuerpo y se quedaba vagando en Como para siempre, deshaciendo hogares y resucitando difuntos.

Nunca se supo con certeza qué fue de Domenico Fontana. Tampoco se volvió a preguntar por él. Simplemente dejaron de nombrarlo en voz alta por si su sola evocación inflamara de nuevo a las damas y se dio por hecho que el muchacho había sido engullido por las aguas del lago aquella noche de tormenta, como tantos otros hijos de Lario que a lo largo de la historia, confiados e ingenuos, habían creído que uno podía desafiar las leyes de la naturaleza y las de los hombres sin sufrir las consecuencias.

Domenico Fontana había tenido la desgracia de ir a nacer con el estigma de un tatarabuelo notable que a finales del siglo XVI había sido nombrado arquitecto de San Pablo por el papa Sixto V y enviado a Como con la encomienda de construir una catedral indestructible. Una vez allí, cayó rendido de amor por el olor a albahaca de sus bosques, la suavidad de las manos de sus mujeres, el silencio de sus valles y el calor de sus veranos y no se conformó sólo con dotar a aquel monumento de una cúpula inmensa, sino que extendió su hazaña arquitectónica a las dos orillas y los mil recovecos del lago, llenándolos de villas y palacios, balaustradas y soportales, puentes y embarcaderos, y fuentes, y torres, y laberintos rocambolescos de piedra y verdín.

Con el paso de los años, los descendientes de aquel gran señor fueron perdiendo influencia social y económica puesto que nunca volvió a surgir entre ellos otro talento comparable al del primer Domenico, pero conservaron intacto el respeto de sus vecinos y una incómoda sensación de responsabilidad hacia aquella tierra. Entre los Fontana, el patriotismo se acabó convirtiendo en un atributo hereditario que se intensificaba en cada generación de manera inversamente proporcional a sus rentas y que para el día en que nació el tataranieto había tomado ya dimensiones colosales.

Desde que aprendió a pensar por sí mismo, Domenico Fontana fue consciente del tremendo peso de las expectativas de cuatro generaciones de Fontanas fracasados sobre sus hombros.

—En este mundo sólo existen tres vocaciones del alma —le reveló su padre en un instante de lucidez del que se arrepintió más tarde—: La de santo, artista o héroe.

—¿Y se puede ser las tres cosas a la vez? —quiso saber el niño Domenico, que ya apuntaba maneras.

Era de naturaleza inquieta, de miras altas, de valor temerario. No levantaba aún metro y cuarto del suelo y ya luchaba contra los enemigos imaginarios que poblaban el jardín. Abbondia sospechaba que veía muertos, de tan vívidas como eran sus batallas infantiles, espada de madera en ristre, capa de saco y heridas de guerra. Tenía una barca de remos con la que solía recorrer las orillas del lago en busca de algún rincón apartado donde inventar un reino hecho a su imagen y semejanza, con dragones, damas en apuros y caballeros solícitos, dispuestos a entregar sus vidas por amor.

Lo encontró, o lo soñó, quién sabe, una tarde de nieblas junto a Villa Minerva, a medio camino entre Italia y Suiza, montaña arriba, escondido detrás de una zarzamora, en los ojos azules de la criatura más sorprendente de cuantas había descubierto jamás. Fue visto y no visto. Una niña que deambulaba sola en un claro del bosque. Alguien la llamó —«¡Lizzy!»— y ella desapareció entre la maleza.

Se lo contó a la vieja.

—Era pequeña, blanca, ligera.

—¿De qué color era su pelo?

—Verde.

—¿Le viste los pies? ¿Los tenía del derecho o del revés?

—No sé si tenía pies. Más bien me pareció que flotaba.

—¿Y dices que cantaba?

—En una lengua extraña.

—Pero no te vio, ¿verdad?

—Ay, Abbondia, suéltame, que me haces daño.

—¡Dime que no te vio, Domenico!

Pero ya el niño se había liberado de su zarpa de bruja y corría libre a través del jardín hacia los brazos protectores de su madre, que siempre olía a violetas. Abbondia, la del picor de ajos y la redecilla negra, preparó esa noche un ungüento de ortigas con el que embadurnó a Domenico para hacerlo invisible a los ojos de las ninfas, por si aquella hija de Lario se hubiera encaprichado de los rizos rubios y la boca húmeda del muchacho y viniera de noche a raptarlo.

El joven Domenico vistió su primer uniforme militar el día en que cumplió diecisiete años. A su madre, Alberta, y a su ama de cría, Abbondia, les resbalaron las lágrimas por la cara al verlo tan guapo, tan alto y tan fuerte, vestido con el pantalón blanco, las botas de montar, la levita y el chacó emplumado de la Guardia Real.

Como todavía no tenía edad ni formación para entrar en combate, aquel uniforme no representaba ninguna amenaza para ellas. Sólo comenzaron a preocuparse por la seguridad del muchacho a partir del día de su licenciatura en la academia militar de Como, cuando, al despedirse de él en la puerta de Villa Fontana, se dieron cuenta de que el niño era un hombre y la guerra una realidad cruel.

Entonces, con el corazón en un puño y en la cabeza la pesadilla del millar de jóvenes italianos que habían perdido la vida en el frente, Alberta Fontana reunió el valor suficiente para ir a suplicar al general Pino, el vecino incómodo, que pusiera a su hijo Domenico bajo su protección.

Nunca le habían gustado demasiado los Pino. Alberta era de las que no olvidaban el origen farandulero de la Pelusina, la fama de pervertido de Calderara ni la de medrador del general, siempre con la cabeza gacha ante el virrey Beauharnais. Pero al contrario de lo que había temido, la *signora* Fontana descubrió en los Pino a una pareja amable, de modales exquisitos, que, en vez de avergonzarla por aquella solicitud de amparo, consiguieron que regresara a casa con la sensación de haberles concedido un tremendo honor.

—Lo protegeré con mi vida —prometió Pino—. Y volverá sano y salvo, convertido en un hombre. Eso es el ejército, eso hace la guerra: transforma niños en hombres, cobardes en héroes y débiles en titanes.

—Me conformo con que su guerra me lo devuelva tal y como me lo arrebata —respondió Alberta. Y luego puso rumbo a Villa Fontana con la necesidad perentoria de abrazar a Domenico y llenarlo de besos.

Una vez atados los cabos de la inmunidad de su pequeño, Alberta fue capaz de enfrentarse de nuevo a la rutina del corso, el mercado, la plaza y la ópera con la confianza puesta en la prudencia de Pino, que, en cuanto le fue posible, nombró a Domenico su ayudante de campo y hombre de confianza. Con esta garantía, ya sin tanto miedo, unos días más tarde vio partir al hijo en un caballo blanco, el hombre más apuesto de la Tierra, por el pasadizo de castaños atardecidos, camino de Como, donde esa noche se celebraba el baile de graduación que cambiaría su vida para siempre.

Pero olvidó lo más importante. Abbondia no se lo perdonó jamás.

—¿Dónde está el niño? —preguntó la vieja, que traía un manojo de albahaca en cada mano.

—Ha salido ya. Iba guapísimo.

—¡Maldita sea la hora! —gritó a la vez que lanzaba un escupitajo negro a los pies de Alberta—. ¡Se ha ido sin el antídoto contra los alborotos del alma!

Arrojó la albahaca al suelo y la pisoteó con una energía impropia de su edad. Continuó maldiciendo y escupiendo mientras regresaba a la huerta, furiosa como sólo Abbondia sabía hacerlo: echando fuego por los ojos y veneno por la boca.

Domenico, desconocedor de los peligros a los que se enfrentaba por el solo hecho de haberse olvidado la albahaca en casa, alcanzó la villa de Como con las últimas luces del día y se dirigió a Villa Trotti, donde esa noche se daba cita lo más selecto de la juventud de Lario. Hermosas doncellas procedentes de Bellagio, Moltrasio, Tremezzo y Varenna lucían sus mejores galas para encandilar a los cadetes. Bailaban el moderno vals, la zarabanda y el minué alrededor de una orquesta de cámara liderada por un piano y seis violines.

Era tanta y tan variada la belleza de las mujeres que poblaban aquel salón que un hada de pies cambiados, alas transparentes y cabellos verdes podría haber pasado desapercibida entre ellas. Sobre todo porque diminuta como era, etérea y silenciosa, la ninfa se escondía detrás de las cortinas y los visillos, como si tuviera miedo de ser descubierta lejos de su claro del bosque y obligada a unirse para siempre al infierno de los mortales.

Su nombre era Elisabeth, aunque sólo volvía la cabeza si la llamaban Lizzy, por ser una identidad más propia de una criatura mágica, y tenía dos hermanas: Jane y Emily, también muy bonitas. Las tres eran delicadas, las tres iban envueltas en seda, las tres aleteaban —sus párpados mariposas—, pero sólo Elisabeth sabía volar.

Desde un rincón del salón, sin atreverse a interrumpir el baile por miedo a romper en pedazos la burbuja que la protegía del mundo conocido y la mantenía a salvo, ajena a cualquier intromisión en su extraña realidad de fantasía, Domenico observó que aquella niña giraba sin tocar el suelo, se elevaba por encima de las cabezas de los demás y se mecía con las idas y venidas de la gente como un trocito de papel o una pluma muy ligera, o una partícula de polvo invisible que sólo aparece en el contraluz.

Al apreciar los destellos verdes y azules de la luz de las velas sobre su pelo, un latigazo muy violento desbarató de un plumazo el orden cronológico de su memoria. Entre la infancia y la juventud la recordó cantando en una lengua extraña y flotando sobre las zarzamoras, los ungüentos de Abbondia ineficaces contra semejante experiencia de los sentidos, maldita la hora en que olvidó la albahaca, y cayó sin remedio en el hechizo.

Por si fuera de mentira o producto de su imaginación, puesto que aquella visión colmaba cualquiera de sus deseos —los desbordaba—, el soldado sopló en su dirección y comprobó que ella sentía aquel viento y se dejaba llevar. Le miró. Para entender qué la empujaba.

Desde ese día sus corazones fueron de plomo fundido y los peligros del mundo, polichinelas de grotesca sonrisa.

Primera carta de Domenico Fontana
a Elisabeth King

No es fácil ser, como me pides, algo así como el guardián de tus secretos. Que no descubra a nadie dónde se encuentra tu claro del bosque, que no aprenda tus canciones, que no trate de besarte, ni de alcanzarte, ni de enredarme en tu pelo. Que los demás no se han dado cuenta, me dices, del color verde de tu cabello o del azul de tus ojos, uno de hierba y los otros de agua. Ni sabe nadie que tu piel está recubierta del polvo blanco de los caminos y tus labios de lluvia y tus manos impregnadas del olor a lavanda de los montes de Lario. Me dices que no puedes separar lo uno de lo otro; tu naturaleza humana de la salvaje que te rodea y en la que te mueves de rayo en rayo de luz, y que a veces, como esta noche, te refugias en la oscuridad, te confundes con la espesura y te dejas mojar por la lluvia, porque ése es tu modo de ralentizar el deterioro de tu cuerpo mortal.

Pero tienes padre y madre; dos hermanas que se parecen a ti; una vida convencional al otro lado de las montañas. ¿Eres de carne y hueso, Elisabeth King, o eres una criatura mágica, Lizzy, como quieres hacerme creer?

¿Podré beber de tu boca y acariciar tu rostro cuando me des permiso para acercarme a ti un poco más que hoy? ¿Tendré que aprender a manejar tu fragilidad: «No me asfixies, no me abrases, no me vayas a quebrar las alas»?

Te he preguntado estas cosas sin palabras, sólo con el pensamiento, y tú me has escuchado. Te has llevado el dedo índice a los labios y me has pedido que me callara, como si también las ideas fueran capaces de despertar a los habitantes del lago.

¿Lo son, Lizzy? ¿Somos de verdad tan insensibles los hombres que no sabemos ver en lo invisible ni escuchar en el silencio? ¿Desaparecerás el día en que te toque? ¿Te pulverizarás y se te llevará el aire?

SEGUNDA CARTA DE DOMENICO FONTANA
A ELISABETH KING

«Acércate, Domenico», me has pedido de repente, después de contemplarme durante horas eternas. Yo no sé leer tu pensamiento; tú sí el mío. Me aterra imaginar lo que has podido encontrar en el desorden de mi cabeza.

He obedecido. Me he levantado del suelo y he dado dos pasos hacia ti.

«Está bien», has dicho abriendo la mano y dirigiéndola hacia donde yo estaba. «Hasta ahí nada más».

Has debido de notar mi decepción; yo ya había tomado impulso y, por ello, probablemente, me has hecho un regalo: has girado sobre ti misma y he podido notar tu olor.

Hueles a nada. Es la ausencia de olores lo que te define.

Ahora me pregunto a qué sabes.

TERCERA CARTA DE DOMENICO FONTANA
A ELISABETH KING

Agua, aguane, náyade o ninfa. Tu sangre es de agua, tu saliva es de agua, tu aliento es de agua.

Hoy, por fin, me has permitido entrar en el claro que habitas. Es un círculo del tamaño de una fuente de jardín. Anodino de día —he vuelto por la mañana para comprobar que aún seguía allí—, pero misterioso de noche, cuando tú lo iluminas.

Llevabas un vestido azul, trenzas en el pelo, los pies descalzos. Hemos hablado. Me has dicho: «Ya no soy libre».

Lo he comprendido de inmediato. Yo tampoco lo soy. Por el mismo motivo.

Pero yo no siento miedo, al contrario que tú, por pertenecerte.

Protegeré tu vida con mi vida, te he prometido. Mi fuerza contra tu fragilidad, mi torpeza contra tu delicadeza. No tienes nada que temer, hada de los bosques, no dejaré que te hagan daño.

Pero tú me has respondido: «No es por mi vida por la que temo».

Después te has rendido y me has dejado besarte. He tratado de ser suave para no hacerte daño. Un roce de mis labios sobre los tuyos, he pensado, nada más.

Pero tal vez no sea posible. Tal vez el amor te duela de todas formas.

No sé de qué está hecha tu alma, ni tu cuerpo. Tal vez te has roto un poco esta noche, o has perdido parte de tu inmortalidad. Tal vez desaparezcas para siempre.

XXI

Lo que para el grueso de los mortales hubiera supuesto todo un reto, para Gianni Versace fue como un juego de niños. Le bastó con enviarle a la viuda Bouvier el delicioso Chipre Floral en un paquetito muy bien envuelto y en una tarjeta su más sincera admiración para que ella lo invitara a cenar en la mansión una noche en la que se sentía sola.

Su hijo Thomas estaba en Texas, visitando las refinerías de la compañía THB, y su mejor amiga, Bárbara Rivera, había volado a México para conocer a la prometida de su hijo Ernesto.

En noches como ésa a Greta se le venía el mundo encima. Prefería abrir las puertas de la mansión a cualquiera que le regalara un buen chisme que escuchar por enésima vez las quejas de su doncella, Rosa Fe, sobre el frío y el reúma.

Se presentó Boris Vladimir con el diseñador italiano colgado del brazo, un ramo de rosas, una caja de bombones y todos los secretos de Manhattan enredados en la lengua. Se sentaron a compartir charla y mantel en el comedor de diario, con los candelabros de plata y la porcelana china, pero sin los lujos excesivos de las grandes ocasiones. Gianni le habló de su infancia en Calabria, de su éxito meteórico y de la adquisición de Villa Fontanelle. Greta le respondió con la misma diligencia, relatándole con trazos de melodrama su única historia de amor verdadero, hablándole de su hijo Thomas, de sus pozos de petróleo y de su magnífica mansión en Lugano.

Y ahí era donde quería llevarla el astuto italiano.

—Al parecer, conserva usted una carta muy antigua —comentó como por casualidad.

—Así es, aunque su existencia debería ser secreta —respondió ella clavando dos ojos acusadores en Boris.

—Lo sé —continuó él—, pero creo que le divertirá escuchar una vieja historia que tiene mucho que ver con esa carta.

Entonces pasó a relatarle a grandes rasgos la curiosa historia de lady Morgan según se la había contado Francesca Ventura el día en que la conoció.

—Y dice usted que esa chica pertenece a una de las familias más ilustres de Italia...

—Ajá —asintió—. Los Cossentino de Florencia, dueños de media ciudad.

—Que es modelo por diversión —enumeró—, que estudia en la universidad de Milán, que es rica, inteligente, apasionada y lista.

—Exacto.

—¡Pues vamos a conocer a esa joya! —exclamó Greta—. Haga el favor de decirle que mandaré a mi chófer a buscarla el miércoles a la hora de cenar.

A Francesca le extrañaron un poco los consejos de Gianni. Sobre todo que le recomendara llevar un modelo clásico de Chanel, chaqueta y falda de *tweed* y zapatos de salón, en lugar de uno de sus últimos diseños. La explicación era sencilla: no se trataba de deslumbrar a primera vista, sino de ir desvelando poquito a poco sus encantos femeninos, que eran muchos y generosos. Enseñar de entrada la nuca, bajo un moño alto recogido con cien horquillas, las manos suaves, las piernas firmes, y dejar para más adelante, y tal vez para otros ojos más inquisitivos que los de Greta, las curvas de su cadera y las de su pecho.

Y no es que le desconcertara el consejo por el radical cambio de imagen que suponía, sino porque tuvo la sensación de que Gianni tramaba alguna artimaña inconfesable.

No le faltaba razón. El modisto había visto el cielo abierto en la mansión Bouvier, la solución a sus desvelos y a su cargo de conciencia cuando, sentado a la mesa de Greta, escuchándola hablar de su hijo, había imaginado con todo detalle la escena de Francesca vestida de novia con un diseño Versace, avanzando hacia el altar donde la esperaba el hombre más guapo, más rico y más interesante del planeta: Tom Bouvier en persona.

Por ese motivo, altruista y egoísta a partes iguales, transformó a su joven pupila en la novia que toda madre desearía para su hijo. La nuera perfecta: dúctil, ingenua y bondadosa. Blancanieves a punto de morder la manzana envenenada y de caer desmayada en espera del príncipe que la devolviera a la vida con un beso de amor.

Con la misma sensación que un corderito que acude a la gruta del lobo, disfrazada de Audrey Hepburn, una caja de bombones envuelta en papel de regalo y un frío tremendo, hizo su aparición Francesca Ventura en la casa de Greta.

Rosa Fe hizo ademán de salir a abrir la puerta, pero llegó tarde. Se le adelantó Tom Bouvier, que acababa de regresar por sorpresa de su viaje a Texas y aún no había tenido tiempo para saludar a su madre. Acudió saltando los escalones a pares, protestando porque en esa casa parecía que nadie oía el timbre, terminando de desanudarse la corbata y con los gemelos en la mano, y abrió el cerrojo de lo que confundió con una trampa en la que una y otra vez caía sin remedio. La que le tendía su madre noche sí, noche también, ayudada por el bueno de Boris Vladimir, casamentero de vocación, a pesar de sus continuos reproches.

—Otra vez buscándome novia —les regañaba—. Parecéis las alegres comadres de Windsor.

—Tommy, no te burles —suplicaba Greta con voz de melodrama—. Parecía una chica tan apropiada para ti…

Pero ninguna lo era. Se equivocaban siempre los celestinos, puesto que Greta Bouvier, Boris Vladimir y Tom tenían puntos de vista totalmente encontrados con respecto al significado del concepto «chica apropiada».

Mientras que a los casamenteros les importaban muchísimo los aspectos materiales del posible negocio amoroso, al interesado le daban igual la procedencia, la educación, los genes, la fortuna o la reputación de las mujeres en las que se fijaba. A él se le iban los ojos detrás de la belleza en estado puro, la dulzura y la naturalidad, y muchas veces había metido en casa a jovencitas sin nombre ni gusto que no sabían usar los cubiertos ni mantener una conversación inteligente que al cabo de dos o tres veladas frente a Greta huían despavoridas tras ser sometidas a las peores humillaciones por parte de la futura suegra.

Por eso el joven Bouvier iba camino de convertirse en el soltero de oro de América, título que solía adjudicar la revista *Forbes* a cualquier hijo de buena familia que no hubiera pasado por el altar antes de cumplir los treinta. Era un infierno figurar en aquella lista de buenos partidos. La vida se tornaba un avispero de madres desesperadas por encontrarles un marido rico a sus hijas, aburridas cenas de gala e invitaciones a tomar el té que no podían rechazarse so pena de ser acusado de grosero y que no podían aceptarse si uno no quería encontrarse de la noche a la mañana comprometido con una mujer a la que apenas conocía. Tampoco era recomendable dejarse ver con una chica cada noche porque entonces, inevitablemente, uno se convertía en un *play-boy*, ni tener más de dos novias formales al año, por el peligro de ser tachado de mujeriego.

Algunos jóvenes optaban por huir al extranjero, donde el estigma se difuminaba durante algún tiempo, hasta que alguien descubría su auténtica identidad y la historia se repetía. Muchos regresaban casados con una princesa europea de apellido impronunciable y familia exiliada que terminaba por instalarse a vivir con ellos para siempre.

Ante esta perspectiva, Tom había optado por hacer su vida de espaldas al mundo, libre de prejuicios y ataduras, y esperaba pacientemente a que un día cualquiera se presentara por sorpresa la mujer que lograra hacerlo vibrar.

—Buenas noches —saludó Francesca en su original inglés con acento italiano—. ¿Está la *signora* Bouvier en casa?

—No —mintió Tom, deslumbrado por la belleza de aquella desconocida—. Acaba de marcharse a Sebastopol. Pero, en cambio, yo mataría por un plato de espaguetis al pesto. ¿Querría usted acompañarme? Conozco una *trattoria* clandestina en Little Italy donde preparan una pasta deliciosa.

Terminó de anudarse la corbata, le hizo una seña a Norberto para que volviera a traer el Bentley, cerró la puerta de casa y gentilmente atrapó a Francesca entre sus manos sin darle tiempo a poner en duda sus intenciones.

Greta, rabiosa, los vio alejarse desde la ventana del salón que daba a Park Lane. Qué poco podía imaginar que acababa de cometer el peor de los errores: le había abierto las puertas de su vida a Francesca Ventura sin investigar, por ejemplo, si tenía tratos con los muertos o si en algún momento de su vida había intentado asesinar a su madrastra. Claro que cosas como éstas no suelen formar parte de las prevenciones y los temores naturales de una madre con respecto a la personalidad de las eventuales acompañantes de su hijo. Greta se entretuvo en los detalles banales —el apellido materno, la villa a orillas del lago de

Como, las fábricas de seda de Milán, el palacio de Florencia, la madre artista, el padre empresario— y no arañó en
los misterios de una infancia solitaria y una adolescencia
traumática.

XXII

Las oficinas del imperio Borghetti estaban estratégicamente instaladas en un elegante edificio de la Via Montenapoleone de Milán, en el conocido cuadrilátero de oro, donde proliferaban las *boutiques* de fama internacional, los hoteles de lujo y las joyerías más caras del mundo. Su situación privilegiada no era casual. El viejo Borghetti, el patriarca, había entendido que la fachada del negocio era siempre garantía de éxito. De ahí sus muebles de diseño y el aspecto impecable de sus empleados.

A Stefano Ventura lo dejaron esperando en una sala muy luminosa, llena de obras de arte en las que él, preocupado como estaba por el asunto que se traía entre manos, no reparó. Sentía que pisaba territorio enemigo, que lo vigilaban cien ojos desde cien cámaras ocultas y que en el momento más inesperado caerían sobre él todos los hombres armados que acechaban entre las sombras. Por eso le resultó tan sorprendente que, al cabo de media hora larga, la puerta de aquella sala se abriera con tanto sigilo y arrojara a su interior la delicada figura y el perfume inconfundible de una mujer tan inofensiva como Margherita Borghetti.

En cuanto la vio entrar, ahora convertida en una elegante empresaria, recordó a la adolescente que bostezaba de aburrimiento en casa de los Trivulzio de Blevio. El tiempo había recorrido el cuerpo de Margherita con los dedos expertos de un artesano del barro. La había transformado en la escultura más perfecta de cuantas se habían cocido en el horno de Dios. Sus ojos transmitían un magnetismo raro, como de alma vieja embutida en carne joven, y su voz una paz sobrenatural.

—¿Stefano Ventura?

Él asintió.

—¿Qué puedo hacer por ti?

Se sentó a su derecha, las piernas cruzadas, le animó a hablar.

—Pero ¿qué te ha pasado, hombre? ¿Qué te ha hecho la vida?

A él se le aflojó un poco el nudo de la garganta.

—Vengo a ofrecerle un negocio a tu padre.

—Mi padre está de viaje —mintió Margherita tal y como le habían recomendado que hiciera los abogados de la firma—. Lo siento. Pero si te parece bien —añadió—, me explicas a mí el asunto y yo se lo cuento esta noche cuando hable con él por teléfono.

Stefano no era tonto. Enseguida se dio cuenta de que Tomasso Borghetti estaba a la escucha, al otro lado del cable de algún micrófono disimulado entre los muebles de la sala. Si el negocio era turbio pero interesante podría afirmar sin cometer perjurio que él jamás había estado presente en aquellas conversaciones.

—Está bien —respondió Stefano algo violento—, pero si me aseguras que sólo le contarás a él lo que te voy a decir.

—Trato hecho.

Stefano sacó de su cartera de piel un montón de documentos sobre los planes futuros de la empresa de su suegro, Pompeyo Cossentino, entre ellos la inminente expansión del negocio a Estados Unidos, donde las posibilidades de crecimiento del sector textil eran mucho más interesantes que las que ofrecía el mercado europeo.

—Están pensando en asociarse con un inversor norteamericano.

—Entiendo.

—La búsqueda ha dado comienzo. Ya se barajan algunos nombres.

—¿Qué nombres?

Después de un corto y tenso silencio, Stefano se lanzó.

—Ése es, precisamente, el negocio que he venido a ofrecer —confesó al fin—. Le daré a tu padre todos los detalles a cambio del puesto de director de proyectos de la compañía Borghetti.

Margherita asintió. También estaba entrenada para no mostrar sorpresa ni rechazo ni emoción alguna ante proposiciones deshonestas como aquélla. Pero en este caso, conocedora de la tragedia que ocho años atrás había sacudido a los Ventura, intuyó el mar de fondo de la situación y no pudo evitar apiadarse del hombre que lo había perdido todo.

—Las cosas no van bien con Paola, ¿verdad?

Stefano se vino abajo.

—Ha sufrido mucho —murmuró—. Paola ya no es Paola.

A aquella reunión siguieron muchas más. Tomasso Borghetti siempre permaneció en la sombra, escuchando detrás de las paredes y tomando buena nota de todo lo que se decía en aquella sala a puerta cerrada, pero, precisamente por el hecho de no asistir físicamente a ellas, no pudo percibir la atracción magnética que conectaba aquellos dos imanes; el positivo de Margherita y el negativo de Stefano: las miradas, las sonrisas y los sofocos, los cruces de piernas, los roces de manos, los movimientos de caderas, la proximidad de sus bocas y algunos silencios demasiado prolongados.

Se acabó enterando por la prensa de los amores ilegítimos de su hija Margherita con el yerno de su peor enemigo.

La encargada de airear públicamente el romance fue Francesca Ventura. Lo hizo gritándolo a los cuatro vientos; contándole a todo el que quiso escucharla que su padre había caído en un hechizo de los de bruja y filtro amoroso, pidiendo auxilio, llorando a mares, arrancándose los pelos de la cabeza. La enviaron a Florencia para apartarla del escándalo.

Paola Cossentino resurgió de su encierro voluntario hecha una fiera. Se presentó por sorpresa en la casa de Milán, abrió con su propia llave, preguntó en voz alta, a las paredes vacías, dónde estaba Stefano y, como nadie respondió, perpetró el desahucio.

Primero hizo añicos todo lo que podía romperse. Después lanzó por la ventana el resto del contenido de aquella casa, comenzando por la ropa de Stefano, sus pertenencias personales, sus pequeños tesoros y sus recuerdos marchitos, y no se detuvo hasta que apareció él al final de la calle gritándole que parara —«por favor, Paola, los cuadros no, que son muy caros»—, incapaz de detener con razonamientos la furia de la mujer despechada.

Era doble la traición de Stefano, pero de las dos caras de aquella moneda sólo una, la empresarial, preocupaba de veras a su suegro. El final de aquel matrimonio desigual entre su hija y el *hippy* de la guitarra lo había vaticinado él nada más conocer a su futuro yerno. Era cuestión de tiempo que las diferencias sociales terminaran con aquella historia de folletín.

Pues claro que Paola se había enamorado. Era joven y romántica. Poco pudo hacer él para impedir la boda. Pero sí se aseguró de proteger a su hija de cara al futuro. Diseñó un contrato prematrimonial por el que Stefano Ventura renunciaba a cualquier enriquecimiento a costa de su mujer: separación de bienes, separación de cuentas bancarias y de patrimonio, incluida la casa donde vivieron a partir de entonces en el corazón de Milán.

Nunca se fio del yerno, nunca sintió por él más que un desprecio total y absoluto, pero sí claudicó ante la súplica desesperada de Paola poco después de la muerte de la pequeña Claudia —«Papá, ayúdanos a superar esta prueba»—, y terminó por ofrecerle un puesto de cierta responsabilidad en una de las oficinas de la firma. Luego se arrepintió de aquella debilidad a la que lo habían arrastrado las lágrimas propias y ajenas, pero ya era demasiado tarde para echarse atrás. Se dio cuenta de que había metido al enemigo en casa.

Siempre lo mantuvo bajo vigilancia, alejado de los secretos de la empresa, temiendo que Stefano escuchara detrás de las puertas, o le sonsacara alguna información a la confiada Paola, o entrara de puntillas en su despacho privado, en alguna de aquellas interminables sobremesas de domingo, y se hiciera con algún documento importante.

Al final sus temores se habían cumplido. Lo supo en cuanto le dijeron el nombre de la amante de su yerno: Margherita Borghetti.

Hombre de acción, perro viejo, jabalí de colmillo retorcido, Pompeyo Cossentino reunió entonces a su familia frente a la chimenea del palacio de Florencia. No eran muchos: sólo tres mujeres y él. Tres generaciones hambrientas de revancha y en lucha por la propia supervivencia: la abuela, Chiara, la hija, Paola, y la nieta, Francesca.

—No vuelvas a dirigirle la palabra a tu padre —le ordenó a la niña, incapaz de comprender las implicaciones empresariales de los amoríos de su padre.

Ella cumplió las órdenes a rajatabla y, además, para congraciarse con su madre, extendió el mandato a la madrastra, a la cual detestaba, pero llegó a sentirse tan sola en medio de aquella guerra que un día decidió regresar a Lario; a aquel cementerio casi olvidado, a resucitar el fantasma de Claudia.

La encontró envuelta en polvo y telarañas, una niñita que no crecía más que por dentro. Con una malicia innata, una perversión disfrazada de sonrisa beatífica y unas ideas... madre mía, qué ideas, que me traigas nísperos, que vayas a la biblioteca, que este libro no lo entiendo, que me busques otro, que pisotees las flores de Margherita, que la asesines a sangre fría.

A pesar de todo, la necesitaba. Era su única confidente, su única amiga, su alma gemela. La prefirió a la soledad sin entender que a veces es mejor escoger ésta antes que la compañía destructiva del odio hecho carne.

Claudia siempre la esperaba despierta, sabía ver el futuro e ignorar el pasado y era la única capaz de leer, sin inquietarse, la historia del mundo en un libro en blanco.

XXIII

Historia romántica de Lario, un estudio
LADY MORGAN, SUCESOS Y CORRESPONDENCIA

Confalonieri conocía de primera mano la tendencia hereditaria de los Fontana al patriotismo y entendía los motivos que habían llevado al joven Domenico a tomar la decisión de alistarse en la armada italiana. Por eso le resultó tan fácil reclutarlo para su Liga Patriótica Lombarda, una sociedad secreta fundada por Porro, Visconti y él mismo poco después de que Napoleón Bonaparte se autoproclamara rey de Italia.

Apareció sin anunciarse en Villa Fontana, con el pretexto de hablar con Giorgio y Alberta Fontana sobre la posibilidad de arrendar la mitad de la finca a una pareja de recién casados procedentes de Irlanda, los Morgan, que deseaban pasar los primeros meses de su luna de miel en Italia. Pero era la hora de la siesta y todavía la casa dormitaba al amparo del fresco de sus paredes. Preguntó por Domenico, lo levantó del butacón y lo invitó a acompañarle arriba y abajo del jardín, de sombra en sombra, para entretener la espera.

—Abbondia, tráenos una jarra de limonada al mirador —ordenó el chico al ama de cría.

Si la vieja hubiera sido un perro, habría gruñido al marqués porque adivinaba sus intenciones, pero, humana como era, se limitó a lanzarle una mirada amenazante y luego desapareció por la puerta de la cocina.

Una vez a solas, Confalonieri habló.

—Me han dicho que se ha graduado con honores en la academia militar —dijo—, que lo han nombrado ayudante de campo del general Pino —añadió—. Sea enhorabuena, Fontana.

—Gracias, señor —respondió Domenico, halagado.

—Le honra haberse enrolado en el ejército italiano. Demuestra usted un arrojo y un coraje admirables. Pero se ha equivocado de armada, joven —agregó en tono confidencial, bajando la voz—. Sin darse cuenta se ha puesto a las órdenes de un tirano que tiene el ego del tamaño de Rusia.

Domenico lo contempló, extrañado. Había oído hablar de la animadversión de Confalonieri y sus amigos por todo lo que viniera de Francia. Se declaraban patriotas nacionalistas y se rebelaban en contra de los tejemanejes de Napoleón Bonaparte por considerarle un déspota infame, enemigo de la nobleza, un esnob desleal y un loco.

—Hemos sido traicionados por el general Bonaparte —continuó Confalonieri—. Nos prometió protección contra el austriaco, capacidad de decisión e independencia, pero, ávido de poder, ambicioso y astuto como es, ahora pretende quedarse con todo lo que nos pertenece. Por eso hemos fundado la Liga Patriótica Lombarda: para poder desenmascarar las maniobras de Bonaparte y hacerle la puñeta.

En ese momento llegó Abbondia con la bandeja de la limonada. En el fondo del vaso destinado a Confalonieri había un escupitajo de babas y hierbas. El marqués rechazó con un movimiento de cabeza semejante brebaje venenoso y, una vez que la bruja regresó a casa, reanudó su discurso.

—Necesitamos jóvenes valientes como usted, Fontana, dispuestos a arriesgar la vida por su patria.

—No le entiendo —protestó Domenico—. Me pide que arriesgue mi vida por la patria y eso es exactamente lo que estoy a punto de hacer. En unos días partiré con la división del general Pino hacia Siberia.

—Donde cavarán su propia tumba.

—¡No! —protestó, enérgico—. Los italianos venceremos.

—Se equivoca, amigo —continuó Confalonieri—. El único que vencerá será Bonaparte. La sangre de nuestros jóvenes servirá para abrirle el camino hacia Inglaterra, ¿no lo entiende? Si cae Rusia, cae Gran Bretaña. No me gustaría estar en la piel de ningún inglés cuando llegue ese día. —Dejó pasar un minuto de silencio, el chismorreo de las chicharras y el arrullo de las tórtolas—. Por cierto —dijo cambiando de tercio, astuto—. Me han contado que en el baile de graduación conoció a Elisabeth King.

Domenico cayó en la trampa.

—¿Es real, entonces? ¿Usted también puede verla? —balbuceó.

—Claro. Es una belleza, sin duda. Inglesa. —Y añadió con intención—: Si Bonaparte se sale con la suya, los ingleses lo pasarán muy mal. Desde la proclamación del Reino de Italia, muchos británicos como los King han tenido que refugiarse en Suiza, e incluso allí, sus vidas corren un grave peligro.

Estas palabras del conde surtieron el efecto deseado en décimas de segundo. Fue como si Domenico Fontana se despertase de pronto de un letargo con una sacudida eléctrica.

—¡No lo consentiré! —gritó, golpeando la mesa y la limonada se derramó por el borde de la jarra.

—No se sulfure, joven —trató de tranquilizarlo Confalonieri, tomándolo del brazo—. Tengo un plan.

Un par de días más tarde, ya plenamente convencido Fontana de su necesaria intervención en el curso de la historia y habiendo amalgamado patriotismo y enamoramiento, aleación irrompible, se reunieron él y Confalonieri con Porro y Visconti a puerta cerrada y entre los tres le explicaron el proyecto.

En realidad, no se les había ocurrido ninguna idea revolucionaria. El plan consistía en el viejo truco de espiar al bando contrario desde el interior de las filas enemigas. Domenico habría de hacerse con los documentos secretos en los que se recogían los planes militares de las tropas italianas en Rusia y entregárselos a un emisario que se los haría llegar al Alto Mando inglés. Una vez decapitado el traidor, los italianos se declararían independientes tanto de Francia como de Austria y harían por fin realidad el sueño de una Italia unida y libre.

Cuando aquella tarde Domenico les comunicó a sus padres que pronto, muy pronto, partiría hacia el frente ruso, Abbondia, que siempre escuchaba detrás de las puertas, lo agarró por las solapas de la camisa y lo sacó en volandas a la calle. Tenía una conexión mágica la bruja con las criaturas del *piccolo popolo;* un sexto sentido que la avisaba cuando peligraba el equilibrio establecido por la naturaleza entre los dos mundos.

Hacía días que conocía el enamoramiento de Domenico. Lo veía subirse a la barquita de remos en medio del silencio de la noche y lo esperaba despierta hasta que regresaba sano y salvo a casa. En cuanto ató los cabos de la visita del marqués, el nombre de Elisabeth King y la inminente marcha del muchacho, el orgullo con el que levantaba la cabeza al contarlo, que más parecía un acto de heroicidad que una maldita escaramuza bélica, lo entendió todo. Entendió cuál era el origen del desasosiego que mortificaba sus viejos huesos.

Abbondia sabía que el amor de una náyade tiene los días contados y quiso prevenir a Domenico sobre la futilidad de la vida en el inframundo. Le contó que las aguane son incapaces de sobrevivir más de un par de días separadas de su laguna.

—En cuanto se aleje de su claro del bosque, tu ninfa morirá sin remedio. La devorarán los hongos, la asfixiarán los pólenes o la envenenarán las aguas. Así de cruel es el mundo que habita.

—Pues construiremos una cabaña en el bosque.

Y que su razón de ser es la de proteger a la naturaleza de las intromisiones y las perversiones de los hombres.

—¿Por qué crees, Domenico, que Scarpia y Volta sufren de piedras en el riñón? ¿Quién crees que las sembró en sus entrañas?

Y que tienen los pies del revés, con los dedos hacia atrás para confundir a quienes las buscan, para que crean que caminan de frente cuando lo hacen de espaldas. Y que roban a los recién nacidos de sus cunas por venganza hacia sus padres. Y que a veces malogran los embarazos de las mujeres que no merecen llevar una nueva vida en su vientre.

—¿No la habrás besado, niño mío?

—¿Y qué si la he besado?

—Si la has besado, estás perdido. Ambos lo estáis. Sufriréis las consecuencias. Enfermaréis y moriréis los dos.

CARTA DE ABBONDIA A SAN ABBONDIO

Santo Abbondio, protege a los hijos de Lario de sus propios errores. No tengas en cuenta su estupidez y líbralos del mal.
Amén.

XXIV

Historia romántica de Lario, un estudio
LADY MORGAN, SUCESOS Y CORRESPONDENCIA

La idea de involucrar también a Elisabeth King en la liga patriótica y reclutarla como correo se le ocurrió a Confalonieri, que era el más romántico de los tres. Le bastó con calcular el peso de los párpados de Elisabeth y el efecto de su aleteo en el ánimo de Domenico para entender que ellos dos, sin intervención alguna de cualquier otra fuerza de la naturaleza, eran perfectamente capaces de desencadenar una tormenta.

El marqués se citó con ella en la casa de sus padres, en la pequeña localidad suiza de Chiasso. Le dijo que su participación era necesaria por el bien del joven Fontana y, como era de esperar, sus palabras cayeron en terreno abonado y dieron el fruto apetecido.

—Escuche con atención, Elisabeth —le advirtió bajo el arco de rosas del jardín—. Domenico no debe conocer la identidad del correo. Sería tan peligroso para él como para usted. Como le he explicado al principio de nuestra conversación, en estos lances uno no puede fiarse de nadie. La única persona del mundo que nos consta que protegería nuestro secreto hasta las últimas consecuencias es usted. Porque lo ama. Sí. Lo ama con toda su alma. Jamás traicionaría a Domenico Fontana.

—Pero hay algo que no entiendo —dijo ella sujetándose en el tronco de un arbolito de cerezas—. ¿Qué haré para que Domenico no sospeche de mí?

—No se preocupe por eso. Nosotros organizaremos la cita. Él nunca sabrá con quién ha de reunirse.

—Pero cuando me entregue los documentos, me verá la cara.

—No si se la cubre con una máscara veneciana.

—¿Y después?

—Después deberá partir hacia Londres. Viajará sola con el pretexto de visitar a unos familiares. Entregará los documentos a nuestro contacto, que la estará esperando en el puerto de Dover, y regresará en el mismo barco a Francia, y de allí de vuelta a Suiza.

Se despidieron casi sin palabras. Una leve inclinación de cabeza, un suave beso en la mano, una media sonrisa. Confalonieri no había viajado en coche esta vez. Había preferido su purasangre negro y ninguna compañía.

Elisabeth lo siguió hasta la puerta y lo vio montar de un brinco. De pronto, una preocupación terrible le atravesó el pecho.

—Señor marqués —quiso saber—, si nuestro plan funciona...

—¿Sí?

—Domenico pertenece a la división del general Pino. Será uno de los soldados que sufrirá la emboscada. Morirá en combate, lo mismo que los demás jóvenes italianos.

—Él no morirá, Elisabeth, todo está previsto, no se torture.

Confalonieri salió al galope de vuelta a Como. Quería llegar a casa cuanto antes para poder viajar a Milán al día siguiente. Su mujer, Teresa, había organizado una fiesta para dar la bienvenida a Italia a los Morgan, protegidos y consentidos de los condes de Abercorn. Se reuniría allí con Visconti y Porro para contarles que Domenico Fontana ya formaba parte de la conjura. Que gracias a su reciente nombramiento como ayuda de campo de Pino tenía acceso a las órdenes secretas del general, puesto que él era el encargado, entre otras labores, de escribir al dictado las ocurrencias de su caudillo, estrategias estas que igual podían sobrevenirle de noche que de día, mientras dormía, paseaba o acariciaba a la Pelusina bajo el dosel de su cama. En cuanto una idea brillante se le pasaba por la cabeza al general, lo llamaba a gritos:

—¡Fontana, Fontana! ¡Pluma y papel!

Y su joven tocayo, siempre atento, aparecía como por arte de magia con una escribanía portátil, secante, pergamino y tintero incluidos, y ponía por escrito los planes bélicos de la armada italiana.

Aquella noche los condes constatarían que el espía estaba convencido y el correo preparado, la ocasión decidida —la velada de despedida de las tropas en Villa Garrovo unos días más tarde—, el itinerario claro, la noche oscura y el amor primero, el más alocado y temerario, asegurando el éxito de la conspiración.

Lizzy, pálida como un nevero de alta montaña, perdió el equilibrio y cayó rodando cuesta abajo. Sus hermanas la encontraron desfallecida entre las hortensias. Tenía las alas rotas, la piel azul y los ojos vidriosos. La llevaron a toda prisa a la fuente y sólo recuperó el sentido cuando entró en contacto con el agua fría.

Última carta de Domenico Fontana a Elisabeth King

Te he visitado por primera vez en tu casa, Lizzy. He pedido permiso a tu padre, me he identificado como Domenico Fontana, y él, muy amable, me ha invitado a tomar una copa de brandy en vuestro salón.

Hemos hablado de cosas de hombres, de negocios y guerras, nada que pueda interesar a un espíritu puro como el tuyo.

Estabas en el jardín. Tus hermanas te sujetaban para que no salieras volando. Reíais y cantabais. Recogías flores en unos cestos de caña.

Por fin tu padre me ha permitido verte. Ha llamado a gritos: «¡Jane, Emily, entrad en casa!». Y me ha abierto la puerta de la calle para que saliera a encontrarme contigo.

Temblabas, Lizzy. Como los rosales cuando sopla el viento que precede a las tormentas.

«¿Qué haces aquí?», has protestado, como si no fuera lícito que te contemplara a la luz del día.

«He venido a despedirme. No quería que pensaras esta noche, en el bosque, que me había olvidado de nuestra cita».

«Jamás hubiera pensado algo así —me has dicho—. Habría creído que te habías muerto».

Te he contado, y has llorado, que mañana, al amanecer, partiré hacia Rusia. Soy un soldado, amore, eso es lo que soy.

Lo que no te he dicho, porque es alto secreto, es que lucho por ti. No por Dios, ni por la patria, ni por otros ideales ni por otras causas. Sólo por ti, que eres frágil y libre. No soportaría saberte esclava de nadie, obligada a abandonar tu bosque o convertida en criatura mortal.

Te juré que protegería tu vida con la mía y eso hago. Procura esconder tus alas hasta que vuelva, no sea que el sol las derrita o el viento las resquebraje y mantente alejada de las tormentas, los torrentes, las cascadas y, sobre todo, de la gente corriente que no sabe lo delicadas que son las hadas de estas aguas.

XXV

Tom Bouvier nunca se abrochaba los botones de las mangas de la camisa. Tampoco era muy aficionado a peinarse los mechones rebeldes de pelo castaño, heredados de su madre, ni era el hombre mejor afeitado del mundo. En cambio, era incapaz de salir de casa sin chaqueta y jamás olvidaba el pañuelo doblado en el bolsillo, la pluma y el reloj. Había crecido deprisa hasta el metro ochenta, y despacio hasta el metro noventa en el que había hallado su límite natural, tenía el mentón cuadrado de procedencia alemana, los ojos del color de las avellanas, la constitución ancha y musculosa de su tío Bartek y el color de piel de Greta, clara y salpicada de pecas. El origen del resto de su anatomía había que ir a buscarlo a Texas y consistía, fundamentalmente, en la elevada temperatura de su cuerpo, el exagerado grosor de sus labios y unas manos grandes de dedos anchos igualitos a los de su padre, Thomas Bouvier.

En cuanto a su personalidad, solían achacar su carácter temerario a las costumbres salvajes de la india tarahumara que lo había criado con una despreocupación que a veces rozaba la imprudencia, y su actitud socarrona y desenfadada al ejemplo del mejor amigo de su padre, el mexicano Emilio Rivera, que siempre estuvo enamorado en secreto de su madre y terminó sus días de indigente, vagabundeando por las calles de Nueva York con la cabeza perdida.

Este *collage* de influencias mezcladas había dado como resultado un espécimen fuera de lo común. No había mujer en Manhattan que se hubiera enfrentado a su magnetismo y hubiera resultado ilesa. Dos minutos a su lado y se le trababa la lengua, se le olvidaba a qué piso del rascacielos, por favor, señorita, quería subir, o se le derramaba el café, tropezaba con la acera o se equivocaba de autobús.

Por eso Tom había llegado a la conclusión de que a las mujeres había que darles tiempo. Procuraba hablarles con suavidad y presionarlas lo menos posible, repetirles las cosas las veces que hiciera falta y mostrarse paciente, atento y considerado, con lo cual el círculo vicioso de su atractivo se cerraba sobre sí mismo empeorando aún más la situación.

Con Francesca se comportó como un auténtico caballero. Le abrió ceremoniosamente la puerta del coche y se sentó a su lado en el asiento de atrás. No trató de cogerle la mano, pero sí le subió el cuello del abrigo con el pretexto de la noche fría y se permitió rozarle la nuca como por accidente. Después le dio las indicaciones precisas a Norberto sobre la dirección y el dial de la radio y de este modo puso en marcha su particular juego de seducción.

La *trattoria* estaba escondida en una callejuela del barrio italiano, junto a una iglesita blanca, en un tercer piso sin ascensor. El resto de los clientes eran hombretones y mujerzuelas que no se habían tomado la molestia de aprender a hablar inglés, fumaban y bebían, discutían a gritos, reían a carcajadas y olían a fritanga.

Francesca hizo las labores de traductora, bellísima. Pidió *mozzarella*, parmesano, *prosciutto* y una pasta al gorgonzola que Tom devoró con auténtico placer. También pidió un vino rosado, espumoso, de la Toscana, que les sirvieron en unos vasos de cristal ordinario sobre un mantel de cuadros.

Entre el humo y los vapores, Francesca perdió el miedo. Bajó la guardia. Las ventanas del restaurante estaban cerradas y las persianas echadas, no fuera a ser que la policía sospechara del olor a cocina vieja y subiera a comprobar qué era lo que se cocía entre aquellas cuatro paredes torcidas. Norberto, por si las moscas, no quiso moverse del callejón a pesar de los ruegos del dueño del local, que protestaba diciendo que aquel coche tan lujoso llamaba demasiado la atención en un barrio como aquél, de Fiat descascarillados.

—Háblame de ti, Francesca Ventura —le pidió Tom después del *limoncello*.

—No quieras saber lo que no debes —respondió ella.

—Quiero saber de dónde salen tus ojos negros y tu piel morena, y tu voz de no haber dormido en meses, y por qué me da la sensación de que quieres salir corriendo de aquí y no volver a verme jamás. Tienes cara de susto. Noto la tensión en todos y cada uno de los músculos de tu cuerpo. —Se inclinó y sopló. Francesca parpadeó asustada. Se echó para atrás—. ¿Lo ves?

—No te tengo miedo a ti —confesó la joven bajando la voz.

—Entonces, ¿qué temes?

—Temo que te desvanezcas. Que no seas de verdad. Que yo esté hablando sola y que toda esta gente me tome por loca.

Tom se atrevió a tocarla por fin.

—¿Sientes mi mano?

—Está ardiendo.

—¿Qué mejor prueba de mi presencia? —replicó él. Y entonces, se volvió hacia la mesa de detrás—. *¡Signora, signora!* ¿Existo?

La mujer le respondió algo en italiano que él no entendió.

—¿Qué ha dicho? —le preguntó a su traductora.

—Que estás como una cabra.

—Pues ya somos dos.

Hacía un viento gélido aquella noche de noviembre. Salieron del restaurante por la puerta de atrás, esquivando la vigilancia de Norberto y se escabulleron por los callejones hasta un pequeño local de *jazz* en el que todo el mundo reconoció a Tom y algunos a Francesca. Hacían una pareja de película los dos, tan jóvenes y guapos, y tan bien vestidos.

Escogieron un rincón oscuro lejos del escenario, pidieron champán, bebieron de la misma copa, probaron el sabor de las uvas fermentadas en sus bocas, luego tantearon con manos curiosas la piel contraria, se aturdieron juntos, se olvidaron del tiempo y del espacio, de la noche y del día y, cuando regresaron a casa, vestidos con galas de fiesta a pleno sol —él con la corbata deshecha, ella con el pelo revuelto—, se cruzaron con la gente corriente, que a esas horas poblaba las aceras.

El último beso se lo dieron en el *hall* del hotel Pierre, frente a la puerta del ascensor.

—No puedes subir —dijo Francesca—. Mi hermana me espera levantada.

—Pues dile a tu hermana que no mire —respondió él entre risas.

Pero ya Francesca había pulsado el botón, lo había empujado fuera y le había abandonado a su suerte ardiendo en deseos.

—¡Date una ducha, Tom Bouvier, y ven a buscarme luego! —le gritó desde el ascensor.

Entonces llegó a su habitación. Encajó la llave con esfuerzo en la maldita cerradura y empujó la puerta.

—Me he enamorado —le dijo a Claudia sin notar que le resbalaba un poco la lengua por haber bebido demasiado champán.

Y su hermana hizo como que no la había oído.

—¡Que me he enamorado, Claudia! ¿Estás sorda? —repitió.

—¡A mí qué me importa que estés o no estés enamorada! —le replicó la otra, furiosa—. Investigamos un crimen. Encontramos nuevas pistas. Sales en busca de una carta que probablemente contenga la clave del asesinato de lady Morgan. Vuelves dando tumbos y lo único que se te ocurre decirme es que estás enamorada.

—¡Anda, la carta! —Francesca se llevó la mano a la frente. Dio un respingo.

—Eso, idiota, la carta. Lo más importante de todo, vas y te olvidas. —Claudia regresó al libro que permanecía abierto sobre sus piernas huesudas—. ¿Cómo vamos a deshacernos de Margherita si no sabemos lo que le sucedió a Sydney?

Se hizo el silencio.

Así que era eso. Claudia seguía empeñada en matar a la bruja. Francesca, en cambio, hacía tiempo que se había rendido ante la evidencia del intento fallido. Había dado por hecho que, una vez descubiertas sus intenciones con el fiasco del golpe en el cráneo, era imposible cometer el crimen sin resultar sospechosa. Con respecto a lady Morgan, continuaba sintiendo una curiosidad malsana, pero era únicamente eso, la curiosidad, lo que la movía. El riesgo, el peligro habían dejado de interesarle desde que aterrizó en Nueva York y se propuso recomenzar su historia desde cero.

La miró de reojo. Qué más le daba a Claudia. Ella ya arrastraba su pesada bola de fantasma y sus cadenas. Ni siquiera parpadeaba mientras leía o inventaba esa historia romántica de Lario en la que ella, Francesca, irremediablemente acabaría atrapada como en una telaraña.

XXVI

Historia romántica de Lario, un estudio
LADY MORGAN, SUCESOS Y CORRESPONDENCIA

Durante la fiesta de despedida de las tropas, tal y como estaba planeado, Domenico Fontana se las apañó para desaparecer sin ser visto por algún rincón del jardín de Villa Garrovo y entró sigiloso en el despacho de Pino, que estaba vacío. A tientas, iluminado únicamente por el cielo estrellado del lago, se hizo con los documentos secretos. Estaban a buen recaudo: exactamente en el cajón donde él mismo los había guardado por la mañana y bajo la misma llave que, como por descuido, había deslizado en su bolsillo en lugar de devolverla al de su dueño.

Los leyó, les extrajo todo el jugo, los resumió con eficacia de escriba en un papel en blanco y los devolvió a su escondite. Después, colocó la llave en el suelo, junto al escritorio, para que Pino creyera que se le había caído sin darse cuenta.

Cuando regresó a la fiesta, ya los fuegos artificiales chisporroteaban en lo alto, ya la tropa estaba borracha, ya las damas sofocadas, ya los condes agotados y ya pronto llegó el momento de regresar a casa.

Domenico, el único sobrio de la barcaza, tomó el mando de la expedición. En pie, en la proa, dirigió a los *barcaiuoli* esquivando las corrientes hasta el embarcadero musgoso de Villa Fontana. Saltó a tierra, tendió amarras, tensó cabos y ayudó gentil a los inquilinos de sus padres, los Morgan, a desembarcar sanos y salvos sin más asideros que sus brazos firmes.

Fue entonces cuando reparó por primera vez en la belleza indiscutible de Sydney Morgan.

A la luz del día Domenico era menos observador que de noche. No se había percatado de la suavidad y la palidez de la piel de la irlandesa. No había notado el olor a violetas y jazmines que la envolvía, ni el brillo de sus rizos, ni la elegancia de sus andares, ni el ímpetu de sus caderas al caminar. Aquella noche, excitado como estaba con su misión de espionaje, aún tuvo tiempo de descubrir estas cosas, a pesar de la quemazón de los papeles en su pecho, el persistente latido de su corazón y la falta de aire.

Pero no le dio importancia entonces a este hecho —al del atractivo de Sydney Morgan— y siguió el trazado previsto para acometer sus planes. Aguardó hasta que los Morgan entraron en casa y después avanzó sigiloso hacia el rincón en sombras bajo el farol que dejaba su madre encendido en su ausencia y que luego él, ayudado por un palo largo terminado en un capuchón de hierro, se encargaba de apagar al volver a casa. Esperó un instante, escuchó pisadas sobre la arenilla, atisbó entre los arbustos y lo que vio le llenó de espanto.

En lugar de un ser humano, se encontró cara a cara con un espectro procedente del mismo fondo de sus pesadillas. Traía el rostro oculto tras una máscara grotesca: blanca, dorada, púrpura, emplumada. El cuerpo envuelto en una capa negra, larga hasta el suelo, y la cabeza cubierta con una capucha de fraile.

La criatura alargó una mano delgada, enguantada y temblorosa y Domenico no pudo evitar estremecerse. Dio un paso atrás, arrancó los documentos de su pecho y se los dio al monstruo en un rápido movimiento.

—¡Vete de mi casa! —logró articular con un hilo de voz.

Pero el fantasma no se movió. Permaneció quieto y callado durante un lapso de tiempo que bien pudo ser un siglo —el tiempo detenido de golpe— hasta que de pronto se escuchó un ruido procedente del otro lado del jardín. Los goznes de una ventana mal engrasada.

Domenico levantó la vista por encima del encapuchado y se encontró, para su desdicha, con la visión del cuerpo desnudo de Sydney Morgan.

Entonces fue cuando el rayo mortal le atravesó el alma.

La corriente eléctrica le sacudió de dentro hacia fuera, le arrebató pedazos de sus entrañas, el aliento de sus pulmones, la sangre de sus venas y hasta la médula de sus huesos. Colapsó.

Es difícil entender lo que significó aquella visión del cuerpo femenino para un espíritu incauto como el de Domenico.

Sydney resultó ser la primera mujer desnuda que veía el joven Fontana en su corta vida y su contemplación, en todo su esplendor, iluminada por la primera luz del día, tuvo sobre él, ni más ni menos, que el efecto deseado por Dios cuando decretó que hombres y mujeres debían asegurar la permanencia de su especie sobre la faz de la Tierra. El impulso carnal se apoderó de Domenico con la misma intensidad que se apodera de un pájaro la obsesión arquitectónica de construir un nido; de una oruga las ganas de convertirse en mariposa o de un lobo la inquietante necesidad de pasarse la noche aullándole a la luna.

Hasta la misma Elisabeth, bajo su máscara veneciana, notó las vibraciones cósmicas de aquel cuerpo que ardió y se consumió delante de sus narices. Entonces, pareció esfumarse de pronto, vista y no vista, la noche en calma, el farol prendido, la suerte echada y la maldición de las hadas perversas flotando amenazadora sobre sus cabezas.

Domenico no supo cuándo se disiparon las nieblas ni cuánto tiempo permaneció inmóvil, convertido en una estatua de mármol, el *David* de Miguel Ángel, ni a qué hora amaneció del todo, ni cómo lo rescató su madre, temblando de frío, y lo metió en esa cama empapada a la que vino a buscarlo la parca para retarlo a un duelo mortal y de la que no pudo levantarse en cuarenta días de espanto.

La guerra que se vio obligado a librar Domenico contra la muerte no fue sólo la lucha habitual de la naturaleza frente a la enfermedad. En ese terreno, las jaculatorias de Abbondia, sus sopas de hierbas, sus ungüentos de barro y pis, sus horas y horas de sueño interrumpido y sus negocios de años y años con las criaturas del inframundo, que a veces bailaban al son de su flauta sólo por el placer de recibir a cambio algún tesoro procedente del otro lado del telón, como el aliento de las doncellas de carne y hueso o las lágrimas de los bebés humanos, fueron logrando que poco a poco, ante los ojos maravillados del doctor Morgan, el muchacho recobrara plenamente la salud.

La verdadera batalla, la que casi se lo llevó derechito a la tumba, la entabló Domenico contra el impulso animal de levantarse de aquella cama y salir en busca de Sydney para adueñarse de su cuerpo, amasarlo y lamerlo, extraerle el jugo de la vida y derretirse con ella. O sea, la lucha contra la peligrosa cara de la muerte dulce, la que engaña a sus víctimas haciéndoles creer que la mejor manera de vencerla es caer en sus garras.

—Contra eso no hay antídoto, niño mío —se lamentaba la vieja.

Y Domenico daba vueltas y vueltas sobre las sábanas empapadas, deliraba, se sacudía y lloraba. Aullaba, construía nidos, tejía capullos y telarañas.

Así pasaron los veinte primeros días de su viruela; la que el doctor Morgan y su vademécum supieron diagnosticar. Los veinte siguientes, hasta completar la cuarentena, transcurrieron entre el desmayo y la asfixia.

Elisabeth King, la criatura de las alas de encaje, había desaparecido de su memoria igual que el cristal oscuro de los ojos de Kai, tal vez por intercesión de los brebajes de Abbondia, y Sydney Morgan había pasado a ocupar su espacio vacante en el universo de Domenico.

No es que la hubiera olvidado del todo. No olvidó, por ejemplo, su tierna indefensión, su asombrosa levedad o el juramento que se había hecho de protegerla hasta de las corrientes de aire. No olvidó su claro del bosque. No olvidó el azul de sus ojos ni el verde de su pelo. Pero sí reconoció en el centro de su naturaleza humana el fuego de un incendio que Lizzy jamás podría sofocar.

Lo llamó deseo.

Y fue, seguramente, ese deseo el que le arrebató a la muerte su trofeo de carne tierna. Contra la fiebre el calor del deseo, contra el picor la comezón del deseo, contra el delirio el desvarío del deseo. El deseo carnal la mejor medicina, lástima no poder comentárselo al doctor Morgan para que experimentara con el descubrimiento. La cuestión es que, poco a poco, Domenico Fontana, la cabeza caliente y el cuerpo sediento, se recuperó milagrosamente de la viruela y comenzó el asedio de la fortaleza llamada Sydney Morgan. Se las apañó para levantarse de la cama, para dar pequeños paseos alrededor de la casa, para recuperar el hambre, la sed, el sueño... para sobrevivir.

Mientras tanto, en el pabellón derecho de Villa Fontana las cosas se habían puesto feas. Sydney acababa de sufrir un aborto y llevaba varios días en cama. Durante ese tiempo, las cortinas de su alcoba habían permanecido cerradas, la villa en silencio y la tristeza instalada entre sus paredes. El doctor Morgan había palidecido. Paseaba arriba y abajo del jardín, pensativo y tenso como si soportara sobre los hombros el peso de una conciencia desproporcionada mientras su esposa luchaba contra la debilidad primero, y luego contra la pena.

No es que Domenico se aprovechara intencionadamente de la desgracia de los Morgan para raptar a Sydney y llevarla al bosque. No era un mal chico. Lo que ocurrió fue una casualidad fatídica. Pasaba junto a la ventana del laboratorio cuando escuchó el grito ahogado de Sydney seguido del ruido que hizo su cuerpo al desvanecerse. Se asomó y la vio tendida en el suelo, pálida como una porcelana. Y temió que se hiciera añicos, toda esa belleza perdida para siempre, y quiso recomponerle el rostro, colocarle el vestido sobre la piel, trenzarle el pelo, insuflarle vida. La cogió en brazos, la sacó de la penumbra de aquella casa en duelo y la llevó a la sombra de un castaño del bosque.

Entonces ella se despertó, aturdida. Se encontró con la naturaleza en estado puro y necesitó probarla aunque fuera sólo con la punta de la lengua.

—¿No te ha dejado señales la viruela? —dijo Sydney para pedirle un beso.

Y él comprendió que todos los seres humanos son esclavos del animal que esconden debajo de la ropa. Al recibir el roce de aquella boca húmeda contra su carne, sintió que su corazón abandonaba para siempre su puesto de mando en el ala izquierda del pecho y caía rodando, como una roca por la pendiente de una montaña, hasta instalarse entre sus piernas. Al menos, los latidos —violentos y dolorosos— los notaba en ese lugar prohibido que, en contra de su voluntad, la señalaba directamente a ella.

Tuvo miedo. Estuvo a punto de devorarla. De arrancarle la ropa a mordiscos, de despellejarla, de saborear con placer hasta la última hebra de su carne.

Pero entre temblores y escalofríos, con un hilo de voz y un gruñido sordo, logró suplicarle:

—Volvamos a casa.

Lo malo es que ya había probado el veneno de la sangre y eso es algo que ningún depredador del mundo olvida en toda su vida.

CARTA DE DOMENICO FONTANA A SYDNEY MORGAN

Tú no eres feliz, Sydney. Una pared de hielo te separa de tu esposo. Ya no lo quieres. Lo noto en cómo me miras, en el ansia con la que me esperas en el embarcadero, la desaprobación fingida con la que recibes mis palabras.
Te digo:
—¿Cuándo accederás a venir conmigo, los dos solos, a descubrir los secretos de este lago?
Y tú te sonrojas y te escudas en mi hermano para hacerme callar. Pero, en realidad, quieres que siga, que te diga que la fascinación que siento hacia ti es una fuerza que no se puede dominar. Que deseo arrancarte la piel a tiras, verte exhalar el aire que respiras, vaciarte de sólidos y líquidos, y quedármelos todos yo. Construirte una trampa al pie de los castaños para atraparte en ella y poder disfrutarte siempre que quiera.
Me dices:
—Déjame, Domenico, ten piedad de mí.
Pero al día siguiente vuelves a esperarme, como cada tarde, en el embarcadero. Hasta que no veo tu silueta, de pie, con el candil en la mano y la melena al viento, no le doy la orden a León de recoger las redes y poner rumbo a ti. Eres tú quien decide cuándo y cómo regresamos.
Si algún día no vinieras a buscarnos, temo que permaneceríamos flotando a la deriva para siempre, perdidos y olvidados, incapaces de encontrar una mísera razón para volver a casa.

CARTA DE DOMENICO FONTANA A SYDNEY MORGAN

Esta noche he soñado que tú y yo nos adentrábamos en el lago a bordo de una barca de remos. Íbamos a escondernos en un recodo de la orilla, donde nadie pudiera ser testigo de nuestro juego prohibido. Tú te habías adornado el pelo con lavanda. Yo llevaba puesta la camisa del uniforme y no podíamos apartar la vista el uno del otro. Estábamos hechizados, hambrientos y sedientos. Nos acariciábamos, nos besábamos. Nos dejábamos llevar por la corriente.

Pero las aguas del lago tenían en mi sueño un color extraño, demasiado intenso, y a lo lejos había un barco que se movía sin velas ni remos, y vimos que unas niñas, asomadas ambas a un mismo balcón, nos señalaban con el dedo como si supieran que el nuestro es un amor secreto, irresistible, inevitable.

CARTA DE DOMENICO FONTANA A SYDNEY MORGAN

Volvamos al bosque, bajo el castaño, a cubierto de otros ojos y otras lenguas. Yo te desnudaré, tal vez a mordiscos, tal vez a zarpazos, y aparecerá de nuevo tu piel ante mi vista, blanca, temblorosa, suave. Y esta vez no dudaré en probarla. Te treparé como la hiedra. Te cubriré como el agua del lago. Te retorcerás de placer y llorarás por la desgracia de no haber sentido nunca hasta ahora semejante delicia.

Y yo moriré después. Porque habré consumido mi vida entera entre tus brazos.

XXVII

—¿Por qué te pones ese vestido tan rancio, Franchie? Francesca dio un respingo. Estaba totalmente sola. Sola y encerrada en el vestidor. Era imposible que Claudia supiera qué vestido llevaba puesto y, sin embargo, si quería ser justa, debía reconocer que el modelito era bastante ñoño. Se parecía a un dos piezas que se hizo famoso en tiémpos de Jacqueline Kennedy: la falda recta, la rebequita de lana sobre los hombros y un chaquetón de piel a juego con los pendientes de perlas.

—Perlas. No me digas más —se burló su hermana desde el otro lado de la puerta.

Francesca buscó con afán la rendija indiscreta o el ojo de la cerradura por el que la espiaba la niña Claudia. No lo encontró.

De un tiempo a esta parte tenía la sensación de que todos y cada uno de sus actos era conocido con antelación, espiado y juzgado por su hermana, la cual, desde que había dado comienzo su romance con Tom Bouvier, no paraba de morderse las uñas. Ya no le quedaba ninguna. Tenía los dedos en carne viva. Había empezado a tirar de los pellejos hasta levantarse la piel y, a veces, cuando Francesca no miraba, se arrancaba las costras y se chupaba la sangre.

Al principio, parecía que disfrutaba con los detalles del noviazgo. Ponía cara de gusto cuando Francesca le contaba que Tom olía muy bien, que tenía la piel muy suave, que sus besos eran cálidos y húmedos, que sus manos expertas. Pero luego había dejado de interesarse por esas descripciones y había comenzado a hacer preguntas desagradables.

—¿Cuándo vas a conocer a su madre?

—Pronto.

—¿Por qué no te presenta a sus amigos?

—Porque dice que me quiere sólo para él.

—¿Y la carta?

—¿Qué carta?

Al final todo se reducía a la maldita carta. La que explicaba cómo había muerto Sydney Morgan y cuáles eran los pasos que debían seguir ellas para deshacerse de Margherita.

Un día, Francesca se atrevió a insinuarle a Claudia que se le estaban pasando las ganas de asesinar a nadie. Le dijo que ahora que conocía el amor verdadero empezaba a comprender lo infelices que habían sido sus padres durante tantos años.

—No es por fastidiarte, Claudia, pero la culpa de que su matrimonio fracasara la tuviste tú. Mamá no volvió a decirle cosas bonitas a papá y él abandonó su guitarra en un rincón. Se reprochaban el uno al otro el descuido de aquella tarde: «Si no te hubieras dormido», «si no te pasaras el día al teléfono», «si no fueras tan apático», «si no fueras tan caprichosa».

Claudia se lo tomó como algo personal. Se puso hecha una fiera. Le contestó que no había más responsable que ella, la niña tonta que había contemplado impasible cómo su hermana pequeña se ahogaba delante de sus narices y no había hecho nada para impedirlo.

—Podías haberme alcanzado un remo o haberte tirado al lago. Tú sí sabías nadar. Pero te quedaste pasmada, con la boca abierta como una idiota, hasta que vino papá a buscarnos. Tuvo que bucear y todo para sacarme del agua.

Después de aquello, Francesca prefirió guardarse sus dudas para sí misma y continuar gozando de la compañía de Tom sin dar explicaciones a nadie.

Tom Bouvier solía pasar a recogerla a eso de las ocho de la tarde. La esperaba en un deportivo negro aparcado en la puerta lateral del hotel Pierre. Venía directamente del despacho, aún vestido con el traje de chaqueta que correspondía a su posición al frente de THB, pero con la camisa recién planchada y sin corbata, oliendo a colonia y bien peinado.

Francesca lo hacía esperar un poco para disimular las ganas de verlo. Contaba hasta mil en voz alta mientras paseaba de arriba abajo por el corredor y se miraba en todos los espejos que le salían al encuentro. Luego llamaba al ascensor, bajaba a la calle, lo buscaba con la vista y, cuando por fin lo encontraba, tan guapo, allí parado, con el motor en marcha, sentía que sus piernas dejaban de sostenerla y su voluntad de obedecerla y su cuerpo de pertenecerla.

Entonces viajaban juntos a través del tiempo, hasta algún local lleno de gánsteres donde él la defendía de los malos con una metralleta de tambor, o a través del espacio, hasta la prohibida Cuba de los mojitos dulces y los timbales y las maracas. Otras noches se quedaban en el presente y se mezclaban con la multitud que perdía la cabeza en el viejo teatro de la calle 54, mimetizados con la fauna de artistas, transgresores y excéntricos que poblaba aquella jungla psicodélica. A veces atravesaban el puente de Brooklyn como dos borrachos vagabundos, con una botella de whisky escondida en una bolsa de papel, mitones y calcetines agujereados. La mayoría de esas noches allanaban Central Park colándose por alguna rendija y terminaban rodando por la hierba, las bocas secas, las manos perdidas, y se les hacía de día, y los encontraba el guardia de seguridad aún riéndose de nada y los echaba de allí confundiéndolos con un par de delincuentes sin hogar.

—Invítame a tu casa —le rogaba Tom todas las madrugadas.

—No puedo. Ya te he dicho que vivo con mi hermana —respondía ella—. Llévame tú a la tuya.

—Yo no tengo casa —se lamentaba él, melodramático—. La mansión Bouvier es de mi madre. Ella es quien ordena y manda.

—Pues preséntamela, Tom, déjame conocerla.

—Ni en sueños, *sole mio.*

Así que se despedían con un beso frente al ascensor y la promesa de volver a intentarlo al día siguiente, volver a escaparse del tiempo, del espacio, de las garras de Greta, de las de Claudia, de sus propios miedos y de sus inseguridades.

—¿Te ha llevado a su casa? —le preguntaba Claudia, qué cruel, cada vez que su hermana volvía oliendo a besos a su habitación del Pierre.

Y Francesca se tapaba los oídos con las manos para no escuchar la voz de la niñita que retumbaba dentro de su cabeza, despiadada, con sus preguntas incómodas.

—¿Has conocido a Greta Bouvier? ¿Sabes ya dónde guarda la carta?

Esta insistencia de Claudia iba minando la paciencia de Francesca igual que una gota de agua que si persiste en su empeño termina por taladrar un agujero en la roca. Al final, de tanto machacarla, a Francesca le había dado por pensar que Tom se avergonzaba de ella.

Porque era cierto que fuera de sus citas nocturnas no recordaba ni una sola ocasión en la que el galán se hubiera atrevido a retarla a plena luz del día. Se escudaba en su trabajo, tan exigente, que lo obligaba a pasar horas interminables encerrado en su despacho del piso veinticinco de la torre Bouvier o a viajar de un extremo a otro del continente en vuelos relámpago o a asistir a aburridas reuniones de negocios que lo mantenían ocupado durante días. Le aseguraba que absolutamente todo su tiempo libre lo compartía con ella, su *sole*, pero Francesca no le creía.

Buscaba su nombre en los periódicos, perseguía su sombra en los chismes de la calle, sufría pensando que quizá Claudia tuviera razón: que en el algodonoso mundo de Tom Bouvier no había lugar para una mujer como ella.

—No creo que a semejante partidazo le interese seriamente una modelo italiana, no llores, tonta, sólo piénsalo —le decía—. Como diversión, para pasar un buen rato, no estás mal, Franchie, pero para que alguien de la categoría de Tom quisiera casarse contigo te haría falta mucho pedigrí, mucho caché, mucho de todo y tú, cariño, eres más bien poquita cosa.

Por eso le tenía muy bien aleccionada para que evitara en lo posible el paso definitivo y total hacia el desastre: lo que ella llamaba «el desliz».

—No se te ocurra permitirle llegar hasta el final, tú ya me entiendes. El día en que tu novio consiga lo que quiere, que no es más que acostarse contigo, siento tener que ser tan sincera, Franchie, ese día será el último.

Al cabo de unos meses Francesca se había convertido en una compradora compulsiva de revistas de sociedad en su afán de emular a las jóvenes casaderas que revoloteaban por Park Lane como inocentes abejitas en busca de un jugoso panal. Nada de excesos, nada de locuras, la risa contenida, la bebida escasa, los tacones bajos y los escotes discretos. A ver si conseguía engañarlos a todos con sus nuevos aires de jovencita decente y bien educada.

No logró su objetivo de hacerse invitar a la mansión Bouvier hasta el día del vestido recatado y las perlas, cuando por fin se enfrentó a los despiadados comentarios de Claudia con tanta violencia que llegó al coche de Tom con un ojo morado.

—¿Qué te ha pasado, *sole mio?* —se asustó el galán.

—Que me he peleado con mi hermana —respondió ella con la mandíbula apretada—. Por tu culpa—añadió.

—¿Por mi culpa?

—Claudia es una envidiosa. Es una niña mimada. Siempre ha sido la preferida de mis padres. Tan graciosa, tan simpática, tan alegre… Todo lo mejor ha sido siempre para Claudia. Es una egoísta —le explicó—. Verás, desde que tú y yo estamos enamorados, ella está insoportable. Dice que no me quieres. Dice que te avergüenzas de mí y que por eso no me presentas a tu madre. Dice que te cansarás pronto de este jueguecito, así lo llama, «jueguecito», y que me dejarás tirada como una colilla.

—Pero eso no es cierto, ¿lo sabes, verdad?

—Dice que eres un cobarde. Que tienes otras mujeres a las que llevas a los bailes y a las fiestas. Que a mí sólo me quieres para divertirte.

—No, Francesca…

—Y que parezco una puta. Eso me dijo. —Francesca rompió a llorar—. Así que le pegué una torta. Flojita, no te creas, y ella, la muy bestia, me lanzó un jarrón a la cara.

Tom no se avergonzaba de Francesca y tampoco salía con otras mujeres. Sencillamente, le aterraba enfrentarse al escrutinio cruel de su madre, la cual era capaz de echar a perder un cortejo de meses en una sola noche. Le bastaba con airear tres o cuatro trapos sucios para desarmar a la pobre infeliz que venía del brazo de Tom creyendo que la futura suegra sería fácil de conquistar. Luego, cuando la muchacha salía huyendo despavorida de aquella casa, decía algo como: «Menos mal que le pregunté por su hermano. Me habían contado lo de su afición al juego, pero no creí que fuera para tanto…».

A veces Tom tenía la sensación de estar examinándose de alguna asignatura imposible de aprobar. Por muy bien aprendida que llevara la lección, su madre siempre se las arreglaba para encontrar el punto débil de sus relaciones; exprimirlas, desecarlas, enlatarlas y echarlas a perder.

Temía que esta vez ocurriera lo mismo. Que Greta espantara a Francesca de su lado de un plumazo con un «menos mal» y un suspiro de alivio.

—No llores, Franchie —la consoló Tom como buenamente pudo. Aunque no era la primera vez que una mujer se venía abajo delante de sus narices, siempre le había horrorizado la escena del rímel corrido y los mocos colgando—. ¿Has bebido, *amore?* —añadió luego, cuando el torrente de lágrimas empezaba a hacer peligrar el cuero del asiento.

—Un poquito —respondió ella—. Porque estaba muy disgustada.

—No deberías beber para ahogar tus penas —la regañó—. Así empiezan a destruirse las personas buenas. —Tom seguía añorando al mejor amigo de su padre, Emilio Rivera, que terminó sus días vagabundeando con la sangre envenenada de whisky barato—. No sabes el daño que puede llegar a hacer la bebida.

Le tendió un pañuelo muy blanco, muy limpio y muy bien planchado y quién sabe si por compasión, por temeridad o porque se rindió ante el arma infalible de las mujeres —el derramamiento de lágrimas—, pronunció las siete palabras que Francesca estaba deseando oír desde hacía meses: «Mañana iremos a conocer a mi madre» y la octava, que le arrebataba el alma: «*Sole*».

Aquella noche regresaron al hotel algo más temprano de lo habitual. Francesca quería dormir mucho, levantarse temprano y acicalarse bien para presentarse ante la juez de su futuro con los deberes hechos. Se despidió de Tom con un beso al aire y entró en el Pierre por la puerta giratoria.

Allí la estaba esperando el director del hotel con cara de pocos amigos para advertirle que, si persistía en su actitud destructiva se veía obligado a informar al señor Versace, que, al fin y al cabo, era quien pagaba la cuenta, de todos los estragos que estaba causando en su *suite*. Al parecer, el jarrón de cristal que tan alegremente había lanzado contra el mueble bar era una pieza de gran valor, lo mismo que el reloj de mesa con el que la semana anterior había roto el espejo, por cierto, del siglo XIX, y que no iba a tolerar más insultos al personal de servicio ni más escenas desagradables que involucraran a otros clientes del hotel. Que el ascensor era de uso público, no de su propiedad, y, sobre todo, que o bajaba el volumen de su televisor, como ya le habían avisado en multitud de ocasiones, o se veía obligado a retirarlo de su habitación.

Francesca se disculpó escudándose en el mal carácter de su hermana Claudia, que era una niña mimada, y después, cuando la puerta del ascensor se cerró ante las narices del director, le sacó la lengua a su sombra.

—¡Y no más besos en público! —la amenazó él desde el otro lado del mundo.

Claudia estaba despierta, leyendo a oscuras. Tenía sangre reseca en la frente. La pelea había sido de las gordas.

—Hoy no me preguntas cuándo voy a conocer a Greta, ¿verdad? —le recriminó Francesca nada más entrar.

—No —respondió la niña—. Porque ya lo sé. —Levantó la vista del libro y añadió—: Yo lo sé todo. Lo que sucede y lo que no. Sé que mañana irás a la mansión Bouvier y sé lo que ocurrirá allí. Por eso es urgente que te sientes a leer conmigo. Nos estamos acercando al final de la historia de Sydney Morgan. Estamos a punto de descubrir quién la mató y cómo lo hizo. No sé tú, pero yo empiezo a sospechar de Domenico Fontana; el deseo incontrolable que siente por ella es muy peligroso. Podría tratarse de un crimen pasional. ¿No sería maravilloso? ¿Qué será lo que descubrió Olivia Clarke? ¿Qué la impulsaría a escribir esa carta que lleva escondida más de ciento cincuenta años y continúa siendo un misterio? ¿Y no te intriga saber qué fue de Elisabeth King? ¿Crees que al final se la llevó el viento?

XXVIII

Historia romántica de Lario, un estudio
LADY MORGAN, SUCESOS Y CORRESPONDENCIA

Unos días después de la partida de Elisabeth King hacia Inglaterra, el marqués de Confalonieri recibió en su casa de Milán una nota escrita por la pobre chica con mano temblorosa:

> *Con gran esfuerzo he alcanzado la villa de Reims en mi camino hacia Dunkerque. Desgraciadamente, mi situación es angustiosa y ya no estoy segura de poder llevar a cabo mi misión con éxito. Sufro los inconfundibles síntomas de la viruela. Mis fuerzas se debilitan a pasos agigantados. Por mi propio bien y por el del hombre al que amo trataré de alcanzar a tiempo la costa británica, pero siento que la muerte me acecha en cada recodo del camino.*

Al marqués le irritó muchísimo aquella carta. No tanto por su contenido como por la estupidez de su existencia misma. ¿A qué espía de la Tierra se le habría ocurrido, por Dios, la peregrina idea de poner por escrito datos tan sensibles como su itinerario o el estado de su salud? Y, sobre todo, ¿cómo podía ser tan inconsciente de firmarla?

Sin darse cuenta, Elisabeth King había puesto en peligro toda la misión, incluidos al joven Fontana y al resto de miembros de la Liga Patriótica Lombarda, pero Confalonieri no iba a quedarse sentado esperando a que Napoleón Bonaparte en persona se presentara en su casa con una guillotina portátil. Resolvió que desaparecería sin dejar rastro. Se refugiaría en el palacio de Pallavicini junto a Porro y Visconti y daría la orden de quemar sin abrir cualquier misiva que llegara a su villa de Como.

En cuanto a Domenico Fontana, que en aquel momento se debatía entre la vida y la muerte a causa de la viruela, la suerte estaba echada. Lo más conveniente para todos era que el chico no sobreviviera a aquella terrible enfermedad, que se llevara con él, a la tumba, el secreto de la misión de espionaje. Pero en el remoto caso de que el alma le regresara al cuerpo, sucumbiría de todos modos a la venganza de Pino y sus soldados, una vez que descubrieran su implicación en la trama.

Lo dejaron atrás sin ningún remordimiento de conciencia; pensaron que no había héroe más grande que aquel que da su vida por la patria, y cuando, contra todo pronóstico, Domenico recobró la salud, los aristócratas se hallaban ya a cientos de kilómetros de allí, disimulando su miedo a base de minués bajo el paraguas protector de los salones genoveses.

Mientras tanto, ajena a la cobardía de los nobles, Elisabeth King se enfundaba cada mañana en un vestido negro largo hasta los pies y se cubría la cabeza y la cara con un tocado de luto y un velo negro para ocultar los signos visibles de su enfermedad. Se detenía lo menos posible: una sola vez durante el día para que los caballos bebieran y otra, al abrigo de las sombras de la noche, en el primer albergue que aparecía en su camino, para dormir poco y mal y continuar el viaje en cuanto amanecía.

El cochero, un hombretón mal encarado, taciturno y siniestro, estaba convencido de que transportaba a una desconsolada viuda en su camino de retorno al hogar tras la muerte de su esposo. Elisabeth hablaba un perfecto francés que había aprendido durante sus años en Suiza, con un acento británico muy marcado, lo que hacía bastante verosímil su historia, pero, además, ella, para asegurar la coartada, se pasaba el día sollozando y llamando a Domenico con voz de alma en pena.

Nunca identificó el cochero el delirio como tal, sino como la intensificación del dolor de la joven inglesa al aproximarse a su tierra.

Ella, dando tumbos en el asiento de la berlina, estaba segura de que moriría sin remedio y que su única esperanza era que el buen Dios le permitiera alcanzar la orilla opuesta antes de reclamarla a su lado.

Sus rezos dieron fruto. Consiguió resistir las embestidas de las olas sobre el casco de un bergantín de vela cuadrada a pesar de los sudores, los escalofríos y los vómitos que la torturaban las veinticuatro horas del día y que el resto del pasaje confundió con mareos de inexperta navegante, hasta que divisó a lo lejos los acantilados de Dover y se rindió por fin, exhausta, febril, agonizante, sobre la hamaca de madera y sogas en la que la encontró el teniente Spencer y la dio por muerta.

Este Spencer era un hombre fiero, de unos cuarenta años, cicatrices en la cara y una oreja de menos. Cojeaba un poco de la pierna izquierda y bebía demasiado, pero tenía buena fama entre sus superiores por sus dotes de mando y su valor innegable. Le encomendaron la misión de reunirse con la dama en el puerto de Dover, bajo los acantilados, donde ella debía hacerle entrega de los papeles secretos y regresar a Francia sin desembarcar siquiera del velero en el que viajaba. Pero cuando el teniente subió a bordo, nadie le salió al encuentro. Se vio obligado a registrar el barco de arriba abajo, cubiertas, bodegas y camarotes, hasta que finalmente dio con ella, a medio camino entre esta vida y la incertidumbre de la otra.

William Spencer, que había sobrevivido a la viruela en su juventud, no había olvidado el efecto devastador del virus sobre la carne humana y en cuanto olisqueó el tufo a podrido que emanaba del cuerpo de la pobre Elisabeth lo identificó como el perfume inconfundible de la muerte.

De todos modos, tomó a la enferma en brazos y la bajó del barco como si cargara con un saco de patatas fermentadas. La acostó en su carruaje, dio orden al cochero de poner rumbo a Londres y, mientras atravesaban campos de labranza, pueblos brumosos, caminos polvorientos y bosques oscuros, fue desnudando a la dama, con cuidado de no llevarse trozos de piel pegados en la tela, porque pensó que no había mejor escondite para los documentos secretos que los recovecos de su cuerpo.

En efecto, entre el corpiño y la piel, a la altura de Greenwich, encontró el pergamino incorrupto.

Entonces le pidió al cochero que lo llevara al hospital militar más cercano. Allí abandonó a Elisabeth King sin más ceremonia que un grito de aviso al personal y un portazo que sonó a hueco. Luego desapareció para siempre en la vorágine de la guerra.

CARTA DE DESPEDIDA DE ELISABETH KING
A DOMENICO FONTANA

Reims, 20 de julio de 1812

Caro *Domenico:*
En efecto, amore, *pertenezco a esa categoría de seres incomprensibles que algunas veces utilizan su fragilidad como arma fatal: soy una mujer.*

Soy de carne y hueso, terrenal y tangible, malvada a veces, a veces gentil y hasta bondadosa. De intenciones variables, de corazón confuso, de impulsos irracionales, decisiones torpes, arrepentimientos y debilidades.

Y sí, Domenico, puedo enfermar y morir, aunque tú no lo creas.

Pero también, y esto me cuesta confesártelo, he comprobado que soy capaz de renunciar a mi existencia humana por amor. De hecho, ya no tengo vida. Ya la he entregado. Ya noto las alas creciéndome cálidas, frágiles y bellas; muy bellas, listas para romper esta crisálida que me envuelve y salir al aire convertida en mariposa. Volaré sobre las aguas de los lagos, sobre las nieves de las cumbres, y quienes me vean creerán que soy un espejismo. Sólo tú serás capaz de reconocer mi alma en su ascenso al cielo.

Con respecto a mi cuerpo, no creo que nadie me adivine ya dentro de él. Pero aquí sigo, escondida debajo de esta piel que se cuartea, se abre, hierve y se descompone; temiendo que de un momento a otro venga a buscarme el ángel de la muerte para expulsarme de aquí.

Pienso mucho en ti, camino de Siberia. Tan guapo con tu uniforme nuevo; el héroe de tus sueños de niño. Libertador de Italia, soldado valiente, el hombre que cambió el rumbo de la historia.

Pero cuando regreses a casa y me llames, amore, en nuestro claro del bosque, no quedará más que mi recuerdo. Te dirán que desaparecí sin dejar rastro. Que me buscaron por los mil y un recovecos de este lago traidor. Que morí, sí, vapuleada por las corrientes o asfixiada por los remolinos. Y nada de eso será cierto.

La verdad es que me estoy consumiendo poco a poco dentro de esta berlina en la que atravieso Francia con la esperanza de llegar a Inglaterra antes que tú a Rusia. Con los documentos que me entregaste sin sospecharlo, la otra noche, en el jardín de tu casa, escondidos bajo mi ropa, acunados por este corazón que cada día late un poco más despacio.

Yo soy el correo, Domenico, y tú el espía. Qué bueno hubiera sido seguir siendo un hada y tú la desdichada víctima de mis hechizos.

Cuando recibas esta carta que te envío a Villa Fontana desde la hermosa ciudad de Reims, yo ya no existiré. Pero si la estás leyendo, si la tienes entre tus manos y eres capaz de emocionarte con ella, eso significará que resistí lo suficiente para alcanzar la costa y entregar mi encargo a tiempo. Y que tú habrás cumplido *tu misión patriótica, y que estarás a salvo, libre, valiente y poderoso.*

Así me gusta imaginarte, amore, todo de mármol. Como ese David admirable que gobierna Florencia desde lo alto de su columna y ve pasar la historia por debajo de sus pies.

Me posaré en tus hombros, besaré tus párpados, aletearé junto a tu boca y jamás me separaré de ti.

Te amo, Domenico, con todo mi cuerpo y toda mi alma, con esta vida y con la próxima, con apariencia humana o como espíritu puro, con rabia, con ternura, con ansia, con sosiego. Con uñas y dientes, con desgarrones y caricias, con violencia, con pasión, con fragilidad.

Con lágrimas en los ojos.

Con desesperación.

Lizzy

Domenico Fontana tenía una curiosa costumbre: la de escribir cartas de amor sin tener la menor intención de enviarlas. Algunas las conservaba como recuerdo de tal o cual muchachita que lo encandiló en un cruce de miradas, o de aquella otra que le devolvió la sonrisa desde detrás de un abanico abierto, pero normalmente las arrugaba, las rompía o las quemaba nada más terminar de escribirlas, avergonzado hasta del color de sus propios pensamientos impuros. Por supuesto, jamás les hizo llegar ninguna de sus cartas ni a Elisabeth ni a Sydney. Ni esperaba recibir respuesta de ninguna de ellas. Por eso, la nota de despedida de Lizzy quedó olvidada en el cajón de las cuentas de Villa Fontana durante días y días sin que nadie preguntara por ella y no se le entregó a su destinatario hasta que la encontró su madre mientras ordenaba papeles, cuando ya era demasiado tarde.

Cuando por fin rasgó aquel sobre fechado el 20 de julio, procedente de Reims, y se encontró de golpe con la peor noticia de su vida, Domenico sintió que se sacudía por partida doble. Por una parte, la voz de Lizzy, campanillas temblorosas, frágil y desamparada como sonaba incluso por escrito, lo trajo de regreso, violentamente, al mundo real y lo cubrió de vergüenza de los pies a la cabeza. No sólo había traicionado a Elisabeth con el pensamiento y las intenciones permitiéndose desear el cuerpo de Sydney hasta el punto de soñarlo, imaginarlo y adivinarlo cada vez que posaba sus ojos en las sedas de sus vestidos, sino que además había bajado la guardia con respecto a la dulce hada de los bosques desoyendo las advertencias de Abbondia y la había abandonado a su suerte, a merced de las artimañas de la gente malvada y de las fuerzas crueles de la naturaleza.

Y peor aún, en medio de tanta lírica, descubrió con horror que Elisabeth King, si aún seguía con vida, era ni más ni menos que el correo reclutado por los nobles, los malditos nobles canallas, con los mismos argumentos con los que lo habían convencido a él: el sacrificio heroico a cambio de la felicidad del ser amado.

Rompió la carta en pedazos, se calzó las botas de montar y salió a toda prisa hacia el establo, bajo la peor tormenta de su memoria, con la intención de ensillar su yegua blanca y partir al galope hacia la frontera de Dunkerque, el destino más probable de la pobre Elisabeth.

Pero Abbondia lo estaba esperando detrás de la puerta y su figura era la misma que la de los árboles secos y retorcidos que salpicaban el bosque.

En cuanto lo tuvo cerca le repitió palabra por palabra la conversación que acababa de escuchar en Villa Garrovo entre Sydney y la condesa Pino.

—La Pelusina salió al jardín, empujó a lady Morgan contra el tronco de un árbol y, en susurros, con cuidado para que el general Pino no la oyera, le advirtió que escapara si no quería pasar el resto de su vida en la prisión de Moltrasio —le contó—. Le dijo que los militares la acusan de espiar para los ingleses, que piensan que fue ella quien les sopló a los rusos por dónde iban a llegar los nuestros. Pero *donna* Vittoria no lo cree así. Dice que la conoce demasiado bien como para leerle el alma y por eso se puso de su parte en lugar de obedecer a su marido. Ella le indicó el modo de huir de Villa Garrovo.

Otra pieza que se desplomaba sobre el tablero de juego.

Domenico no necesitó más argumentos para entender que las dos mujeres de sus sueños estaban entrampadas en la misma pesadilla. Elisabeth camino de Inglaterra convertida en espía y Sydney a punto de ser capturada por los militares. Ambas en peligro, con la muerte a punto de clavarles sus garras por la espalda.

—Lady Morgan escapó de Villa Garrovo en un balandrito muy endeble —continuó la vieja—. No creo que resista esta galerna.

Entonces fue tomando forma en su cabeza la imagen de Sydney, diminuta y bella como una esmeralda en bruto; desnuda, por supuesto, a bordo de aquel cascarón indefenso, a punto de desaparecer para siempre engullida por el lago y sintió que su alma se partía por la mitad, dolorosamente rota a causa de la tensión entre la ternura de Lizzy y la sensualidad de Sydney.

Sin tiempo para reflexionar sobre todo lo que estaba ocurriendo, Domenico cambió el orden de su rescate. En lugar de dirigirse hacia Francia, puso rumbo a Villa Pliniana, conocedor de las costumbres de las corrientes, las direcciones de los vientos y el paradero de los naufragios. Primero rescataría a Sydney, después a Lizzy. Las pondría a ambas a salvo; las protegería a las dos; a las dos amaría con la misma intensidad. Y no quiso imaginar entonces cómo sería posible consumirse en dos cuerpos y dos almas en una sola vida.

Levantó a Abbondia en volandas y la subió a la grupa de su caballo. Ella, por una vez, tan fea, vieja y arrugada, olvidó su papel de bruja y adoptó encantada el de princesa. Rodeó el cuerpo de Domenico con sus manos de anciana y él observó extrañado que tenía los dedos suaves y la piel sonrojada y que las líneas de las palmas eran largas, larguísimas, presagiando una vida casi eterna.

Desaparecieron al galope, bajo los rayos y los truenos, y tuvieron que apartar a manotazos las mariposas que a cada paso les salían al encuentro.

—Que no te engañen sus alas —le susurró Abbondia al oído—. Recuerda que las mariposas jamás vuelan de noche.

XXIX

—Las mariposas jamás vuelan de noche —repitió Francesca en voz alta.

Había escogido un vestido plisado por debajo de la rodilla, de cuello *halter* y color celeste claro, una chaqueta de punto, unos zapatos de charol, un collar de perlas y un perfume de rosas. Con respecto al peinado, tenía sus dudas: la melena caoba suelta sobre los hombros era una buena opción, pero tal vez un recogido, como ella había sugerido a la peluquera, resultaría más apropiado para presentarse ante su futura suegra.

—¿A qué crees que se refería Abbondia con eso de las mariposas?

—No sé —contestó Claudia—. Tal vez la vieja tenía un sexto sentido para las desgracias e intuía que les acechaba algún peligro. Piensa que ésa fue la última vez que se vio con vida a Domenico Fontana y a Sydney Morgan. Después de la tormenta, Charles encontró el cuerpo de su esposa flotando sin vida en la orilla del lago y del joven soldado nunca más se supo.

—Dime la verdad, Claudia. ¿Tú qué crees que pasó?

—Yo creo que Charles Morgan los asesinó a los dos. Eso es lo que creo —afirmó cerrando el libro—. Veo con toda claridad la escena del rescate. El apuesto muchacho llega al galope hasta Villa Pliniana y desde la balaustrada, bajo los rayos y los truenos, las nieblas, las olas, la lluvia torrencial y un viento endemoniado, distingue la silueta del balandrito a punto de zozobrar. Entonces se despoja de su ropa, al menos de la camisa y las calzas, y se lanza de cabeza al agua, más de veinte metros de caída libre, dispuesto a arriesgar su vida por salvar la de ella. Consigue llegar a nado hasta donde Sydney se debate con las aguane, que ya han rodeado el barquito y trepado por sus bordas y están desestabilizando el rumbo, tratando de llevar a la dama hacia el remolino de hojas y troncos que la engullirá sin remedio. Pero Domenico logra alcanzarla a tiempo, desenvaina su sable, lucha como un valiente, arrebata el cuerpo de Sydney a la misma muerte y la conduce sana y salva a tierra firme. Entonces se funden ambos en un abrazo de metal derretido. Él la besa con una pasión indescriptible, piel contra piel. Recuerda que se había quitado la camisa.

—¿Y la ropa de ella?

—Hecha jirones. No hay ropa, Franchie, sólo carne. Húmeda y cálida, latente y viva. Sólo hay boca, lengua, manos, saliva… Así los encuentra Charles Morgan, amalgamados en un solo cuerpo de cuatro brazos y cuatro piernas.

—Y los mata.

—Exacto. Con el sable de Domenico. Le basta con clavarlo una vez para ensartar los dos corazones. De todos modos, ya latían ambos al unísono. Ya eran una sola máquina. Ya no podían existir el uno sin el otro. Luego se deshace del cadáver del chico. Le ata un peso alrededor del cuello y lo empuja al agua. Coge el cuerpo de su mujer en brazos y lo sube a lomos del caballo en el que llegó hasta Villa Pliniana.

—¿Cómo supo el doctor Morgan dónde podía encontrar a Sydney?

—Se lo dijo Abbondia, tonta, ¿no recuerdas que la vieja le contaba al doctor todo lo que hacía su mujer?

—¿Y qué pasó con ella, con Abbondia?

—Pues se moriría de vieja, yo qué sé, no creo que tenga ninguna importancia en esta historia. Tal vez volvió a Villa Fontana a pedir ayuda cuando el chico saltó al vacío y dio la voz de alarma. De todas formas, no pudo hacer nada para evitar lo inevitable. Hay crímenes, Francesca, que no se pueden impedir. Hay que dejar que sucedan para que el universo recupere su equilibrio.

Francesca recapacitó un instante. Asintió con la cabeza. Después tomó aire y preguntó en voz alta:

—¿Crees que también murió Elisabeth King?

—Estoy convencida de ello. Recuerda lo hostil que es la civilización para un hada de los bosques. Si no la mató la viruela, sería el humo, el frío o la tristeza.

—¡Qué pena!

—De todas formas —añadió Claudia—, aún nos queda por saber qué misterio esconde la carta de lady Clarke. La que guarda Greta Bouvier con tanto celo. ¿Crees que Olivia descubrió alguna cosa en Londres? ¿Tal vez algo relacionado con Elisabeth King?

Al mencionar de nuevo su hermana la existencia de la carta, Francesca dio un respingo. Recordó de pronto la razón de su atuendo de niña buena y supuso que Tom debía de estar esperándola en el coche desde hacía rato. Típico de Claudia, pensó, entretenerla con sus historias y sus enredos para conseguir que llegara tarde a la cita.

Evidentemente, la niña mimada estaba doblemente celosa de ella. Por una parte, envidiaba, sin duda, la felicidad de saberse amada por el hombre más atractivo de la Tierra. Sólo había que ver cómo le mutaban el color y la expresión de la cara cuando Francesca, con picardía, le contaba alguna de las mil emociones que le provocaba la cercanía de Tom, el sabor de sus besos o el calor de su aliento. Y por otra, estaba claro que sentía unos celos enfermizos por el simple hecho de haber perdido su lugar preeminente en el universo unipersonal de su hermana. Si antes ella era el sol alrededor del cual giraba Francesca como una mula de tiro en la órbita de una noria, ahora Tom se había convertido en el astro rey y Claudia no era más que un satélite parásito que alumbraba sin luz propia. No era extraño, pues, que la niña detestara al novio con una rabia de muelas y dientes. Había sido así toda la vida. Desde que nació y le arrebató el trono a su hermana mayor, Claudia había sido una mimada, una caprichosa y una consentida.

De repente, Francesca se descubrió dueña de un tremendo sentimiento de rencor hacia la muerta y enseguida lo identificó con el desasosiego que llevaba rondándole el alma mucho tiempo. Once años, para ser exactos.

Al dar con este hallazgo de tanto odio enquistado, concluyó que, si no se hubiera ahogado aquella atolondrada de Claudia, ninguna de las desgracias posteriores de su existencia habrían tenido lugar. Intuyó que si lograba desprenderse de ella, de aquel delirio de su mente que formaba parte también de su corazón y de su espíritu, hallaría por fin la paz y entonces decidió que de ese momento en adelante y para siempre soltaría el lastre, aprendería a volar.

Volvió a atusarse la melena, se abrochó dos botones de la chaqueta, se miró una vez más al espejo de pie de su habitación.

—Te prometo —le dijo a su hermana en un tono solemne— que esta misma noche tendrás la respuesta. Te traeré la carta. La robaré para ti si es necesario. Como los nísperos, Claudia, como los libros de la biblioteca. Pero quiero que me prometas una cosa.

—¿Qué cosa?

—Que cuando sepas de una vez lo que ocurrió, me dejes en paz. Que no me persigas más, que no me digas lo que sabes que haré, que no leas en las palmas de mis manos, que no escuches las voces de mi cabeza. Que me devuelvas la libertad.

Claudia se puso en pie. Abrió los ojos como platos. Comenzó a temblar.

—Pero tú eres una asesina muy torpe, Franchie, y me necesitas para guiar tus pasos. Si me interesa lo que pasó con Sydney es sólo porque quiero saber cómo hemos de actuar con respecto a Margherita. Cómo haremos para convencer al mundo de tu inocencia.

—Es que, Claudia —se atrevió a replicar Francesca sin tener en cuenta las consecuencias de sus palabras—, sinceramente, lo que pase con Margherita a estas alturas me da lo mismo. Voy a casarme con Tom Bouvier. Eso es lo único que me importa.

Giró sobre sus talones y salió de la *suite* dando un portazo, sin volverse a mirar a su hermana, que poco a poco se fue desvaneciendo en el aire como una nube de polvo, aún con los ojos fuera de sus cuencas y la boca seca.

Amparado por la noche de Manhattan, Tom Bouvier estaba esperando a Francesca en un deportivo descapotable que había aparcado junto a la puerta de atrás del Pierre y, mientras la aguardaba, sentía que las yemas de los dedos se le entumecían de pura angustia. Su madre acababa de regresar de Europa y en su ausencia había dispuesto que a su retorno se celebrara una cena informal para conocer a la nueva conquista de su hijo querido. La batalla estaba a punto de dar comienzo y Tom sabía que irremediablemente iba a quedar atrapado entre dos fuegos.

Apareció Francesca vestida para triunfar. No había nada en su aspecto que delatara su auténtica personalidad apasionada. Parecía una colegiala dócil, no la pantera salvaje a la que Tom llevaba meses tratando de domar sin el menor éxito.

Al contrario de lo que venía siendo una costumbre en sus encuentros y despedidas, esta vez, en lugar de lanzarse a sus brazos y enredarse en su lengua casi por sorpresa, Francesca saludó a Tom con un suave beso en la mejilla. Carraspearon ambos. Se dedicaron una sonrisa nerviosa.

—¿Crees que le gustaré? —preguntó ella con ansiedad.

—Lo importante es que me gustes a mí —replicó él—. ¿No crees?

Condujeron en silencio durante el corto trecho que los separaba de la mansión Bouvier. Cuando atravesaron la puerta de la finca, Norberto salió a recibirlos vestido con la librea de las grandes ocasiones y se hizo cargo del coche. Hacía rato que había caído la noche, pero la iluminación del porche, los farolillos que colgaban de las ramas de los árboles y, sobre todo, la luminosidad que, procedente del interior de la casa, se derramaba por las ventanas convertían la mansión en un palacio de cuento de hadas.

La puerta se abrió con delicadeza y Rosa Fe madre, el ama de llaves, en un impecable uniforme gris con cofia y delantal de hilo, les hizo pasar.

Francesca se fijó en la enorme escalera de madera que subía a las habitaciones de la planta superior. Partía del *hall* y se perdía en lo alto. Cuántas veces le había hablado Tom de esa escalera. Era, en su memoria, lo más parecido al palco de un teatro, la vida pasando por debajo y él, todavía un niño inocente, contemplándola a través de los barrotes de la barandilla.

Todo era tal y como Francesca había imaginado. A la izquierda, la biblioteca; a la derecha, el corredor donde estaba expuesta la colección de pinturas; al final, la puerta del salón que se abría a medias dejando entrever en el fondo las llamas de un fuego muy vivo, y allí, apoyada como por descuido en el marco de la chimenea, debajo de su propio retrato, la dama Greta, recién cumplidos los cincuenta años, elegante, imponente, con su porte de reina, sus rasgos germánicos, su belleza regia y su mirada firme.

No sonreía. Tampoco mostraba ninguna emoción concreta. Parecía una fría escultura de mármol, bella, pétrea, dura. Un motivo más de la decoración de aquella casa.

Francesa temió desentonar en el conjunto. Se agarró al brazo de Tom como si creyera que de este modo se haría invisible a aquellos ojos de águila. Se echó a temblar.

De pronto, al pronunciar Tom la palabra «madre», el hechizo se deshizo como por arte de magia. Greta Bouvier volvió a la vida y sus movimientos resultaron tan elegantes y su rostro tan dulce que Francesca, asombrada, se preguntó si la impresión de antes había sido tan sólo producto de su imaginación.

—Así que tú eres la famosa Francesca que le ha robado el corazón a mi hijo —dijo la alemana con una sonrisa muy blanca.

Y, para su sorpresa, Francesca constató que había articulado aquella frase de bienvenida en un perfecto italiano. Con el acento y la entonación cantarina de la gente de Lombardía y con el mismo gesto de bienvenida, los brazos abiertos en señal de acogida, con el que la hubiera recibido cualquier oriundo de Lario.

—Habla usted mi idioma —se asombró Francesca.

—Por supuesto —respondió Greta—. Nací en Baviera y amo profundamente aquella tierra. Poseo una villa en Lugano donde suelo buscar refugio cuando me asedian las preocupaciones. Ya ves, compartimos escondite tú y yo.

Entró Rosa Fe hija con el champán. Brindaron por aquel encuentro. Bebieron y conversaron como viejas amigas.

Durante todo el tiempo que duró su charla, Tom permaneció en pie, tenso, incómodo. Su italiano no era tan correcto como el de su madre y no estaba a gusto siendo el blanco de las miradas y los comentarios de las dos mujeres. Sintió un gran alivio cuando se sentaron a la mesa. La conversación siguió fluyendo de una manera tan natural entre las dos que por un instante llegó a pensar que, por un asombroso capricho del destino, la alocada italiana y la calculadora alemana habían encontrado la una en la otra su alma gemela.

Pero aquella felicidad duró poco. Antes del postre, casi por descuido, sin pensar lo que hacía, posó su mano sobre la de Francesca. Greta dio un respingo en su silla, imperceptible para la pobre chica, pero muy alarmante para él. Notó que su madre le clavaba los ojos igual que garras de rapaz, e inmediatamente apartó la mano de allí como si quemara.

«Está fingiendo», pensó aterrado para sus adentros.

Con esta certeza, asistió al brindis —Greta declamando en italiano un conocido pasaje de *La Traviata*, Francesca respondiéndole entre risas—, y a la charla de café y coñac que vino a continuación.

Con tanta cordialidad de ida y vuelta, y después de dos o tres copas, la joven empezó a perder la compostura. Su risa se volvió ruidosa, sus chistes picantes, sus coqueteos con Tom de lo más impropios. La auténtica italiana hizo su aparición por detrás de aquellos diques de contención que su pobre sentido común y los consejos de Gianni habían construido con paciencia de albañil, para espanto de Tom y deleite de Greta, que con su sonrisa helada y sus parpadeos de incredulidad soportó a duras penas el parloteo, las carcajadas y los despropósitos de la última conquista de su hijo.

Tom se vio en la obligación de intervenir para atajar aquello. Rebuscó en su memoria algún tema de interés que pudiera llevar la conversación por otros derroteros y súbitamente se acordó de la historia de lady Morgan.

Recordó que en los primeros tiempos de su relación, cuando Francesca aún trataba de hacerse la interesante con él —antes de comprender cuáles eran sus verdaderos intereses—, la chica le había comentado que llevaba varios meses estudiando en profundidad la vida y la muerte —en circunstancias cuanto menos sospechosas— de una escritora irlandesa del siglo XIX llamada lady Morgan.

Por supuesto, a Tom no le había sonado de nada aquel nombre hasta que Francesca le había preguntado muy enigmática:

—¿A que no sabes cómo se llamaba la hermana de lady Morgan?

Entonces, al responderle que lady Clarke, Tom había comprendido al instante de quién se trataba. La carta que su madre guardaba con celo enfermizo en uno de los cajoncitos del secreter estaba rubricada con la firma de aquella misteriosa mujer decimonónica.

—Cuando era un niño —le relató aquel día mientras soltaba el humo de su cigarrillo por la nariz—, recuerdo que una vez nos colamos mi amigo Ernesto Rivera y yo en la habitación de mi madre. Tendríamos trece o catorce años y habíamos empezado a fumar en secreto hacía poco tiempo. Se nos ocurrió rebuscar en sus cajones por si encontrábamos algún cigarro olvidado, con cuidado para que no nos descubrieran, ya que mi madre, fumadora empedernida, detestaba el vicio del tabaco en los demás por considerarlo una debilidad de carácter. Pues bien, mientras Ernesto registraba los armarios, yo me dediqué al escritorio. Lo revolvimos todo, incluida su ropa interior, no sé cómo fuimos tan osados, y, por supuesto, no encontramos ni una mísera colilla. En cambio, ¡qué cosas!, dimos por casualidad con la carta de la que me hablas. En efecto, mi madre la conserva con su sobre original, como si fuera la reliquia de algún santo.

—¿La leíste? —preguntó Francesca.

—¡Qué va! —respondió Tom al tiempo que una enorme sonrisa se dibujaba en su rostro—. Fuimos sorprendidos como dos viles rateros y perseguidos escalera abajo por Rosa Fe, armada con el plumero y una ristra de maldiciones en español. Ernesto, que era el único de los dos que las entendía, se puso pálido como un muerto, salió corriendo de casa y, según me dijo, no paró hasta que llegó a la suya con el corazón en un puño.

A Tom aquella conversación le vino a la memoria en el momento preciso, mientras, horrorizado, contemplaba a su novia servirse la tercera copa de coñac. Sabía lo mal que le sentaba el alcohol a Francesca y cómo pasaba de la alegría al descontrol sin aviso previo ni estado intermedio que lo anunciara.

En sus salidas nocturnas, aquella debilidad de su novia la perdonaba con infinita indulgencia porque en cierto modo le hacía gracia. Se reía con ella de las bromas más absurdas, infantiles y grotescas que se les pudieran ocurrir a los dos y siempre acababan rodando por el suelo, abrazados, olvidados del mundo que giraba a su alrededor, como dos niños sin conciencia. Pero ahora, en medio del salón de la mansión Bouvier, con el asombro dibujado en el rostro de su madre, Tom se vio obligado a intervenir urgentemente para lograr que Francesca recuperara las formas.

Lo primero que hizo fue arrebatarle la copa de la mano y dejarla fuera de su alcance, al otro lado de la mesa. Lo segundo, sacar a colación el tema de la carta.

—Franchie, no le has preguntado a mi madre por la carta de lady Clarke —dijo.

Greta, que era más lista que una liebre, se dio cuenta enseguida de que su hijo estaba tratando de llevar las aguas a otro cauce. La referencia a aquella carta cuya existencia había dejado de ser un secreto debido a la indiscreción de Boris Vladimir no le sorprendió en absoluto. Sabía que tarde o temprano saldría a colación el tema, pero no había previsto que lo sacara Tom. Se había figurado que sería Francesca quien, con inocencia fingida, presumiera de sus inquietudes intelectuales para hacerse valer.

—En efecto —dijo—, dicha carta existe y obra en mi poder. El hallazgo fue mío. La encontré en el año 71, meses después de haber adquirido el escritorio en subasta. Ya en aquel momento el mueble me pertenecía a mí, y también su contenido, así que cualquier insinuación con respecto a la propiedad de la carta es intolerable.

—Ni Francesca ni yo estamos poniendo en duda que la carta sea tuya, mamá —protestó Tom en tono conciliador—, sólo nos preguntábamos si querrías enseñárnosla.

—¿Por qué motivo te interesa esa carta, Francesca?

La chica palideció. Fijó la mirada en el fondo de la habitación y pareció recibir las órdenes de alguna presencia invisible. Asintió de un modo extraño antes de responder.

—Es fundamental que conozca el contenido de esa carta para poder terminar un trabajo para la universidad. Llevo mucho tiempo investigando sobre la vida de lady Morgan y creo que las palabras de su hermana, lady Clarke, podrían arrojar una nueva luz sobre mis conclusiones.

—¿Qué conclusiones son ésas?—preguntó Greta con auténtica curiosidad.

—Me propongo demostrar que Sydney Owenson, lady Morgan, fue asesinada en Como en el año 1812.

Se hizo el silencio. Tom se movió incómodo en el asiento. Greta arqueó de nuevo las cejas, sorprendida por la afirmación de la italiana.

—¿Asesinada? —repitió.

—Sí —respondió Francesca, por primera vez tan segura de sí misma que su voz sonó firme, sin vacilaciones—. Asesinada.

—¿Por quién, si puede saberse?

—Por su esposo, por su amante, por sus vecinos, por sus amigos… eso es lo que probablemente nos descubra la carta.

—Interesante —respondió Greta, levantándose ruidosamente del sofá—. Has logrado despertar mi curiosidad. Voy a por ella.

En ese momento entró Rosa Fe madre en el salón. Su aparición, en el mismo instante en que Greta se puso en pie, se debía, sin duda, a que llevaba un rato escuchando detrás de la puerta, sin atreverse a pasar, tratando de encontrar el modo de llamar la atención de su señora sin interrumpir la conversación. Venía temblando, aparentemente por alguna impresión que acababa de recibir y que había estado a punto de provocarle un desmayo.

—Ha llamado la señora Bárbara Rivera —dijo con un hilo de voz—. Se encuentra malita. Pregunta si pueden mandar a por ella. Tiene pavor a morirse solita esta noche.

Bárbara Rivera era la mejor amiga de Greta. Tenía más o menos su edad, pero parecía mucho mayor. Los disgustos, la bebida y la desgracia de haber enviudado muy joven habían dotado su rostro de ríos y afluentes, sus ojos de rayos de sol y sus labios de un temblor parecido al de las hojas de los álamos. Su hijo único, Ernesto, era, además, el amigo más querido de Tom, y su difunto marido, Emilio, había sido en vida el mejor amigo de Thomas Bouvier padre.

—¿Pero no estaba de viaje? —preguntó Tom—. ¿No había ido a México a conocer a la novia de Ernesto?

—Pues por eso se querrá morir —replicó Greta.

—Rosa Fe, dígale que ya voy yo —propuso Tom y luego añadió, dirigiéndose a su novia y a su madre—: Volveré enseguida. Me parece más cariñoso por mi parte acudir personalmente que enviarle a Norberto.

La preocupación se reflejó en el rostro de Francesca.

—¡Voy contigo!

—Ni hablar —respondió al instante Greta—. Bárbara está perfectamente. La conozco muy bien. Mejor quédate y te muestro la carta.

De nuevo Francesca pareció pedir consejo a la sombra del rincón. Se mordió los labios. Titubeó. Consultó con Tom.

—Mi madre tiene razón —dijo él—. No tiene sentido que vengas. Espérame aquí.

Antes de marcharse, el galán acompañó a su madre al piso de arriba. Francesca, desde el salón, les oyó comentar que la pobre Bárbara estaba cada día más perdida. Que si no fuera por su carácter insoportable, Greta la invitaría a vivir en la mansión. Ojalá la boda de Ernesto fuera para bien y pudiera hacerse un hueco en el nuevo hogar de su hijo, añadió.

Después, Tom, con el abrigo puesto, le dio un beso a Francesca, le prometió que volvería en diez minutos y se marchó. Greta lo despidió en la puerta.

Cuando la dama entró de nuevo en el salón llevaba la carta de lady Clarke en la mano. La agitaba como si fuera un abanico.

—Aquí tienes tu carta —le dijo a Francesca tendiéndole el sobre amarillento que contenía la solución al misterio. Pero, de pronto, pareció cambiar de idea y, con un rápido movimiento, lo dejó caer en su regazo—. Mejor no —dijo con voz de niña caprichosa—. Mejor te cuento por qué me he inventado la historia de la enfermedad de Bárbara Rivera, sí, no pongas esa cara: es una mentira piadosa para conseguir estar unos minutos a solas contigo. He tenido que sobornar a Rosa Fe para que me ayudara. Francesca Ventura —sentenció—: Tenemos que hablar tú y yo, de mujer a mujer, antes de que vuelva Tom.

De este modo dio comienzo el demoledor discurso que pronunció Greta Bouvier, a ratos sentada y a ratos de pie, apoyada en la chimenea, aprovechando la ausencia de su hijo, y que igual que cuchilladas crueles se fueron clavando en el ánimo de Francesca hasta acabar con su inestable cordura.

En ningún momento de la narración trató la italiana de interrumpir a la dama. De la impresión, se había quedado paralizada y muda como una estatua de sal y sólo algún que otro estremecimiento, un cierto hormigueo en las palmas de las manos y un temblor que le subía y bajaba por todo el cuerpo demostraron que la pobre chica aún estaba viva.

—Yo siempre digo que más sabe la vieja por vieja que por sabia —comenzó la dama—. También suelo advertir a los que me toman por tonta que yo no me he caído de ningún guindo y tú, Francesca, que eres una mocosa y además una necia, has pensado que eres más lista que yo. ¿De verdad creías que iba a dar mi bendición a este noviazgo sin hacer primero algunas pesquisas? Tom es el amor de mi vida. Por él estaría dispuesta a morir y a matar. Lo conozco tan bien como a su padre. Por eso puedo detectar en él las mismas debilidades que en mi marido y perdonárselas. La peor, Francesca, es la de confiar sin reservas en la inocencia de las mujeres. ¡Qué cándidos son los hombres cuando se trata del amor! De veras se creen que las mujeres nos enamoramos de ellos de manera visceral, sin medir primero las consecuencias. ¿Es que no se han preguntado nunca cómo es posible que hombres viejos y zafios sin ningún atractivo diferente a su dinero encuentren tantas mujeres jóvenes y bonitas dispuestas a dejarse seducir por ellos? No te equivoques, no te atrevas ni siquiera a pensar que ése pueda haber sido mi caso. No lo fue. Yo amé a Thomas Bouvier con toda mi alma y todo mi corazón y su fortuna jamás representó ninguna diferencia con respecto a lo que sentía por él. Pero durante el poco tiempo que disfruté a su lado, pude observar lo que te digo en otras jovencitas a las que el dinero cegaba e impedía ver que él sólo tenía ojos para mí. Del mismo modo, ahora, treinta años después de aquello, soy perfectamente capaz de identificar el brillo de la avaricia en la mirada de muchas de las chicas que el pobre Tom me trae a casa. Por eso, Francesca, suelo investigar el entorno de las candidatas antes de invitarlas a cenar a casa. Como te puedes figurar, ésta no es la primera vez que mantengo una conversación privada con una conquista de Tom a sus espaldas. Algunas veces, mis indagaciones me llevan a descubrimientos asombrosos, como aquella ocasión en la que pude demostrar que una de las amigas de Tom fingía estar soltera cuando en realidad estaba casada con un aristócrata francés al que había repudiado la misma noche de bodas porque en cuanto se quedaron a solas en el dormitorio, el esposo le había arrancado el camisón para ponérselo él.

»Aquella vez pensé que ya nada podría sorprenderme en esta vida, pero, ya ves, Francesca, lo que son las cosas. Tu caso es más increíble aún que el de aquella pobre chica.

»Cuando el príncipe Boris Vladimir me trajo a cenar al famoso modisto calabrés que, al parecer, es tu mentor, creí descubrir en él una sospechosa cautela que enseguida identifiqué como alguna información sobre su pupila que prefería mantener en secreto. Hice mis deberes y supe que, desde tu llegada a Nueva York, te has convertido, jovencita, en un dolor de muelas para Versace. Haces lo que te da la gana, trasnochas, bebes, le pones en evidencia y tienes en vilo a toda la plantilla del hotel Pierre por tus excesos. Aquello ya era lo bastante grave como para impedirte la entrada en mi casa, pero no podía quitarme de la cabeza la estupidez de Boris, que sin pensar en las consecuencias de su indiscreción, le había revelado a Versace, y como resultado también a ti, la existencia de la carta de lady Clarke. No es que me pareciera demasiado peligroso que una indocumentada como tú pudiera meterse en mis asuntos (no sé si sabes que la propiedad de esa carta está en litigio por una absurda demanda de la Universidad de Dublín), pero como mujer de negocios que soy, preferí enfrentarme directamente al enemigo y sonsacarte, Francesca, toda la información que pudiera serme de utilidad. Por eso te invité a cenar aquella noche y por eso conociste a Tom. Fue una desgraciada coincidencia que él decidiera regresar a casa aquella noche sin avisarme. Vuestro encuentro no estaba en el guion. Tú no eres lo que se dice un buen partido. ¡Jamás pensé que mi hijo fuera tan bobo como para fijarse en ti! Eres muy guapa, jovencita, pero tienes menos inteligencia que un gusano. Me basta y me sobra con nuestra conversación de esta noche para ratificarlo. El problema fue que Tom se encaprichó contigo y comenzó a cortejarte en secreto. ¡Como si fuera posible ocultarme a mí algo así! Norberto me lo cuenta todo. No en vano, lleva treinta años a mi servicio. Puedes estar segura de que he estado al tanto de cada uno de vuestros pasos, de vuestros encuentros y hasta de vuestros besos.

»Tan fuerte llegó a ser el empeño de Tom contigo que debo confesarte que en algún momento temí que mis descubrimientos sobre tu vida disipada no fueran suficientes para eliminarte de su cabeza. «¿Que algunas veces se toma una copa de más?», me diría «¿Que le gusta divertirse? ¿Que es temperamental? Claro, como que es italiana…», así que me vi en la necesidad de encontrar algún impedimento más sólido que ofrecerle.

»Acabo de regresar de Europa, Francesca. ¿A que no imaginas dónde he pasado los últimos días? En efecto, veo por tu cara que adivinas cuál ha sido mi destino. Ni más ni menos que Italia, la bella Italia, con sus ciudades magníficas: Florencia, Milán, Venecia… y, por supuesto, ese enclave mágico, casi un escondite, que es el lago de Como.

»Tengo que reconocer que la visita a los Cossentino fue deliciosa, pero muy poco fructífera. Tu madre y tus abuelos se comportaron como los más delicados anfitriones del mundo. A las preguntas que les hice sobre ti contestaron con las mentiras mejor construidas que te puedas imaginar. A punto estuve de regresar a casa con las manos vacías. Pero entonces decidí ir a conocer a tu padre, Stefano Ventura, con la ventaja añadida de que su hermosa villa de Moltrasio está a una distancia muy corta de mi casa de Lugano. Me alojé en mi propiedad, rodeada por mi gente, mis amigos, mis vecinos, y eso me proporcionó las fuerzas necesarias para llevar a cabo la misión de salvamento de la honra, la felicidad y la fortuna de mi hijo, que era lo que me había llevado hasta allí. Y menos mal que llegué a Villa Margherita bien repuesta del viaje y bien descansada, porque ni nada ni nadie hubieran podido prepararme para lo que me esperaba.

»Me recibió una hermosa mujer embarazada, en un estado tan avanzado de gestación que temí que se pusiera de parto allí mismo. Me invitó a entrar y tomamos juntas un té con limón frente a una chimenea encendida. Su nombre es Margherita Borghetti, supongo que sabes a quién me refiero porque me dijo que es tu madrastra. También me contó que la odias con toda tu alma. Que estuviste a punto de matarla de un golpe en la cabeza. Que quisiste ahogarla en el lago. Que estás trastornada, Francesca, desde que tu hermana pequeña murió siendo una niña, en tu presencia, sin que tú hicieras nada por evitarlo. Todo eso me lo contó tranquilamente mientras bebía su té a sorbitos, como si el horror que yo estaba sintiendo lo hubiera superado ella hacía tiempo. Como si hubiera aprendido a convivir con el miedo, con la locura, con la incertidumbre…

Al llegar a este punto de su relato Greta Bouvier perdió el hilo. También el sentido. Un reguero de sangre brotó del lado derecho de su cráneo, justo por encima de la oreja, y fue tiñendo de rojo primero su pelo rubio, después su piel y, por último, su vestido azul celeste.

Francesca era rápida de reflejos. Tanto que había aprovechado un instante de distracción en el que la dama le había dado la espalda para agarrar la botella de coñac y rompérsela en la cabeza. Greta se había desplomado a sus pies y, en su caída, se había golpeado en la frente con la mesa. Ahora la sangre cubría también sus ojos, su nariz y su boca.

Claudia salió de detrás de las cortinas con una sonrisa siniestra que le cruzaba la cara de oreja a oreja y con el libro en las manos.

—¡Muy brava, Franchie! —felicitó a su hermana dando palmas—. ¡Se lo tiene bien empleado la muy bruja!

Francesca continuaba de pie, pálida como un cadáver, con la botella hecha añicos cogida por el cuello en la mano.

—¡Calma, niña, que pareces tú la muerta! —se rio Claudia.

—Entonces, ¿la mato? —preguntó con la esperanza de que su hermana encontrara otro modo de terminar la historia.

—Sí, Franchie —respondió Claudia—. La matas de un botellazo.

—Pues vaya final de mierda —protestó Francesca.

—No te equivoques. Esto no es el final. Todavía no has leído la carta de Olivia Clarke. Te recomiendo que te des prisa en hacerlo, no sea que vuelva Tom y te encuentre ahí como un pasmarote con las manos llenas de sangre. ¿Cómo le convenceríamos entonces de que todo esto no ha sido más que un desgraciado accidente? Limpia los cristales, esconde los restos de la botella, coge la maldita carta, léela y cuéntales a todos que sufrió un desmayo y se cayó sobre la mesa. Tienes suerte de que los criados no hayan oído el golpe.

Francesca cumplió una a una todas las órdenes de su hermana. Cuando terminó de limpiar los restos del desastre, se arrodilló junto al cuerpo inerte de Greta y, con suma delicadeza, despegó los dedos de la dama del sobre que lo aprisionaban. Después lo abrió teniendo cuidado de no mancharlo de sangre, sacó la carta, la desdobló y comenzó a leer.

Lo primero que le llamó la atención fue el nombre de la destinataria. Francesca siempre había dado por hecho que lady Clarke había escrito aquella carta a su hermana Sydney para alertarla de algún peligro. Sin embargo, no era el nombre de lady Morgan, sino el de la *signora* Fontana, el que aparecía en aquel viejo sobre. ¿Qué tendría que decirle Olivia a la madre de Domenico? En ningún momento de la narración había habido constancia de que ambas damas se conocieran; mucho menos de que hubiera llegado a establecerse una correspondencia entre ellas. Si nunca se habían encontrado y nunca se habían escrito antes, ¿qué asunto de interés común sería aquel que las había impulsado a comunicarse por carta?

El otro detalle que la intrigó fue la fecha. Diciembre. Casi cinco meses después de los terribles acontecimientos de Como. ¿Tal vez un descubrimiento posterior? ¿Algo que arrojara alguna luz sobre el incierto paradero del joven Fontana?

CARTA DE LADY CLARKE A ALBERTA FONTANA

Great George Street, Londres, 20 de diciembre de 1812

Querida signora *Fontana:*
Aunque usted no me conoce, y lo más prudente, por el bien de ambas y el de nuestros seres queridos, es que nunca lleguemos a encontrarnos, me decido a escribirle esta carta hoy, 20 de diciembre, con los regalos de Navidad ya envueltos y esperando a los pies del abeto el mágico momento en el que la casa se llene de alegría y música, la celebración de la vida, mientras probablemente usted, allá en su villa italiana, continúe llorando desconsolada la pérdida de su hijo Domenico.

Soy madre, donna *Alberta, y no puedo permanecer callada, a pesar de que si alguien llegara a interceptar esta carta tanto su familia como la mía quedarían expuestas a un grave peligro. Por eso le ruego que tras leer lo que tengo que decirle, la esconda o la destruya. No permita que nadie la descubra jamás.*

Signora Fontana, prepárese para recibir la mejor noticia de su vida: ¡su hijo está vivo!

El joven Domenico nos trajo a lord y a lady Morgan de vuelta a Inglaterra y los protegió durante los largos días de viaje. Es un héroe.

Me devolvió a mi hermana Sydney sana y salva. Llena de contradicciones, de pájaros en la cabeza, de ideas alocadas y sentimientos revueltos, pero viva, sí, tanto que a veces temo que salga volando hacia quién sabe qué firmamento inventado.

No he podido agradecerle a Domenico lo que hizo por mí. Por supuesto, él no imaginaba el incalculable regalo que me estaba haciendo cuando tomó la decisión de arriesgar su vida para salvar la de ella, pero así ocurre siempre: muchas veces nuestros actos, para bien o para mal, tienen consecuencias inesperadas en los demás. Incluso en aquellos que no conocemos.

Pero yo me siento en deuda con él y, de algún modo, también con usted, que lo trajo a este mundo y lo encaminó hacia el bien. Me consta que su ama de llaves, Abbondia, permanecerá callada como una muerta, con el secreto quemándole la lengua pero en silencio, y no lo contará por muchos años que viva, porque así se lo juró a Domenico ante la santa Biblia: que nunca diría nada de lo que ocurrió aquella noche, ni siquiera a usted, para no ponerla también en peligro.

Yo no juré nada. Sólo lloré de alegría las mismas lágrimas que seguro que derramó usted de desesperación al creer que su hijo había muerto y que no volvería a abrazarlo, ni a besarlo, ni a verlo.

Vengo de arropar a mis niños en sus camas. Duermen un sueño tranquilo y feliz. Si murieran, si tuviera que padecer un tormento como ése, creo, signora Fontana, que preferiría quitarme la vida, aunque después me esperara el más espantoso de los infiernos.

Así la imagino a usted, debatiéndose entre la idea de soportar el sufrimiento o la de ponerle fin; la cobardía ganándole terreno a la fe, a la resignación, a la esperanza. Sueño con usted, la llevo todo el día en mi pensamiento, cargo con su angustia como si fuera la mía y, a pesar de todo, hasta el día de hoy, no me he decidido a devolverle lo que es suyo: las ganas de vivir.

Perdóneme, he tenido miedo. Un miedo visceral a poner en peligro a aquellos que más quiero. Pero, finalmente, avergonzada y arrepentida, he llegado a la conclusión de que no hay riesgo mayor ni amenaza más sobrecogedora que la de cargar con el peso de esta mentira en la conciencia.

Le deseo paz, una vida larga y feliz, plena y fructífera, y que cuando cuente a sus hijos: uno, dos, tres, cuatro... como hacemos todas las madres del mundo, para convencernos de que es verdad, que el regalo de Dios es cierto, reserve un número para Domenico con la certeza de que sigue con vida y que algún día, no muy lejano, volverá a reunirse con él.

Su amiga del alma,
Olivia Clarke

Francesca sentía que la habitación entera daba vueltas alrededor de su cabeza. Había perdido el control. Tenía frío, a pesar de que en la mansión Bouvier hacía siempre un calor de espanto. Temblaba. La carta aparecía borrosa, lo mismo que su noción de la realidad. Greta sangraba sobre la alfombra y Claudia sonreía como una imbécil.

—¡Sorpresa! —le dijo como si fuera divertido hacer bromas sobre algo tan serio como aquella revelación.

—¿En qué quedamos? —dijo Francesca en voz alta—. ¿Murió Sydney o no murió? ¿Fue un accidente o un asesinato? ¿La amaba Charles, la amaba Domenico o la única que la quiso de veras fue su hermana Olivia?

Pero Claudia se reía con carcajadas de loca. Todo su cuerpecito endeble se agitaba como gelatina, como la naturaleza viscosa de una medusa fuera del agua. Daban ganas de pisotearla y reducirla a diminutas partículas cristalinas. Aunque lo más probable, de haber tenido el valor de trocearla, hubiera sido que se reprodujera un millón de veces. Que le salieran patitas venenosas y que la habitación entera se transformara en una inmensa pecera de vidrio.

—¡Dame el libro! —exigió a Claudia arrancándole el viejo tomo de las manos.

Francesca había perdido la confianza en su hermana. La sospecha de que, en lugar de leer, Claudia se inventaba la historia, o al menos gran parte de ella, con esa imaginación suya tan impredecible, que igual se le podía ocurrir matar a un personaje que resucitarlo, se estaba convirtiendo en una certeza.

—¿Dónde pone lo del beso de Sydney y Domenico? —inquirió mientras pasaba páginas y páginas sin encontrar el párrafo que buscaba—. ¿Dónde lo del sable del doctor Morgan atravesando de una sola estocada los dos corazones?

Claudia siguió carcajeándose a sus anchas.

—Hay cosas que no se escriben —logró articular por fin entre risa y risa—. Se saben, Franchie, se cuentan, se susurran en las noches lúgubres. Ya te lo dije al principio: son como las criaturas del *piccolo popolo*, sólo se habla de ellas en secreto, en la oscuridad del bosque, en los murmullos de la gente, en el fuego de las chimeneas o en el silencio sepulcral de los camposantos. A mí no me hacen falta estúpidos libros como esta *Historia romántica de Lario* para saber lo que le ocurrió a Sydney Morgan —concluyó.

Y entonces comenzó a leer en las palmas de su mano, siguiendo el trazado de las líneas del pasado, del presente y del futuro, sin parpadear, sin detenerse siquiera a tomar aire, describiendo los hechos como si los estuviera contemplando en una bola de cristal o como si se los estuvieran soplando al oído las otras ánimas de su cementerio.

XXX

Historia romántica de Lario, un estudio
LADY MORGAN, SUCESOS Y CORRESPONDENCIA

Para llegar a la ruinosa Villa Pliniana, abandonada a su suerte desde tiempos inmemoriales, primero había que atravesar un tupido bosque de fresnos y castaños, después desafiar las gargantas de roca y musgo y, por último, cruzar por detrás de la cascada, soportando el estruendo del agua al romper contra las pozas heladas del fondo.

Al final de semejante odisea se alzaba impasible la antigua construcción romana a la que su dueño, Plinio el Joven, solía referirse como La Tragedia, en contraposición a su otra propiedad, La Comedia, que aún resistía las embestidas del tiempo en Como. Dada su inaccesibilidad, aquel palacio llevaba años cerrado y deshabitado. La hiedra se había apoderado de sus paredes, la lluvia se colaba por las grietas del tejado, las palomas anidaban al abrigo de sus ventanas y no había vidrieras sino telarañas, y no había puertas sino zarzamoras. Sin embargo, la escalera de piedra todavía continuaba en pie y, desde lo alto de la torre central, bajo el ábside, se divisaba una vista completa del lago, con Villa Garrovo perfectamente reconocible al fondo y la orilla izquierda desde Como a Nesso bien iluminada por los relámpagos.

El joven Domenico y la vieja Abbondia se asomaron al abismo y recibieron una bofetada de viento y agua en la cara.

—Volvamos a casa, niño mío —suplicó ella—. ¡Qué nos importa a nosotros la suerte de lady Morgan!

—¡Calla, Abbondia! —recriminó Domenico agudizando la vista.

—Ya ves lo que ocurre cuando se violan las leyes de la naturaleza —continuó la vieja—. El lago se encarga de hacer justicia.

Llovía del revés: del lago al cielo. De abajo arriba. Gotas negras, puntiagudas, remolinos de espuma y hojas, olas de tres metros. Flotaban los peces panza arriba, se desmoronaban las paredes de barro de las orillas y se llevaban con ellas árboles centenarios, apriscos de ovejas, barcas de pesca, velas y redes.

En medio de aquel infierno, tan sólo un punto blanco en el horizonte, navegaba Sydney Morgan a la deriva, los remos perdidos y el timón roto. Domenico la reconoció. Hizo señas. Gritó.

—¡Déjate llevar, Sydney! ¡No intentes luchar contra la corriente!

Pero ella no le oyó. Se giró en redondo, extendió los brazos. Perdió el equilibrio. Se cayó al agua.

—¡No! —Abbondia sujetó a Domenico, que estuvo a punto de saltar desde lo alto de Villa Pliniana hacia una muerte segura.

—¡Suéltame, Abbondia! —gritó Domenico desde la torre de Villa Pliniana, incapaz de liberarse de la fuerza descomunal de la bruja.

—Sólo si me obedeces —respondió ella, el pelo blanco transformado en plata y los ojos negros en zafiros de un azul penetrante y mágico—. Deja que se cumpla su destino, niño mío. Yo te guiaré hasta la orilla. No podemos hacer otra cosa.

En ese momento, asombrados ambos, atónitos, aguzando la vista, divisaron en la lejanía otro balandrito igual de endeble que hacía su aparición por detrás de las olas. A bordo, a merced de la tormenta, estaba ni más ni menos que el doctor Morgan, que remaba con todas sus fuerzas hacia su esposa Sydney, la cual, con tafetán y botines, había ido a dar de cabeza al lago.

—¡Él! —exclamó Domenico.

—Su destino —replicó la anciana abrazándolo.

Charles Morgan soltó los remos, se aferró a las argollas oxidadas y le dijo a Dios que confiaba en su infinita misericordia, que se arrepentía de haber provocado su ira con aquella ciencia del demonio, que si le permitía vivir lo suficiente le demostraría su devoción, que se consagraría a los pobres y desamparados, que toda su capacidad de estudio, todos sus descubrimientos médicos, todo su esfuerzo y su trabajo los pondría al servicio del creador, no al de los hombres, porque acababa de encontrar el sentido de la vida.

Y el buen Dios le tomó la palabra.

El doctor Morgan ignoraba que su esposa sabía nadar. Ni en Dublín, ni en Londres, ni en Baron's Court había tenido la oportunidad de aprender una disciplina que, por otra parte, quedaba reservada a los hombres. Por eso, en cuanto vio desaparecer el cuerpo menudo de su mujer entre las aguas, se puso en pie y saltó por la proa de su barquito, incapaz de idear un plan mejor que el desesperado de jugarse la vida.

De brazada en brazada, tragando agua y lluvia, maderas y hojas, logró alcanzarla a medio camino entre la salvación y la muerte segura sólo para comprobar que la brava Glorvina, princesa de Innismore, no necesitaba su ayuda para seguir viviendo. Ella sola se las valía muy bien para desafiar las tormentas. Nadaba como una rana, sí. O como un perro empapado, pero era perfectamente capaz de llegar sana y salva a tierra firme.

—¡Sydney! —le gritó, con la boca llena de lago—. ¡Sydney Morgan, espérame! ¡Déjame rescatarte!

—¡Charles! —respondió ella, incapaz de creer que su marido fuera, a pesar de todo, el héroe de sus cuentos de niña.

—Sé que no te hago ninguna falta, princesa Glo, pero, mírame, me estoy ahogando. ¡Te necesito!

Lady Morgan había vivido toda su vida en lo más profundo de un lago. Había luchado contra corrientes heladas, contra las algas del fondo, que se le enredaban en las piernas impidiéndole ascender, contra las estrecheces del mundo y las de la mente humana, contra su propio ímpetu salvaje y temerario, contra el miedo al amor y a la dependencia.

Era un espíritu libre que necesitaba tanto aire para respirar que jamás encontraba suficiente en la burbuja que la rodeaba.

Ahora entendía quién era Charles. No el tapón de la botella, sino el corcho que salía disparado llevándola de la mano al cielo. El que aflojaba las riendas, el que canalizaba sus energías, el que la permitía ser, y pensar, y equivocarse, y reír, y llorar, porque él, Charles, era el timón de su máquina descontrolada, no el freno.

Salvaron juntos, como dos náufragos, la corta distancia hasta la orilla. Unas veces era Charles quien sostenía a Sydney y otras Sydney quien empujaba a Charles. Cuando Domenico y la vieja Abbondia los encontraron, agotados pero vivos, estaban enredados de tal manera que parecía imposible separarlos. Para entonces ya la vieja había recuperado sus ochenta años y al joven le resbalaban las lágrimas mezcladas con las gotas de agua. Desde ese día, Fontana no supo distinguir las unas de las otras: la lluvia siempre le supo a sal y el llanto a charca.

El resto de la historia transcurrió en doce horas trepidantes. Lo primero fue encender un buen fuego alrededor del cual Charles, Sydney, Domenico y Abbondia relataron a cuatro bandas las diferentes perspectivas de la misma trama. No lograron desenmarañar del todo el embrollo, pero sí quedaron claras algunas cosas: que los nobles habían puesto tierra de por medio, que el general Pino perseguía a Sydney para acusarla de alta traición y que Elisabeth King, contra todo pronóstico, había conseguido llegar a Londres cumpliendo de este modo su temeraria misión.

—Amo a Elisabeth —dijo el joven Fontana apretando las mandíbulas y los puños—. Y me detesto por haberle contagiado la viruela.

—No podemos saber quién contagió a quién —replicó el doctor Morgan—. Y no debemos culparnos por aquello que escapa a nuestra condición humana. Sólo a Dios corresponde decidir sobre la vida y la muerte, la salud y la enfermedad, la condena eterna o la salvación del alma.

Regresaron a Villa Fontana turnándose el único caballo.

La noche, tras la tormenta, resultó ser la más clara que se recuerda en toda la historia de Lario; el cielo cubierto de estrellas, la luna inmensa, el aire limpio y el viento en calma.

Acostaron a Sydney en la cama. Abbondia le untó en la cara un ungüento de hierbas que intensificó su palidez, Morgan se sentó en la mecedora y se columpió de delante atrás toda la noche y parte de la mañana. Contaron a todos la verdad del naufragio y la mentira del ahogamiento y lady Morgan contuvo la respiración mientras el general Pino presentaba sus respetos al desconsolado viudo. Aún tuvo la desfachatez de preguntarle si estaba seguro de que su esposa estaba realmente muerta.

—Por desgracia, su corazón ha dejado de latir y sus pulmones están anegados —respondió Charles con formalidad de médico, y si la situación no hubiera sido tan tremenda, a Sydney se le habría escapado la risa.

—Puedo encargarme del sepelio —propuso Pino—. Imagino que deseará que su esposa descanse junto a la tumba de su hija nonata, en Lario.

—Se equivoca usted, amigo —respondió lord Morgan fingiendo esta vez su característica flema inglesa—. A Sydney le hubiera gustado abandonar esta vida rodeada por las verdes colinas de Irlanda. Ya sabe cuánto adoraba su patria. La llevaré de vuelta a Dublín, donde yacen sus antepasados. Ya he dado aviso a su padre y a su hermana Olivia. Nos esperan.

Los Fontana pusieron a su disposición el carruaje de la casa y un cochero que los acompañaría hasta el puerto de Dunkerque, donde cogerían un barco con destino a Dover. Hasta varias horas más tarde no les extrañó la ausencia de Domenico, porque sabían cuánto dolor anidaba en sus entrañas por culpa de esa muerte. Imaginaron que se habría refugiado en algún claro del bosque, a cubierto de todas las desgracias, y no quisieron ahondar más en su pena con una orden de búsqueda que no daría fruto.

A media mañana se despidieron del triste viudo, que atravesaría Francia junto al cadáver de su esposa cubierto con una manta y atado con unas cinchas al asiento. Morgan insistió en que le taparan bien la cabeza porque le espantaba contemplar el rostro tan bello, tan amado y tan vacío de vida de Sydney.

También acudieron los Pino a despedirse de él, apoyándose el uno en el otro, incapaces de soportar la escena de la partida fúnebre.

Vittoria Peluso depositó un ramo de flores a los pies de su amiga y, al tocar con el pulgar la planta de aquellos pies diminutos, tuvo la sensación de que aún se estremecía Glorvina. Desde aquel día, se aficionó a caminar descalza porque cada vez que notaba el roce de la hierba húmeda bajo los dedos recordaba con exactitud cada una de las poesías y las canciones y las historias de la salvaje princesa de Innismore.

En lo alto de las montañas, muy cerca ya de la frontera suiza, el cochero, que no era otro que Domenico Fontana en persona, se despegó el bigote y la barba de su disfraz, se desanudó el pañuelo con que se cubría el cuello, se quitó el sombrero y la capa y, con dos toques secos en el frontal del carruaje, avisó a los Morgan de que la costa estaba clara, el peligro lejos y la libertad a un paso.

Entonces Sydney se incorporó en su asiento y se acomodó en el regazo de Charles. Él la acarició la frente, los párpados, los labios y el resto de su carne de gallina mientras, poco a poco, aquella berlina desbocada se perdía otra vez entre las nieblas del pasado e iba dejando atrás el paisaje sobrenatural del lago pespuntado de villas y pueblecitos de pescadores, con sus aguas habitadas por hadas y brujas, sus fantasmas y sus amantes prohibidos. Domenico Fontana, con la imagen de Elisabeth entre ceja y ceja, azuzaba a los caballos, consciente de la urgencia de los pasajeros por llegar a puerto.

XXXI

Tan ensimismada estaba Francesca con el desenlace de esta historia que brotaba directamente de su imaginación y fluía a través de los labios de Claudia que no oyó llegar a Tom. No reparó en las luces de los faros del coche al girar en la rotonda, ni en el sonido de la llave, ni en los pasos firmes con los que atravesó el *hall* y la galería, ni en el crujido de la puerta al abrirse de par en par y descubrir el macabro espectáculo de Greta desmayada con la cabeza abierta y Francesca hablando sola, manteniendo una conversación con un interlocutor invisible, la cordura perdida y las manos manchadas de sangre.

Tom Bouvier corrió a su encuentro. Le arrebató la carta que aún sostenía entre sus dedos temblorosos, se hizo con una servilleta, la empapó de agua y la utilizó para detener la hemorragia que manaba de la cabeza de su madre, llamó a gritos a Rosa Fe madre, a Rosa Fecita, a Norberto y a todo el que quiso oírle. Entre todos levantaron a Greta del suelo y la acostaron en el sofá.

—¡Llamen al doctor Sontag! —gritó Tom fuera de sí.

Francesca pareció regresar por fin del mundo de fantasía al que había huido y donde nada de todo aquello había tenido lugar y, al volver a la realidad y darse cuenta de lo que había hecho, se tambaleó primero, se dejó caer en el suelo después y, por último, se acurrucó en una esquina del salón, escondida parcialmente por aquellas pesadas cortinas de seda, sin dejar de parlotear en voz baja, con la mirada perdida.

Una débil voz dentro de su cabeza insistía en repetirle que había sido su mano la que había levantado la botella en alto, la que había golpeado con todas sus fuerzas a la dama para librarse de su picotazo. Igual que si fuera una avispa o una araña peluda. No debería sentir remordimientos por haberse defendido. Pero esa voz era despiadada. La llamaba asesina. La señalaba con el dedo y ella, Francesca, sentía una mezcla de vergüenza y terror. Y culpa.

A pesar de que entre las palabras inconexas en italiano que pronunciaba Francesca desde el rincón intercalaba de vez en cuando la frase «la he matado yo», Tom se negó a creer que aquel crimen fuera obra suya. Achacó el delirio a un *shock* traumático y llegó a la preferible aunque equivocada conclusión de que una banda de delincuentes organizados, los mismos que habían telefoneado para dar el falso aviso de la enfermedad de Bárbara Rivera, se habían introducido en la casa aprovechando su ausencia para cometer un robo. Así se lo hizo saber a todos los perplejos habitantes de la mansión, que rápidamente llamaron a la policía.

—Seguramente creyeron que encontrarían a mi madre a solas y no esperaban que Francesca los atacara con la botella de coñac —les contó—. Pobrecilla, miradla, está en estado de *shock*.

Sin embargo, su teoría se demostró falsa en cuanto llegó el doctor Sontag a medio vestir, con la camisa del pijama, el pantalón de pinzas y el abrigo de paño. Traía el hombre la cara desencajada y el pelo revuelto, el maletín con los enseres de primeros auxilios y un frasco de sales gracias a las cuales, mal que bien, logró devolverle el color a Greta Bouvier. A Tom le bastó con cruzar una mirada con su madre para notar cómo el corazón entraba en combustión hasta quedar reducido a cenizas.

—Por favor, no hable ni se mueva —le recomendó el médico—. Ha sufrido usted un traumatismo craneal con pérdida de consciencia y herida abierta —explicó mientras le exploraba las pupilas con una linterna y el corazón con un estetoscopio. Después se volvió hacia Tom y le pidió que vaciara aquella habitación de gente—. Que se quede la chica —le pidió.

Las dos Rosa Fe y Norberto salieron inmediatamente del salón al tiempo que un coche patrulla hacía su aparición en la rotonda precedido por un escándalo de luces y sirenas. Esta circunstancia inesperada tuvo un efecto mucho mayor sobre la salud de Greta que las sales del doctor. La dama pareció regresar de repente del mundo de los muertos con un alarido más intenso que el llanto de un recién nacido.

—¡Tom! —gritó desde su lecho de muerte—. ¡Diles a los agentes que, por favor, apaguen las luces del vehículo antes de que todo Park Avenue se despierte y venga a curiosear!

Estas palabras, pronunciadas con un ímpetu y una claridad asombrosos, confirmaron al médico y al hijo que, a pesar del golpe, Greta aún conservaba intactas sus facultades mentales.

«Genio y figura», pensó Tom, que conocía muy bien la lucha enfermiza de su madre por guardar las apariencias.

Pero aquella resurrección repentina también demostró a Francesca que la víctima había sobrevivido a su ataque. Consciente de que su crimen estaba a punto de ser descubierto, la chica entró en un estado de histeria tal que tuvo que ser tratada enseguida por el doctor con una inyección de algún somnífero, a juzgar por el sueño pesado en el que acabó sumida.

A pesar de las recomendaciones del doctor Sontag, Greta se incorporó en el sofá. Tenía un ojo amoratado, un corte en la frente y otro en el cráneo, pero la mirada era fiera, la voz firme y las ideas claras.

—Tu novia —dijo— no sólo está mal de la cabeza, sino que además es peligrosa.

—¿De qué hablas, madre?

Tom no podía asimilar lo que estaba sucediendo. Hasta ese momento seguía creyendo que Francesca era inocente. La teoría de la banda criminal le parecía mucho más convincente que la terrible acusación lanzada por su madre.

—Hablo de que Francesca ha intentado asesinarme esta noche y lo habría logrado si no llega a ser por lo dura que tengo la cabeza.

Cuando unos segundos más tarde los dos policías del coche patrulla hicieron su aparición en el salón, Greta no necesitó más que una mirada y un guiño de complicidad con su hijo y con su médico de cabecera para echar por tierra cualquier iniciativa de aquellos agentes.

—Explícales tú, Tommy, lo torpe que soy —dijo la dama—. Vaya golpetazo tan tonto que acabo de darme. Doctor Sontag —añadió—, quédese usted conmigo mientras mi hijo acompaña a estos amables señores a la puerta. Siento mucho que hayan tenido que venir hasta aquí para nada. Tal vez puedas invitarles a un café o algo, Tom, ¿no te parece?

Avergonzado hasta del eco de sus palabras, Tom Bouvier se vio obligado a explicar a los agentes que lo ocurrido allí esa noche había sido un desafortunado accidente. Según su versión, corroborada por la víctima, su madre, Greta Bouvier, había tropezado con la alfombra y se había golpeado la cabeza contra la mesa de cristal. Francesca había tratado de ayudarla, pero la visión de la sangre había provocado que se desmayara.

—Mírenla, está ahí tumbada, en el otro sofá —dijo.

—Entonces —quiso saber el policía—, ¿no interpondrán ninguna denuncia?

—No, agente. Aquí no ha ocurrido nada. No hay robo, ni crimen, ni culpable.

—¿Seguro que no es necesario que avisemos a una ambulancia?

—No —respondió por él el doctor Sontag—. Yo me haré cargo de todo. Me quedaré aquí esta noche, aunque, realmente, lo considero innecesario. Créanme, la señora Bouvier está perfectamente y la joven despertará enseguida.

Dicho esto, guiados por Tom de vuelta a la puerta, los policías abandonaron la casa rascándose la cabeza y los miembros del servicio de la mansión Bouvier se retiraron a sus dormitorios.

Frente a la chimenea, Greta, Tom y el doctor Sontag velaron durante toda la noche el sueño desapacible de Francesca, que entre delirios y espasmos se revolvía en el sofá. Antes del amanecer ya habían dibujado entre los tres el mapa del futuro de la joven: un porvenir que debería suceder a varios miles de kilómetros de distancia de allí.

Tal y como el doctor había supuesto, cuando Francesca despertó de su desmayo no recordaba nada de lo sucedido la noche anterior. Por la mañana, el color regresó a su rostro y la inocencia a su espíritu de niña buena.

En cambio, Tom había perdido de una vez para siempre su confianza en la bondad de las mujeres después de que su madre le pusiera al corriente de todos sus descubrimientos sobre el pasado de Francesca.

Era magnánima Greta o, al menos, capaz de perdonarlo todo con tal de no ver su nombre mezclado en ningún escándalo.

—Es por tu bien, Tommy —le explicó con paciencia—. ¿Qué necesidad hay de que todo el mundo se entere de este desagradable incidente? Al fin y al cabo, no ha ocurrido ninguna desgracia. Además, los periodistas son gente muy cruel. Están ávidos de encontrar trapos sucios y esqueletos en los armarios. Piensa en tu futuro, hijo, en lo que un asunto como éste supondría para tu historial intachable. Inventarán mentiras, te perseguirán, pondrán en tela de juicio nuestro estilo de vida, sacarán a la luz cualquier pequeño error que encuentren en tu camino o en el mío... No nos conviene, Tommy, no nos conviene. Déjame pensar un poco. Verás cómo se me ocurre alguna idea para resolver todo este embrollo.

Y en efecto, antes de que amaneciera, Greta había dado con una solución honrosa, discreta y, sobre todo, permanente para deshacerse de Francesca Ventura. Tom tuvo que reconocer que su madre era una maestra en el arte de la conspiración.

Un par de días más tarde se armó de valor y la llamó al Pierre. Le dijo que la recogería a las ocho en punto en el *hall* del hotel porque era urgente y necesario hablarle de un asunto muy interesante para ella.

—Francesca —le explicó, tomándola de la mano—, quisiera hacerte una oferta de trabajo. El puesto parece hecho a tu medida.

Claro que lo era. Un cargo inventado por y para ella: «coordinadora de comunicación» entre Estados Unidos y Madrid, la sede de la nueva sucursal de la empresa en Europa. Doce mil kilómetros de distancia, una centralita automática y ocho horas de diferencia entre ambos para que cuando él desayunara con su madre en la mansión Bouvier, ella ya se hubiera emborrachado con el vermut del aperitivo.

—Pero Madrid está en España —respondió Francesca, apartando la mano.

—Eso es. Premio en geografía. La soleada España, destino ideal. Un sueño.

—¿Y cómo haremos para vernos?

—Franchie —le dijo él, sonriendo—, son sólo ocho horas de avión. Nuestros encuentros serán mucho más emocionantes. Ganarás mucho dinero, tendrás un ático con vistas al parque del Retiro y el título de consejera en Europa de la compañía THB.

—¿Pero estaré en contacto contigo?

—Tú serás mi confidente, la guardiana de todos mis secretos.

Ella le respondió que se lo pensaría despacio, que su carrera como modelo estaba despegando y que se sentía en deuda con Gianni Versace por todo lo que había hecho por ella.

—Consúltalo con él —le recomendó Tom, que imaginaba cuál sería la respuesta del diseñador—. Seguro que le parece una idea fantástica. Si fijas tu residencia en Madrid, estarás mucho más cerca de Milán y podrás visitarle con mayor frecuencia. Tal vez te necesite para sus desfiles.

Por supuesto, Gianni Versace no puso impedimento alguno a aquel plan que indirectamente le liberaba de cualquier responsabilidad hacia su pupila, aunque comprendía que la proposición de Tom Bouvier no podía tener otro objeto que el de quitársela de encima, cosa que tampoco él podía reprocharle.

—¿Y dices que te ha ofrecido un trabajo?

—Así es, tío Gianni —reconoció Francesca—. Tom necesitaba con urgencia una persona de confianza en Europa, y enseguida pensó en mí.

—Qué listo —murmuró Versace.

Francesca, tal vez la única que no supo o no quiso ver lo que significaba aquella patada hacia arriba, creyó sinceramente en el dorado porvenir de sus encuentros amorosos en el ático soleado del Madrid de sus sueños.

—Él me visitará a menudo. Vendrá en su avión privado y yo le esperaré a pie de pista, subida en una limusina con los cristales tintados. Del aeropuerto al piso me besará de un modo salvaje, porque vendrá con hambre de días y luego, poquito a poco, se irá calmando, el reposo del guerrero, y nuestras caricias se alargarán como los días en verano y las noches en invierno. Mi casa será su refugio y yo su Penélope.

XXXII

Todo lo que vino a continuación —su despedida de Nueva York, su melancólico viaje a España, su recibimiento allí por un chófer de la compañía, sus primeros días en Madrid, su nuevo hogar y su nuevo despacho— lo recordaría Francesca años más tarde como envuelto en tinieblas. «La vida es una sucesión de pendientes —aprendió—, lo mismo estás en la cima que en el abismo, a veces eres la reina, a veces la mendiga. Y no importa mucho dónde te encuentres en cada momento porque lo único seguro es que si hoy estás arriba, mañana estarás abajo. Tropezarás y te darás un buen porrazo, o te empujarán, o te pondrán la zancadilla. Entonces, cuando toques fondo, te volverás a levantar y te aferrarás a la tierra con uñas y dientes, sólo para empezar a caer de nuevo en cuanto alcances otra vez la cumbre. La vida es una montaña resbaladiza».

No volvió a saber de Claudia hasta seis meses más tarde.

Para entonces, ya la leyenda de Francesca Ventura se había propagado como el fuego por la madrileña calle de Serrano y por la de Lista, escenario habitual de sus espectáculos gloriosos. Tenían los adoquines resquebrajados aquellas aceras porque, según aseguraban los habitantes del barrio de Salamanca, por donde ella pisaba jamás volvía a crecer la hierba.

Era frecuente verla llegar en el asiento trasero de su Mercedes Benz y desaparecer en el interior de las tiendas de lujo para surgir de nuevo unos minutos más tarde transformada de arriba abajo en una estrella de la farándula. Afirmaba ser la prometida de un joven millonario americano, la directora de comunicación de una multinacional, la niña mimada de Gianni Versace. La creían, claro que sí. ¿Cómo no iban a creerla si gastaba a diario lo que ganaba cualquiera de las dependientas en un mes?

Justificaba sus caprichos. Decía: «Debo estar siempre preparada para recibirle. Llegará sin avisar, él es así. Vendrá en su avión privado y yo le esperaré a pie de pista. Del aeropuerto al piso me besará de un modo salvaje, porque vendrá con hambre de días...».

Llenaba la casa de flores y las cambiaba por otras antes de que se marchitaran. La nevera de champán y ostras, la bañera de aceites olorosos, la cama de pétalos de rosas. Los domingos se hacía traer el *New York Times* y desayunaba en el hotel Ritz. Café con tostadas, blinis de caviar, ponga dos sitios, dos tazas, dos claveles, que hoy viene seguro, mi príncipe azul.

Hasta que una mañana de febrero, el día de San Valentín, rosas rojas por todas partes, nada más entrar en el comedor, la vio sentada a la mesa, a Claudia, la niña fantasma, enredada en telarañas y cubierta de polvo, esperándola con una sonrisa inquietante en su cara de porcelana blanca. Llevaba el pelo suelto y especialmente sucio, los bichos anidando en su cabeza como algodón de azúcar en lo alto de un palo muy largo. Los ojos eran de cristal, no cabía duda, y las pestañas de plástico y el cuerpo de trapo.

—Cuánto tiempo, Franchie —la saludó enigmática—. Te ha ido bien, no hay más que verte, con esas gafas de sol y esa pinta de millonaria excéntrica. ¿Qué haces así vestida a las once de la mañana, loca?

Francesca se había rizado la melena, llevaba un pantalón negro de cuero ajustado y un blusón de leopardo con unas enormes hombreras, pendientes dorados, bailarinas de charol, calentadores de lana y una espesa capa de maquillaje anaranjado embadurnándole la cara.

—Te ha salido un grano —señaló Claudia, siempre tan observadora.

—Y a ti una araña —respondió Francesca, ofendida—. ¿Qué haces aquí?

—Espero que por fin te hayas dado cuenta de lo tonta que fuiste —le dijo la muerta como toda respuesta a su pregunta—. Los hombres no son de fiar, Franchie, ya te lo advertí. Me da pena verte tan sola, pero me alegro de estar de vuelta. Otra vez somos dos, invencibles, imprevisibles, dos artistas. Te he traído esto —dijo, entregándole un periódico que, de tanto doblarlo y desdoblarlo, estaba muy ajado.

Francesca abrió el periódico, dio un sorbo corto al café caliente. Leyó:

—«En la más estricta intimidad se celebró el pasado jueves la boda del joven millonario Thomas Bouvier Jr. y la señorita Luisa Trebujena en la capilla familiar del Bouvier Memorial, en Long Island. La madre del novio, la conocida filántropa Greta Bouvier, confirmó la noticia con una escueta declaración. "Sí, es cierto. Mi hijo está muy feliz", pero no quiso añadir ningún comentario al respecto. Según ha podido saber este periódico, la joven pareja se ha instalado de manera indefinida en la residencia de verano de los Bouvier, en Southampton, donde esperan ilusionados la llegada de su primer hijo».

No levantó la vista del papel. No tuvo tiempo. Las carcajadas de Claudia se extendieron por el salón y retumbaron por las paredes del comedor del Ritz como campanadas primero, como desagradables gorgoritos después, solapándose con la música de los violines que amenizaban los desayunos de los domingos. Todas las miradas se volvieron entonces hacia el rincón donde Francesca, despatarrada, acababa de desmayarse, llevándose por delante la mesa entera, tazas, bollos, zumo y mermeladas que, con gran estruendo, aterrizaron sobre su cuerpo envuelto en leopardo.

Lo que nadie pudo explicarse fue el hecho de que, estando inconsciente, la chica fuera capaz de reírse con tantas ganas, con aquellas alharacas que alborotaron todo el recinto y que continuaron escuchándose durante el resto de la mañana, a pesar de que tenía la boca cerrada en un gesto de profundo disgusto y las lágrimas le brotaban a borbotones.

Se siguieron escuchando las carcajadas después de que se levantara del suelo y saliera del comedor dando tumbos. Se escucharon, bien fuerte, una vez que desapareció camino de algún claro del bosque donde llorar a gusto. En el Ritz aquella risa duró horas y horas, para espanto de los técnicos de mantenimiento, incapaces de identificar el origen de semejante avería.

Antes de abrir la puerta de su casa, Francesca se sentó en el rellano de la escalera. No había cumplido aún veinte años, quién lo diría, con aquella decrepitud de alma.

—Qué vida más tonta —se dijo.

—Y qué vacía —contestó Claudia, que apareció como siempre, de la nada, y se sentó a su vera—, y qué solitaria. Una vida de montaña rusa, Franchie, eso es lo que tú tienes. Vives permanentemente subida a un vagón de feria muerta de miedo. Ahora sube, ahora baja, ahora se despeña por la pendiente, ahora vuelve a subir para caer de nuevo. Si al menos hubieras disfrutado por un instante del amor...

—No te confundas, Claudia —replicó la buena Ventura—. El amor no da la felicidad.

—Y la amargura tampoco, ni el abandono, ni el desamparo —respondió Claudia, aún más despiadada—. El amor, al menos acompaña. Toda la vida acompaña; sea o no sea correspondido, acompaña.

—¿Qué sabrás tú, niña mimada, del amor?

—Sé que el amor no muere, Franchie. Lo veo todos los días. Él lleva flores a su tumba en un pequeño camposanto a las afueras de Londres. Se sienta sobre la lápida y la besa con la misma ternura con la que ella besó sus heridas en aquel claro del bosque. ¿Recuerdas?

—¿De quién me hablas ahora, Claudia? No entiendo nada. ¿Qué lápida? ¿Qué heridas?

—Las de Domenico, imbécil, que pareces tonta. No te enteras de nada, Franchie, eres la peor investigadora de la historia del mundo. Abandonas el estudio a medias, te pierdes lo mejor. —Claudia se levantó del suelo. Etérea como era a veces, no se daba cuenta de que flotaba en lugar de andar—. Habíamos dejado a Sydney y a Charles en una berlina desbocada conducida por Domenico Fontana camino de la frontera —le recordó—. ¿De veras no te interesa saber lo que pasó después?

XXXIII

Historia romántica de Lario, un estudio
LADY MORGAN, SUCESOS Y CORRESPONDENCIA

A pesar de la insistencia de lady Abercorn, que llegó incluso a inventar una dolencia exótica para convencer a los Morgan de que su compañía era para ella una cuestión de vida o muerte, a su regreso a Inglaterra Sydney se negó en redondo a volver a instalarse en Baron's Court. Le explicó a Charles que en aquella tierra de penumbra moriría de tristeza y aburrimiento. El veneno de Italia, le dijo, la había invadido por dentro y ya no era capaz de vivir sin riesgos.

—¿Qué riesgos? —quiso saber lord Morgan, algo compungido.

—Los peligros de la gran ciudad, Charles —respondió ella—. La aventura de sobrevivir al tráfico, la algarabía de los mercados, la posibilidad de acabar enredada en alguna trama novelesca...

Se refería, por supuesto, a las emociones de los últimos días en Como, su milagrosa huida al galope en un carruaje desbocado, su magistral actuación en el papel de muerta y su llegada a Inglaterra a bordo de una nave corsaria. Pero también, aunque no era capaz de admitirlo por considerarlo una fantasía sin fundamento y entender que tampoco era cuestión de andar preocupándose por algo que probablemente no ocurriría jamás, muy en el fondo de su naturaleza temeraria deseaba sobre todas las cosas del mundo correr el riesgo de tropezarse un día, por casualidad, con Domenico Fontana.

«Londres es grande, pero no tanto», pensaba durante sus largos paseos por Hyde Park.

Y no es que ella propiciara el encuentro —el camino a través del bosquecillo de robles era inevitable para ir desde su casa a la British Library—, pero sí es cierto que al pasar por delante de Marble Arch, Sydney reducía el paso, consciente de que él vivía cerca de allí y, al hacerlo, el pulso se le aceleraba en lugar de ralentizarse, como hubiera sido lo natural.

Algunos días se cruzaba con un grupo de soldados a caballo, siempre los mismos, vestidos con el nuevo uniforme de los dragones ligeros: chaquetillas cortas con pechera de dos filas de botones y chacós con plumero. La saludaban gentiles, llevándose la mano a la sien, y ella les devolvía una sonrisa coqueta bajo la sombrilla. Cuando los veía alejarse camino de la academia de caballería, se detenía un momento para jurarse a sí misma que la próxima vez que se topara con ellos les preguntaría por el joven italiano Domenico Fontana, que se había enrolado en el ejército de su majestad a pesar de su condición de extranjero.

—¿Qué piensas hacer cuando llegues a Londres? —le había preguntado Sydney en uno de los escasos momentos de intimidad que compartieron en el interior de la berlina durante el viaje de huida a Inglaterra.

—Casarme con Elisabeth —le había respondido él, rehuyendo su mirada.

—Me refiero a qué te dedicarás, Domenico. Si vas a casarte y a formar una familia, necesitarás un medio de vida para sustentarla, ¿no crees?

—Soy soldado, Sydney —había afirmado él rotundo—. Eso es lo que soy.

La mayor parte del tiempo fue Domenico quien llevó las riendas del coche y Charles quien se enredaba en el pelo, las piernas, los encajes y las caricias de Sydney, pero, de vez en cuando, las tornas volteaban y mientras el joven Fontana descansaba dentro del carruaje, el doctor se ocupaba de azuzar los caballos. Entonces Domenico fingía estar dormido para poder sentir el peso de los ojos de ella sobre sus párpados y ella fingía estar leyendo para poder notar el cosquilleo de su mirada subiéndole por los tobillos. Ambos trataban de ignorar la fuerza magnética con que sus cuerpos se atraían como el polo negativo y el positivo de un imán, pero todos sus esfuerzos eran vanos y al final siempre era Sydney quien tocaba con los nudillos a la trampilla que comunicaba con el conductor para pedirle a Charles que detuviera el coche un momento que quería sentarse a su lado en el pescante.

—Hace un calor de locos ahí dentro —solía excusarse ella por el rubor y el sofoco.

Cuando llegaron al puerto de Dover se encontraron con un variopinto comité de bienvenida: Arthur y Olivia Clarke habían acudido a recibirlos, lo mismo que varios oficiales de la armada británica, y también Robert Owenson con algunos de sus amigos dramaturgos.

La despedida a bordo fue tan acelerada que las palabras se quedaron atrapadas en la garganta, adiós Sydney, adiós Domenico, suerte, éxito, amor, te deseo. Te deseo amor y felicidad y olvido. Te deseo olvido. Te deseo, Domenico.

Después cada cual siguió su camino. Ambos hacia Londres por veredas distintas, los Morgan a Great George Street, donde adquirieron una bonita casa con consulta y laboratorio, con librerías rebosantes de volúmenes, y láminas, y plata, mucha plata. Domenico Fontana al hospital militar de la calle triste donde lo aguardaba Elisabeth, envuelta en vendajes, su cuerpo devorado por la enfermedad, febril y marchita, apenas una llamita oscilante donde antes hubo un incendio.

Sydney Morgan escribió varias novelas de éxito, un libro de viajes sobre Italia, otro sobre Francia y muchas cartas que nunca llegó a enviar. Cosas de escritora, llenaba el secreter de epístolas de amor, luego les prendía fuego y comenzaba de nuevo. Siempre el mismo encabezamiento: «*Caro Domenico*», siempre el mismo final, «*Adieu, Sydney*».

Domenico Fontana se presentó ante el jefe del Estado Mayor, fue ascendido a capitán del ejército de su majestad y condecorado por su valiente intervención en la campaña de Rusia, ingresó en el cuerpo de caballería, compró una casa en Oxford Street, le pidió matrimonio a Elisabeth y mezcló las lágrimas de ternura con las de compasión cuando ella, a pesar de su declaración de amor rodilla en tierra, le respondió que no. Que renunciaba a su propia felicidad a cambio de la libertad de él.

—Mírame —le dijo. Se apartó la peluca del rostro y se levantó la falda por encima de los tobillos para mostrarle lo que él ya sabía: que la viruela había transformado su cuerpo en una visión horrible—. Soy un monstruo.

Igual que Sydney, Domenico deambulaba por Londres con la esperanza de cruzarse con ella por casualidad. Tampoco él quería forzar las cosas. Temía que lady Morgan lo hubiera olvidado, que su aventura fuera una más en la biografía de la salvaje princesa de Innismore, y no era cuestión de presentarse en su casa a tomar el té sin haber sido invitado. Pero solía frecuentar las bibliotecas y los salones de lectura —ambientes en los que suponía que se movía ella— por si era posible volver a verla algún día.

Elisabeth era un ángel inocente y bueno, pero se le habían roto las alas para siempre. La viruela se había cebado en su naturaleza frágil, la había escupido de vuelta a la vida después de ramonearle el cuerpo hasta que no quedó ni una sola brizna de pasto que devorar. Jamás volvió a crecerle el pelo, ni pudo volver a caminar sin ayuda, ni a respirar sin esfuerzo. Los médicos dijeron que no tendría hijos porque su vientre estaba tan agujereado por dentro como por fuera y que viviría poco y mal, una inválida de por vida, tan frágil que hasta la más ligera corriente de aire podría llevársela por delante.

—Porque eres una mariposa —trató de consolarla Domenico, acariciándole la cara—. Y eso es lo que les pasa a las mariposas: que son bellísimas e inalcanzables, pero tan delicadas que sólo el roce de las manos puede herirlas.

El día en que le comunicaron la dolorosa noticia de su esterilidad, Elisabeth se marchitó tanto, tanto, que cuando llegó Domenico a visitarla, con un manojo de flores frescas como cada tarde, creyó que había muerto. La resucitó con el líquido de sus lágrimas sobre la cara reseca. Ella abrió los ojos y lo encontró arrodillado junto a su cama, las manos apretando las suyas, la cabeza sobre su pecho. Cuando comprobó que aún le latía el corazón dentro de aquella armadura, Domenico la contempló largamente y, con un hilo de voz, le suplicó:

—Cásate conmigo, Elisabeth.

Y ella, por segunda vez, le respondió:

—No.

Porque lo quería más que a su propia vida.

Pero Domenico no se rindió. Continuó visitándola a diario, leyéndole y cantándole, riéndole y llorándole. El asedio duró dos años a tiempo completo. Y al final, el día de su vigésimo cumpleaños, Elisabeth King claudicó.

—Me casaré contigo, Domenico Fontana, porque no conozco a nadie tan noble, tan valiente, tan adorable y tan terco como tú.

Entonces él —la luna llena, el hombre lobo— escuchó dentro de su alma la llamada salvaje de la naturaleza y aulló.

Atravesó el parque, cruzó la calle, llamó a la puerta.

Los recuerdos se le echaron encima todos a la vez cuando respiró el aroma que impregnaba la casa y lo identificó con la mezcla de violetas y jazmines que siempre envolvía a Sydney. Los olores, más aún que los sonidos, o que los sabores, son capaces de trasladar a una persona a través del tiempo y del espacio, de la vejez a la niñez, de la amargura a la felicidad, en una décima de segundo.

—Vengo a ver a la *signora* —le dijo a la doncella que le abrió la puerta del número 15 de Great George Street y le advirtió que el doctor había salido de viaje.

La mujer, algo cohibida, le hizo pasar a un salón donde crepitaba el fuego de una chimenea muy bien alimentada.

Domenico levantó la vista. Se quedó paralizado por la impresión.

—Espere aquí, señor, lady Morgan bajará enseguida.

Sobre la chimenea reposaba el retrato al óleo de todos sus deseos inconfesables juntos. La piel clara como la porcelana inglesa, la melena trenzada, la mirada ausente, la pluma en la mano y la carta sobre el escritorio, con el encabezamiento aquel, *«Caro Domenico»*, sólo visible para alguien que se acercara tanto, tanto, al lienzo que llegara a tocarlo con los labios; alguien que comprendiera la letra diminuta y encriptada de Sydney, el idioma italiano, la pista, la llave, la explicación de toda la nostalgia y el romanticismo de aquella pintura que presidía el salón.

Porque lo cierto era que también a Sydney se le habían enredado los sentimientos. Era tanto el desorden, tanto el deseo, que ninguno de los dos hubiera podido retomar el curso de sus vidas si no se hubieran encontrado una vez más. El amor insatisfecho se les habría enquistado en el alma impidiéndoles ser felices y sólo habrían sabido gozar a medias, soñar a medias, vivir a medias.

—Lo pintó René Berthon —escuchó que decía la voz de Sydney a sus espaldas, y se le erizó la piel.

—Se enamoró de ti, ¿verdad?

—Supongo.

—¿Y tú de él? —Domenico temblaba—. ¿Te enamoraste del tal Berthon?

—No, *amore* —respondió ella, y Fontana cayó en la cuenta de que hablaban en italiano—. Bastante tengo con querer a dos hombres a la vez. Amar a tres sería un infierno.

No se habían vuelto a ver desde Dover. Habían pasado dos años. Él acababa de cumplir veinte. Ella navegaba por la treintena con la serenidad de una goleta experimentada en tempestades.

Domenico cayó de rodillas. Abrazó las piernas de Sydney. Lloró como un niño.

—Voy a casarme con Elisabeth —balbuceó.

—Lo sé. Me lo dijiste en aquel coche.

Le acarició el pelo, se agachó a besarlo.

—La amo.

—La amas.

—Pero te deseo a ti, Sydney.

—El deseo y el amor son cosas distintas —dijo lady Morgan—. Se complementan a veces. A veces no. A veces recaen sobre una misma persona. Pero otras veces se reparten caprichosamente. Se puede desear sin amor y amar sin deseo. Yo también te deseo, Domenico. Desde el primer día en que te vi.

—No puedo olvidar tu cuerpo, Sydney —reconoció él—. Tú has sido la primera y única mujer a la que he contemplado desnuda. En toda mi vida no habrá otra, piénsalo: si me caso con Elisabeth jamás encontraré alivio para el hambre y la sed. Seré fiel, leal, un caballero, pero renunciaré definitivamente al placer. —Calló—. Necesito conocer el tacto de tu piel y el sabor de tu boca, sentir el peso de tu carne, beber tus lágrimas y respirar tu aliento, para poder recordarlo cada vez que ame a Elisabeth y amarla de veras, con deseo.

—Me desearás a mí y la amarás a ella —murmuró Sydney—. Pero yo os amaré y os desearé a ambos. No sé qué condena es peor.

—El amor no es una condena —respondió Domenico—, sino un crimen.

Entonces, obedeciendo por fin a las órdenes de su deseo, se incorporó, la tomó en brazos, la llevó al calor del fuego y, una vez allí, tendidos los dos sobre la alfombra, comenzó a desnudarla con sumo cuidado. Despacito. Aprendiendo en cada paso a sentir con los ojos cerrados.

—Una vez. Esta vez —le dijo al oído—. Luego me marcharé para siempre.

Desabotonó el vestido y entendió que el terciopelo podía llegar a alcanzar la temperatura del agua hirviendo. Desgarró las enaguas y sacó en conclusión que la seda era el tejido más suave de la naturaleza, pero enseguida se corrigió, al notar bajo la yema de sus dedos una tersura anhelante y viva, húmeda, cálida, que no era otra cosa que la piel de Sydney erizada y temblorosa.

Probó también los sabores de la sal y del azúcar, y de las frutas prohibidas, mezclados todos ellos en la punta de su lengua sedienta. Se enredó en el pelo, se detuvo en el centro del rostro que no olvidaba y recorrió al milímetro la geografía accidentada de la salvaje Glorvina. Temió herirla cuando mordisqueó los pliegues más intrincados de su piel, pero, instintivamente, supo atender a los sonidos incitantes y a los quejidos sofocados, y a los movimientos precisos, y los comprendió, y los aprendió.

Aprendió los caminos, los ríos, los bosques, las orillas, los lagos y el modo de acceder a ellos rompiendo monte. Se dijo: «Estas laderas son todas parecidas, basta con cerrar los ojos y recordar».

Volvió a vestir a Sydney, con la templanza de un maestro de ceremonias, o de un sabio, o de un donjuán. Volvió a besarla. Volvió a mirarla. Le dijo adiós. Gracias.

Y ahora sí.

Se fue.

Cuando unos días después regresó Morgan de su viaje a Gales encontró a su mujer más bella que nunca. «Florecida», dijo, y ella calló.

—Vino de visita Domenico Fontana.

—¿De veras?

—Quería anunciarnos su boda.

—Por fin se casa el muchacho, ¿eh?

Charles se acercó lentamente a su esposa por la espalda y comenzó a desabrocharle el vestido.

—Es un buen chico —dijo Charles—. Admirable su lealtad —añadió—. Así que se casa, a pesar de todo.

—Ajá.

—Una pena cómo quedó la pobre Elisabeth, toda llena de cicatrices.

—Las cicatrices no tienen ninguna importancia —replicó Sydney—. Una cosa es el deseo y otra el amor.

—Pues yo te quiero y te deseo.

Sydney se volvió a mirarlo.

—Yo también te quiero, Charles Morgan, con toda mi alma y todo mi cuerpo.

Él había logrado despojarla del vestido y acariciaba la seda de sus enaguas con auténtica fiereza.

—¿Te parecería bien si le enviáramos este cuadro como regalo de bodas? —sugirió Sydney haciéndose la inocente—. Dijo que le gustaba muchísimo.

—Claro —respondió el señor Hyde antes de comenzar a mordisquear su cuello—. Ya sabes lo que opino de él. No te hace justicia, amor mío. Además, cada vez que lo miro me acuerdo de aquel petulante pintor comiéndote con los ojos. Pero yo poseo el original. Que se fastidie Berthon.

CARTA DE LADY MORGAN A DOMENICO FONTANA

Great George Street, Londres, febrero de 1814

Estimado Domenico:
Lord Morgan y yo misma queremos hacerle llegar este obsequio con motivo de su boda con la señorita Elisabeth King. Es un retrato al óleo, obra de un joven pintor francés llamado René Berthon. Acéptelo como muestra de nuestro agradecimiento y sirva, sobre todo, como recuerdo.
Consérvelo por si alguna vez teme olvidarnos.
Sea feliz. Haga feliz a Elisabeth y no olvide que, si el amor es un crimen, al menos es un crimen romántico.
Deseándole a usted y a su futura esposa toda la felicidad que merecen, reciba un fuerte abrazo,
Lord y lady Morgan

—¿Te parece bien Charles? —dijo Sydney cuando le alcanzó la pluma a su marido para que firmara.

—¿Me pides mi opinión? —se extrañó el doctor Morgan inmerso, como siempre, en sus frascos y sus pócimas—. Tú eres la escritora.

Y firmó sin leer la nota.

Y no vio, porque no levantó la vista de su mesa de trabajo, que Sydney, al cerrar el sobre, se detenía un momento a contemplar el nombre del destinatario y después, con el recuerdo imborrable del perfume a albahaca, el brillo del sol en la cresta de las olas, la caricia de las aguane introduciéndose por todos los orificios de su cuerpo y el peso del cuerpo de Domenico al desplomarse sobre su pecho, se lo llevaba a los labios y lo besaba tiernamente.

NOTA DE LA AUTORA

La idea de escribir esta novela surgió durante unas vacaciones en el lago de Como, en el norte de Italia. En un pequeño manual para turistas titulado *Lake Como, a Journey into the Emotions*, que en sus últimas páginas contenía una selección de textos literarios sobre la región de Lario, encontré una carta fechada en 1819 y firmada por lady Morgan en la que le describía a su hermana, lady Clarke, sus placenteras vivencias en el lago. Entonces yo estaba escribiendo la novela *Agua del limonero* y decidí rendirle un secreto homenaje a esta divertida dama decimonónica: «[...] un escritorio inglés al que Greta daba el nombre de secreter por conservar aún, en el doble fondo de uno de los cajones, un pedazo de papel con la firma de lady Clarke y la fecha remota de 1812».

Una vez que terminé *Agua del limonero*, comencé a investigar sobre lady Morgan, de quien hasta entonces no había oído hablar en mi vida. Descubrí que sus memorias y gran parte de su correspondencia privada habían sido publicadas *(Lady Morgan's Memoirs: Autobiography, Diaries, and Correspondence)*.

Me apasionaron el personaje y sus circunstancias, y empecé a escribir esta novela en la que realidad y fantasía terminaron por mezclarse de un modo tan caprichoso que he sentido la necesidad de dar algunas explicaciones al respecto.

Sydney Owenson, Charles Morgan, Olivia Owenson, Arthur Clarke, Robert Owenson, Molly, los marqueses de Abercorn y el ejército de mártires de Sydney son todos personajes reales cuya auténtica historia aparece detallada en las memorias de lady Morgan.

Es cierto que el matrimonio Morgan viajó a Italia y se alojó en Villa Fontana, hoy rebautizada como Villa Mondolfo. Allí entablaron amistad con la familia que les arrendó la casa. También conocieron a Confalonieri, Porro y Visconti (cuyas hazañas se recogen en el libro *Italy*, escrito por lady Morgan tras su viaje a Italia). Las tres hermanas King, que pasaban una temporada en el lago, también formaron parte del círculo de amistades de los Morgan durante su estancia en Como.

Del mismo modo, la amistad y la correspondencia entre el doctor Jenner, descubridor de la primera vacuna, y el doctor Morgan es también real.

La teatral figura de Vittoria Peluso es auténtica, lo mismo que las de Calderara y Pino. Villa Garrovo es en la actualidad el hotel Villa D'Este, de Cernobbio, y estos tres personajes protagonizan parte del relato de su historia. Villa Sommariva fue rebautizada años después con el nombre de Villa Carlotta y hoy en día se puede visitar en Tremezzo.

No tengo constancia de que Vittoria Peluso, el general Pino, Joseph Frank y Scarpa llegaran a conocer personalmente a los Morgan, pero no sería extraño dados sus intereses y gustos comunes. A Volta sí lo visitaron en la Universidad de Pavía.

La trama de intrigas políticas y amorosas, la vieja Abbondia y sus maleficios, el aborto y la viruela, los fantasmas, los vampiros, las aguane y las criaturas del *piccolo popolo* son producto de mi imaginación, o de la de Claudia... no estoy segura.

De los personajes del siglo XX también hay algunos verdaderos: Gianni Versace fue uno de los diseñadores de moda más famosos de los años ochenta y noventa; Richard Avedon es un fotógrafo de prestigio universal; y Patty Hansen y Janice Dickinson fueron dos *top models* muy famosas en los años ochenta.

Thomas y Greta Bouvier, Tom Bouvier, Boris Vladimir, Emilio y Bárbara Rivera, las dos Rosa Fe, Norberto, Francesca Ventura, Claudia, Stefano, Margherita, los Cossentino, los Borghetti y Luisa Trebujena forman parte de mi universo inventado. Algunos de ellos aparecen como personajes principales o secundarios en *Gafas de sol para días de lluvia* y en *Agua del limonero,* mis dos novelas anteriores.